EL MUNDO ES DE CRISTAL

MORRIS WEST

El Mundo es de Cristal

JAVIER VERGARA EDITOR
Barcelona/Buenos Aires/México/Santiago de Chile

Edición original
William Morrow

Título original
The World is made of Glass

Traducción
Raúl Acuña

ISBN 950 - 15 - 0223 - 6

Impreso en la Argentina - Printed in Argentine
Depositado de acuerdo a la Ley 11.723

Comete un crimen, y la tierra está hecha de cristal...
Alguna circunstancia condenatoria siempre trasciende.

Ralph Waldo Emerson

Jung estuvo siempre muy enterado del peligro del contagio mental, del efecto adverso que una personalidad puede tener sobre otra... Cualquiera que haya practicado psicoterapia con psicóticos confirmará que los sistemas engañosos, y otros rasgos del mundo del psicótico, son ciertamente contagiosos y pueden tener un efecto muy perturbador sobre la mente del terapeuta.

Anthony Storr
Jung, Capítulo 2

**PARA
JOY**
con amor
para celebrar un regreso

NOTA DEL AUTOR

Esta es una obra de ficción basada en un caso registrado, muy brevemente, por Carl Gustav Jung en su obra autobiográfica **Recuerdos, Sueños, Reflexiones**. La historia clínica no tiene fecha y está, curiosamente, incompleta. Siempre pensé que Jung, al escribir en sus últimos años, todavía se sentía perturbado por el episodio y decidió editarlo antes que registrarlo en detalle.

He elegido enmarcar esta historia en el año 1913, el período de la histórica disputa de Jung con Freud, el comienzo de su duradera relación con Antonia Wolff y el comienzo de su propio y lento derrumbe.

El carácter de la mujer innominada es creación de un novelista, pero armoniza con la limitada información disponible en la versión que Jung da del encuentro.

El carácter de Jung, sus relaciones personales, sus actitudes y prácticas profesionales, están todos basados en el voluminoso material disponible. La interpretación de este material y su expresión verbal son, por supuesto, mías.

En cuanto al resto, todo novelista es un hacedor de mitos, explicado y justificado por el mismo Jung en su prólogo a **Recuerdos, Memorias, Reflexiones**: "Sólo puedo hacer declaraciones directas, sólo 'contar historias'; si las historias son o no 'verdaderas' no es el problema. La única cuestión es si lo que yo cuento es mi fábula, mi verdad."

MAGDA

Ayer a medianoche mi vida toda se convirtió en una ficción: un sombrío cuento de hadas teutónico, con gnomos, duendes y amantes contrariados, en castillos ruinosos, llenos de crujidos y telarañas.

Ahora tengo que viajar, velada como una esposa de luto, porque mi cara es conocida por demasiadas personas en demasiados lugares. Debo registrarme en los hoteles bajo un nombre falso. En las fronteras debo usar un juego de documentos fraguados por los cuales he pagado un rescate de rey a la condesa Bette quien, por supuesto, no es condesa pero ha sido alcahueta y proxeneta de los Hohenzollern y su corte durante veinticinco años.

Como disfraz en caso de emergencias, y para ciertos encuentros sexuales que aún me interesan, llevaré un reducido guardarropa masculino, confeccionado para mí en tiempos mejores por Poiret de París. Hasta estas notas, escritas solamente para mí, deben contener invenciones y seudónimos a fin de proteger mis secretos de los ojos curiosos de criadas y acompañantes varones.

Pero la verdad está aquí. Toda la verdad que yo pueda distinguir o que pueda soportar contar. Y el cuento comienza con una broma amarga. Ayer fue mi cumpleaños y lo celebré en la casa de citas de la condesa Bette, con un hombre moribundo en mi cama.

El hecho fue penoso para mí, pero no desusado para la condesa Bette. Los caballeros maduros que se entregan a ejercicios sexuales violentos son propensos a los ataques cardíacos. Todo burdel de calidad cuenta con medios para manejar con eficiencia esos incidentes. La víctima, viva o muerta, es vestida y transportada con decente velocidad a su

11

casa, su club o un hospital. Si no tiene cochero o chofer, la condesa Bette lo proporciona: un individuo de boca cerrada con un catálogo de mentiras convincentes para explicar el estado de su pasajero. Las investigaciones de la policía son raras, y la discreción policial es una mercancía sumamente negociable.

Este caso, sin embargo, no fue tan sencillo. Mi compañero y yo éramos huéspedes pagos del establecimiento de la condesa. El era un hombre con título, coronel de la Casa Militar del Káiser. Yo soy un personaje conocido en sociedad. También soy médica y advertí con claridad que el coronel había sufrido una oclusión coronaria y que un segundo incidente durante la noche— siempre una posibilidad en esos casos— ciertamente lo mataría.

El estaba casado, no muy felizmente, con una sobrina de la kaiserina y le había dicho a su esposa que asistiría a una conferencia de oficiales de Estado Mayor. Esa historia — ¡gracias a Dios y al código junker! —se sostendría bien. Pero al final, mi coronel, vivo o muerto, sería entregado a su esposa y no había forma de ocultar su enfermedad cardíaca o sus otras lesiones: heridas en la región lumbar, dos vértebras fracturadas y probable daño en los riñones.

La condesa Bette resumió la situación, secamente, con el acento de una muchacha del arroyo de Berlín:

—Yo arreglaré el embrollo. Usted pagará por ello. ¡Pero entiéndame! Ya no es más bienvenida aquí. Usted solía ser divertida. Ahora es peligrosa. Habrá una esposa y un hijo y el mismo káiser y todo un regimiento de caballería pidiendo sangre por este asunto. Si sigue mi consejo, usted actuará como una zorra astuta y desaparecerá por un tiempo. Ahora necesito dinero... montones de dinero.

Cuando le pregunté cuánto, mencionó la suma exacta que me habían pagado por los seis caballos de caza que le había vendido esa mañana al príncipe Eulenberg. No pregunté cómo conocía la cantidad ni cómo había calculado la factura. Tenía el dinero en efectivo en mi bolso y pagué sin un murmullo. Entonces me dejó para que empacara mis cosas y vigilara al paciente, quien tenía serias fibrilaciones. Cuarenta y cinco minutos más tarde estaba de regreso con un juego de documentos personales a nombre de Magda

Hirschfeld y un billete de primera clase para el expreso de medianoche a París. También me trajo un abrigo gastado de sarga negra y un sombrero de fieltro negro con un velo. Lo tomé a broma y dije que me veía como una niñera inglesa. A la condesa Bette no le hizo gracia.

—Le estoy haciendo un favor que no se merece. Cada vez que oí hablar de usted, últimamente, fue de cosas cada vez más locas, más sucias... ahora entiendo por qué...

Le pregunté qué se proponía hacer con el coronel. Respondió en tono cortante:

—Eso es asunto mío. Lo que usted ignore no podrá hacernos daño a ninguna de las dos. Usted no me gusta, pero yo cumplo con lo convenido. Ahora, márchese inmediatamente de aquí...

Mi coronel estaba inconsciente pero todavía vivía cuando Bette me hizo salir apresuradamente de la casa y cruzar la huerta hasta una puerta trasera donde estaba esperando un coche para llevarme a la estación. Llegué con tres minutos de adelanto y le pagué generosamente al cochero para que encontrara para mí un compartimiento vacío. Después me encerré con llave y me preparé para acostarme.

Esa noche, por primera vez, tuve la pesadilla: el sueño de la cacería por el valle negro, la alta silueta de mi caballo y después verme encerrada, desnuda, dentro de una bola de cristal que rodaba y rodaba en un desierto de arena roja como la sangre.

Desperté enredada en las sábanas, sudando horrorizada y llamando a gritos a papá. Pero papá hacía mucho que había muerto y mi grito fue ahogado con el gemido del silbato del tren que resonaba sobre los campos de cultivo de Hanover.

JUNG

Sé que me encuentro muy cercano a la locura y estoy desesperadamente atemorizado. De noche me tambaleo, presa de pánico, por paisajes de pesadilla: mares de sangre y hondonadas entre montañas de bordes en dientes de sierra, ciudades muertas y blancas a la luz de la luna. Oigo el tronar de cascos y el ladrido de perros de caza y no sé si soy el cazador o el perseguido.

Cuando despierto, veo en el espejo a un desconocido de ojos afiebrados, hostiles. No puedo leer un libro de texto, las palabras se me confunden en un galimatías incomprensible. Caigo en el aturdimiento y la depresión, estallo en accesos de cólera irracional que aterrorizan a mis hijos y reducen a mi esposa a las lágrimas o a amargas recriminaciones. Ella insiste en que debo buscar asistencia médica o tratamiento psiquiátrico, pero yo sé que esta enfermedad no puede ser curada con una botella de medicina o con las inquisiciones de un analista.

Por eso, para afirmar mi cordura, he ideado un ritual. Al desconocido del espejo le recito la letanía de mi vida, así:

"Me llamo Carl Gustav Jung. Soy médico, catedrático de medicina psiquiátrica, analista. Tengo treinta y ocho años. Nací en la aldea de Kesswil, Suiza, el veintiséis de julio de 1875. Mi padre, Paul, era pastor protestante. Mi madre, Emilie Preiswerk, era una muchacha del lugar. Soy casado, tengo cuatro hijos y un quinto en camino. El nombre de soltera de mi esposa es Emma Rauschenbach. Ella nació cerca del lago Constanza, del cual a veces parece creer que es el ombligo del mundo..."

El recitado continúa todo el tiempo que demoro para afeitarme. Su propósito es tenerme fijo en el espacio, el tiempo y las circunstancias, a fin de no disolverme en la nada. Desayuno a solas y en silencio, porque todavía estoy arrastrando las telarañas de mis sueños.

Después del desayuno camino por la orilla del lago y recojo piedras y guijarros para construir la aldea modelo que está empezando a tomar forma en el fondo de mi jardín. Es un pasatiempo infantil, pero sirve para anclar mi mente errática a simples realidades físicas: el frío del agua, la forma y textura de las piedras, el sonido del viento en las ramas, la luz del sol que se derrama sobre la hierba. Mientras esta parte del ritual continúa, oigo voces y a veces veo personajes del pasado. En ocasiones oigo la voz de mi padre explicando doctrina cristiana desde su púlpito de Kesswil:

"Un sacramento, mis queridos hermanos, es un signo externo y visible de una gracia interior. La gracia significa un don gratuito de Dios..."

Hace tiempo he rechazado la religión que predicaba mi padre. Su Dios no tiene lugar en mi vida, pero la gracia, el don gratuito... ¡oh, sí! Me es dada todas las mañanas cuando mi ritual está completo y, puntualmente, al dar las diez, mi Antonia entra en mi vida.

¡Mi Antonia!... Sí, puedo decirlo, aunque mi posesión no es ni completa ni perpetua como yo desearía que fuese. Somos amantes, pero más que amantes. A veces creo que hemos celebrado un matrimonio más completo que el legal que nos une a Emma y a mí. Toni me ha dado su cuerpo generosamente, tan apasionadamente, que hasta cuando oigo sus pisadas o el sonido de su voz, me siento vivo y erecto de deseo. Mi don para ella es ella misma, una unidad de espíritu, una salud de emociones, una integridad, una armonía entre el consciente y el subconsciente. Cuando ella vino a mí, como paciente, era como la princesa dormida en un bosque encantado, aprisionada por zarzales y enredaderas. Yo la desperté. Yo terminé con las pesadillas y confusiones de su largo sopor. Cuando estuvo curada la hice mi alumna. Después se convirtió en mi compañera y colaboradora.

Ahora, en mi propio momento de terror, nuestros roles están invertidos. Yo soy el paciente. Ella es la médica amada cuya voz me calma, cuyo contacto tiene la virtud de curarme.

Me vuelvo lírico, lo sé; pero sólo puedo serlo en privado, en este diario secreto, durante las horas que Antonia y yo pasamos juntos, encerrados en mi habitación torre donde nadie puede entrar sin ser invitado. Pero aun aquí nuestra comunión no es completa. Flirteamos, nos mimamos, nos acariciamos. ¡También trabajamos, créanme! Pero nunca hacemos el amor, porque Toni se niega a entregarse al clímax en la casa de otra mujer. Yo lo lamento pero debo admitir que es una actitud prudente. Emma ya está rabiosamente celosa y no nos atrevemos a correr el peligro de que nos descubran en el acto sexual.

Por supuesto, este forzado aplazamiento de desahogo aumenta mi tensión emocional, pero hay compensaciones en el hecho de que Toni se ve obligada a observar cierta lejanía que es valiosa en nuestra relación clínica. Por mi parte, por más que lo deseo, no puedo exigirle que me permita sofocar todas mis perplejidades en su abundante feminidad. Lo mismo que bebo hasta idiotizarme o me atonto con opiáceos y quedo dormido, murmurando que en el mundo todo está bien.

Así, cada mañana nos saludamos con ternura. Ella prepara café para los dos. Nos ocupamos del correo. Después trabajamos juntos en el análisis de los conflictos psíquicos que me están destrozando.

Pese a nuestra relación clínica, yo soy sensible, a cada instante, a su presencia sexual. Estudio la curva de sus pechos, la caída de su falda sobre sus muslos, el mechón de pelo que le roza la sien. Yo estoy en alta excitación sexual; pero ella permanece calma y serena como la Reina de la Nieve, tal como yo le enseñé, y hace sus preguntas:

—¿Qué soñaste anoche? ¿Estuvo relacionado con símbolos que hemos discutido?

Hoy estábamos discutiendo una nueva secuencia, no relacionada, o así lo pareció, con ninguna otra que yo hubiese experimentado. Me encontraba en una ciudad de Italia. Sabía que era en algún lugar del norte porque me recordaba a Basilea; pero era definitivamente Italia y en tiempo presente. La gente llevaba ropas modernas. Había bicicletas, autobuses y hasta un tranvía. Yo iba caminando por la calle cuando vi ante mí un caballero con armadura completa

—armadura del siglo XII— con una cruz roja de cruzado en el pecho. Estaba armado con una gran espada y caminaba como un conquistador, siempre adelante, sin mirar a derecha ni izquierda. Lo extraordinario era que nadie le prestaba atención. Era como si yo fuera el único que lo veía. Sentía el enorme poder de su presencia, una sensación de revelación inminente. Si por lo menos hubiese podido seguirlo; pero no podía...

La interpretación del sueño nos llevó a Toni y a mí muy cerca de una disputa. Yo estaba —y estoy— convencido de que contenía alegorías mágicas y alquímicas relacionadas con el folklore antiguo: los Caballeros de la Tabla Redonda y la búsqueda del Santo Grial, lo cual simbolizaba mi propia búsqueda de sentido en medio de la confusión.

Toni disintió con energía. El caballero era Freud, dijo. Freud era el cruzado solitario, ignorado por los indiferentes. Afirmó que yo reconocía su valor y su poder, pero que me era imposile seguirlo porque no podía aceptar el empuje fundamental de sus ideas... y porque mi afecto hacia él se había convertido en hostilidad.

Empecé a ponerme tenso, como lo estoy siempre al comienzo de otro acceso de cólera irracional. Entonces, ella abandonó la discusión, vino hacia mí, sostuvo mi cabeza palpitante contra su pecho, se inclinó y me habló como para consolarme.

— ¡Bueno, bueno! No tendremos discusiones esta hermosa mañana. Ambos estamos tensos y cansados. Pasé despierta la mitad de la noche, pensando en ti y deseándote. Por favor, ¿esta tarde quieres acompañarme hasta mi casa y hacerme el amor?

Si se hubiese mostrado tímida o combativa yo podría haber desahogado mi cólera con ella durante horas, como hago a veces con Emma; pero su ternura me desarma completamente y a veces me lleva cerca de las lágrimas.

Aun así, Toni no cede terreno en el debate clínico. Está convencida de que mis problemas con Freud contribuyen a mi psicosis. Yo lo admito para mí mismo; pero todavía no puedo admitirlo ante ella. Nunca le he contado de la violación homosexual a la que fui sometido en mi juventud, ni del consiguiente elemento homosexual en mi afecto por Freud y lo difícil que me resulta liberarme de su dominación.

Tarde o temprano la verdad debe salir a la luz mientras continuemos juntos mi análisis. ¡Pero por favor, Dios, todavía no! Soy un tonto maduro, casado, enamorado de una muchacha de veinticinco años. Quiero disfrutar la experiencia tanto como pueda. Veo que se acercan batallas con Emma, y si mi oscuro **Doppelgänger** llega a tomar el control de mí, estaré perdido para toda alegría y toda esperanza. Antes que soportar esa desesperación, seguiré el ejemplo de mi viejo amigo, Honegger, y me pondré a dormir para siempre.

MAGDA

Por primera vez en veinte años no estoy alojada en el Crillon sino en una modesta pensión cerca de la Etoile. Tomo mis comidas en la casa y hago mis paseos en esos distritos de la ciudad donde es menos probable que me encuentre con amigos o conocidos. Hay un quiosco cerca donde venden periódicos extranjeros y he pedido que me traigan diariamente un ejemplar del **Berliner Tageblatt**.

Hasta ahora no he visto mención alguna de mi coronel o de su destino. La única referencia a mi presencia en Berlín ha sido un breve párrafo que anunciaba que: "El príncipe Eulenberg ha comprado a una conocida caballeriza seis caballos de caza, que están siendo entrenados en su propiedad del Báltico para la próxima temporada."

De modo que debo considerar la lógica de la situación. Mi coronel está vivo o está muerto. Si está muerto, anunciarán la noticia en las columnas necrológicas. Lo sepultarán con todos los honores militares: tambores fúnebres, un caballo sin jinete y con botas vacías en los estribos, cañón en reversa, toda la panoplia de tonterías marciales. Si se encuentra con vida, debe estar por lo menos temporariamente tullido y tendrá que haber encontrado alguna explicación plausible para su esposa. Yo sé que él es un mentiroso épico en asuntos eróticos, pero este episodio pondrá realmente a prueba su talento.

Hay, sin embargo, una posibilidad más siniestra: que mi coronel se encuentre convaleciente pero que esté complotando para lograr mi ruina. No tiene ninguna razón para estimarme. Quizá teme un chantaje, uno de los pocos juegos que yo no practiqué jamás. Empero, últimamente se habla mucho de nuevos conflictos entre las Grandes Potencias.

Bulgaria ha atacado a Serbia y a Grecia. Aquí, en el oeste, circulan historias de espías, anarquistas y asesinos. Hace apenas tres meses hubo un atentado contra la vida del rey Alfonso de España. Si el káiser y su coronel desean deshacerse de mí pueden arreglarlo muy fácilmente. Es noticia vieja que el káiser se muestra en estos días muy sensible acerca del honor de su corte. Hasta su real primo de Inglaterra comentó una vez: "¡Realmente, Willy es tan chabacano!" Y yo casi me vi arruinada por rumores que me identificaban —¡muy equivocadamente, por una vez!— con la belleza ecuestre de quien se dice que está enamorada la kaiserina.

De modo que, por el momento, me recluyo modestamente en mi pensión cerca de la Etoile. Leo los periódicos de la mañana, hago algunas compras, doy algún paseo como una dama y ruego que la condesa Bette de Berlín devuelva valor por mi dinero. Lo tomo a broma, pero en realidad nada tiene de gracioso. Estoy asustada, aterrorizada hasta la médula de mis huesos, no por lo que pudiera hacerme alguien sino por lo que yo me he hecho a mí misma. De pronto, a mis pies se ha abierto un abismo negro y me encuentro balanceándome al borde de la destrucción.

La única forma en que puedo explicarlo es recordando lo que sucedió hace veinte años, cuando acababa de completar mis estudios. Papá nos llevó a Lily y a mí a un crucero por el Lejano Oriente. Viajamos en el buque insignia de la antigua Royal Dutch Line, con escalas en Hong Kong, Shangai, las Indias Orientales, Siam y Singapur. Un día nos encontrábamos en Surabaja caminando por el mercado, cuando de pronto hubo pánico. La gente se dispersaba en todas direcciones, gritando y aullando. Levantamos la vista y vimos un malayo que corría hacia nosotros y lanzaba cuchilladas a izquierda y derecha con un kris grande y curvo. Estaba muy cerca de nosotros, a unos diez metros, quizá, cuando un policía holandés lo mató de un tiro. Papá explicó que era la única forma de detenerlo. El hombre estaba **amok**, en las garras de una furia maníaca asesina contra la cual no podía prevalecer ningún razonamiento.

—De modo que se los mata —dijo papá, en esa forma fría, sonriente, tan propia de él—. Es un acto de misericordia hacia él y un acto necesario para el orden público. Esa clase de locura se contagia como la plaga entre estos pueblos.

Me pregunto qué habría dicho papá si hubiese visto a su hija **amok** en el dormitorio de la casa de citas de la condesa Bette. Empezó como un juego sexual común, si bien algo violento. Mi coronel, un individuo grande, fornido, severo y exigente con sus tropas, gustaba rebajarse ante las mujeres. Exigía que lo maltrataran, lo humillaran y lo castigasen por faltas ficticias. Yo era la compañera perfecta para su fantasía. Soy alta, atlética, buena amazona y muy conocida en los círculos de caza. También disfrutaba del juego, como disfruto, ciertamente, de la mayoría de las experiencias sexuales. Pero de repente ya no fue un juego. Me convertí en una furia, empecé a gritar, me sentí llena de una cólera vengativa surgida de ninguna parte. Quise matar a ese hombre. Lo azoté y lo golpeé con el mango de mi fusta de montar. Y fue solamente la vista de su ataque cardíaco— su pecho hundido, su boca contorsionada en un rictus de ahogo— lo que me devolvió bruscamente a la realidad. Me costó creer lo cerca que había estado del asesinato, y lo mucho que había disfrutado de la experiencia.

Ahora, mirando hacia el pasado, desde mi discreto refugio de París, es muy fácil creer que la experiencia puede repetirse y que la próxima vez podría no tener tanta buena suerte. Algo me está sucediendo —ha estado sucediéndome durante un largo período— algo que no puedo explicar.

Todas las noches, antes de acostarme, me estudio desnuda en el espejo. Tengo todos los motivos para estar contenta con lo que veo. Tengo cuarenta y cinco años. He parido una hija pero mis pechos son firmes, mi piel es clara, mis músculos tan fuertes como los de una muchacha joven. Mi cabello todavía es de un castaño rojizo natural. Hay unas pocas líneas delatoras alrededor de mis ojos, pero con luz favorable y un maquillaje cuidadoso, se vuelven casi invisibles. Mi menstruación aún es regular y todavía no he empezado a experimentar ninguna de las molestias de la menopausia. Si voy esta noche, como me siento tentada a ir, al club de Dorian o a visitar a Nathalie Barney, podré elegir a mi gusto entre los mejores, hombre o mujer.

El cambio, cualquiera que sea, está teniendo lugar dentro de mí. Es como si —¿cómo explicarlo?— como si en mi cerebro se hubiera abierto una puerta y toda clase de criaturas extrañas y monstruosas hubiesen quedado en libertad. Ahora están fuera de control. Yo no puedo volver a capturarlas. No todas son crueles y malvadas, como la que se posesionó de mí en la casa de la condesa Bette. Otras son fantásticas, ocurrentes, impúdicas, llenas de especulaciones alocadas y brillantes; pero todas siguen su propio capricho y desoyen mis órdenes. Con la misma facilidad, podría dar vueltas de carnero en los jardines de las Tullerías y hacer el amor lesbiano con Nathalie Barney en una sala de té con música de tango.

Pero es precisamente lo que me perturba. Detesto estar fuera de control. Con los hombres, caballos o perros, siempre he sido el ama; con las mujeres, he sido una amiga tierna o la enemiga más sutil. Nunca he dependido del alcohol o las drogas, aunque los usé a ambos. Fue papá quien me enseñó esa lección, en su modo improvisado, agradable:

—Nunca te enamores de una botella o de una pipa de opio: no hay placer ni futuro en ninguno de los dos. Nunca tengas sexo con un desconocido: la sífilis hace estragos en el organismo. Recuerda que el único amante que puede romperte el corazón es aquel de quien dependas...

Ojalá él estuviera ahora aquí y yo pudiera hacerle las preguntas que me están atormentando.

¿Qué se hace cuando no se puede depender de una misma? ¿Hacia dónde debo volverme cuando no puedo leer los letreros de la calle? ¿Qué puedo hacer con todos esos desconocidos que brincan dentro de mi sesera?

Pero esto es una tontería. Los deseos son los caballos de los mendigos. Papá se ha ido hace mucho, mucho tiempo, y yo no puedo pasarme el resto de mi vida hablando de trivialidades con la viuda de un diputado y defendiendo mi inexistente virtud de un vendedor de vinos de Burdeos que me palmea la rodilla por debajo de la mesa. Cualesquiera que los riesgos sean, tengo que salir de este lugar. De modo que, esta noche, es Dorian y lo que se presente en esa exhibición de rarezas...

¿Exhibición de rarezas? ¿Quién soy yo para hablar? He sido socia del club de Dorian más tiempo del que quisiera recordar. Según papá —habitualmente el cronista más confiable del **demi-monde**— el club fue fundado por Liane de Pougy, quien fue la **poule de luxe** de su tiempo. El rey de Portugal hizo llover una fortuna sobre ella. El barón Bleichroder, lord Carnarvon, el príncipe Strozzi, Maurice de Rothschild, todos le pagaron tributo en pasión y dinero. A la pasión, ella la explotó sin piedad. Al dinero lo gastó como agua en amantes muchachas, luchadores y rarezas de los lupanares de Montmartre.

El club sería su propia exhibición privada de excentricidades, donde ella podría ordeñar un poco más a sus complacientes parroquianos. Su gerente y administrador era Dorian, un pequeño gnomo jorobado de Córcega que se parecía a Polichinella, tenía un carácter chisporroteante, un fino desdén por la mayoría de la raza humana y un corazón tan grande como la giba de su espalda.

Papá solía visitar a Pougy y a Dorian cada vez que venía a París. Ella lo consultaba sobre las dolencias de su profesión. A Dorian lo trataba por los dolores artríticos que atormentaban su cuerpo retorcido. Cuando Pougy quiso vender su participación en el club, fue papá quien financió a Dorian para que la comprase. Así fue que, un hermoso día, heredé la condición de socia vitalicia.

Cuando mi marido murió y mi hijita fue a vivir con su tía, yo quedé con una gran fortuna y una variedad de urgentes apetitos que —a menos que yo también quisiera establecerme como una **poule de luxe**— sólo podrían ser satisfechos en secreto. El club de Dorian se convirtió en mi lugar de encuentros en París. Cuando me presenté y le enseñé la vieja tarjeta de papá, Dorian me abrazó e instantáneamente me designó su médica personal. Recuerdo vivamente su sonrisa torcida y cómo se puso el índice contra la nariz y me dijo:

—Un arreglo conveniente, ¿verdad? Tú me mantendrás sano. Yo te mantendré libre de problemas. Tu papá me agradaba. Era un tipo audaz; pero tenía manos para curar y... ¡oh, qué estilo! Los lores ingleses no podían desairarlo. Los alemanes nunca lograban intimidarlo. ¡Y los franceses nunca terminaban de entenderlo! Yo tampoco, en realidad. Nunca estuve seguro de lo que él se proponía contigo... Tenía ideas muy extrañas sobre cómo criar a una hija jovencita...

¡Pero eso no es asunto mío! A algunos les gusta el pescado, a otros el pollo, ¿y cómo se puede saber antes de haber probado, eh?

Ahora Dorian está más viejo, ha pasado más de una década. Tiene el pelo blanco. Sus huesos crujen cuando se mueve. Tiene la palidez empolvada de una criatura de las cavernas. Siempre están cerca de él sus guardaespaldas: un sujeto siniestro y silencioso de Ajaccio y una cantinera de Calvi que parece capaz de estrangular un buey con sus manos desnudas. La mujer dirige la casa. El hombre de Ajaccio es la sombra de Dorian: siempre cerca, apenas visible, pero peligroso como una serpiente.

Cuando visito a Dorian, primero voy a su casa del Quai des Orfèvres. Es una cortesía ritual. Yo soy su médica y se espera de mí que lo examine. Después, seguidos del sujeto grande y silencioso, cruzamos el patio empedrado hasta el club, donde se exhiben los especímenes exóticos de Dorian.

Esta noche decidí lucir mi traje de Poiret: pantalones negros, smoking negro, pechera blanca con volantes y, cubriéndolo todo, una capa negra forrada en seda azul medianoche. Mientras me vestía, me pregunté cuánto me atrevería a contarle a Dorian de mi delicada situación. Somos buenos amigos, pero en nuestro circo del absurdo la malicia es siempre un elemento en el juego del amor.

Sin embargo, no hubiera necesitado preocuparme. Dorian lo sabía todo, más que yo, en realidad. Mi coronel estaba vivo y se recuperaba en su propiedad de Prusia Oriental. Se había recobrado de su ataque cardíaco pero seguía con la espalda enyesada. Había renunciado a la Casa Militar del káiser para aceptar un puesto en el Estado Mayor General... En cuanto a mí, no habría represalias pero sería mejor que nunca más volviera a pisar Berlín.

—¡Saliste bastante bien librada! —Dorian fue breve acerca de todo el asunto. —Si no puedes controlarte, no te entregues a esos juegos. Te aseguro que los prusianos pueden ser muy rudos... Ahora, mírame y dime cuánto tiempo me queda por vivir.

Mientras examinaba su grotesco cuerpecito, escuchaba los rales de sus pulmones, palpaba los espolones óseos de su espina dorsal, los nódulos calcáreos de cada articulación, él me aleccionó como un maestro de escuela.

— ¡Mujeres! ¡Son todas unas tontas! Nunca comprenden que están jugando contra la casa... y la casa gana al final. ¡Mírate a ti, **chérie**! Eres fuerte, eres rica, eres inteligente, pero hasta tu pellejo se está gastando. Pronto estarás desollada, llagada, con los nervios al aire. Es entonces que empiezan los gritos. Excepto que tú no gritarás pidiendo socorro, gritarás pidiendo asesinato. ¡Y la próxima cosa que sabrás será que los policías te estarán llevando a la cárcel!

Extendió el brazo hacia arriba y me acarició la mejilla con una manita artrítica, crispada como la garra de un pájaro. El gesto fue a la vez tierno y amenazador.

—Me preocupas, **chérie**. A la mayoría de las mujeres que vienen aquí puedo leerlas como a un catecismo para niños. Un hombre les ha hecho mal. Tienen las miserias de la edad madura. Son lesbianas... o solitarias en busca de una nueva clase de excitación. Se dedican a la bebida, a las drogas o a ambas cosas. Pero tú eres diferente. En un momento eres una Madonna con una sonrisa llena de miel y pechos rebosantes de leche para todo el mundo; al momento siguiente eres una Medusa con veneno en la boca y una peluca hecha de serpientes.

— ¿A ti también te doy miedo, Dorian?

— ¿Miedo, a mí? —Soltó una risita extraña, ronroneante, que terminó en un acceso de tos. — ¡En absoluto! Te conozco demasiado bien. Además, nadie se atreve a asustar a un jorobado. Le frotan la giba, para que les dé suerte. Tú también puedes frotármela, si quieres. Necesitas un poco de buena suerte.

La palabra "frotar" era una clave tácitamente convenida entre nosotros. Era el grito con que le pedía consuelo sexual a una amiga que no se reiría de él y no contaría a nadie los secretos de su cuerpo deforme. Yo me sentía feliz de complacerlo. Era, Dios lo sabe, un ejercicio bastante breve, pero no me producía disgusto ni resentimiento. En cambio, experimentaba una curiosa oleada de ternura. Yo quería darle placer, hacer que se sintiera un hombre, observarlo después, amodorrado y contento, mientras bebíamos juntos un coñac. Fue entonces que me encaró con la brusca pregunta:

— ¿Por qué haces ese... ese acto de domadora de leones?

27

—¿Domadora de leones?

La idea era tan incongruente que estallé en carcajadas. Dorian se enfadó instantáneamente.

—No bromees. Ahora ese es tu nombre en todo el circuito europeo: **La Dompteuse de Lions**.

—Eso no es chistoso.

—No quise hacer un chiste. Es una reputación peligrosa de tener. ¿Qué obtienes de ese ejercicio de locos?

—Nada.

—¿Entonces, por qué lo practicas?

—No lo sé, mi pequeño amigo, sinceramente no lo sé. Cuando sucede, es una furia ciega, una tormenta de fuego. Apenas sé ya más quien soy.

—¿Dónde estás viviendo ahora?

—En una ratonera, con otros ratones grises. Es una pensión, cerca de la Etoile.

—¿Allí puedes recibir visitas?

—No.

—Entonces, quédate aquí esta noche. Usa mi cuarto de huéspedes. Te presentaré a alguien que te dejará tranquila como una monja en vísperas.

—¡Gracias, pero no! En este momento no podría soportar a ningún hombre.

—¿Quién habló de hombres? —Peinó mi cabello con sus deditos como garfios. —Es una muchacha como a la que Safo cantó en Mitilene. Creo que ahora necesitas a alguien como ella. Además, ¿qué tienes que perder? Si duermen felices y se despiertan amigas, ambas estarán en mejor situación que ahora.

Tenía razón. No perdí nada. Gané algo, creo. Ella frotó su nariz contra mi pecho, como una criatura, y después gimió:

—¡Amame, mamita! ¡Amame! Recíbeme nuevamente dentro de ti.

Yo pensé en mi hija perdida y fui gentil con ella. Después, a mi turno, traté de anidarme en la boca de su útero, pero lo encontré demasiado pequeño y demasiado apretado para admitirme. Sin embargo, no me enfadé porque ella deseó mucho recibirme. No era culpa suya que la casa fuera demasiado pequeña y que todavía no había sido habitada jamás. Nos quedamos dormidas una en brazos de la otra, no felices, quizá, pero tiernas y tranquilas.

Desperté alrededor de las tres de la mañana. Ella dormía, acurrucada en la curva de mi brazo y con sus labios contra mi pecho. La luz de la luna le caía sobre la cara y vi, con un pequeño estremecimiento de sorpresa, que era casi de mi edad, con las mismas patas de gallo en los ángulos de los ojos, las mismas arrugas que descendían desde sus labios. No me sentí arrepentida ni decepcionada. Tuve solamente el doloroso recuerdo de mi padre, sonriéndome desde el otro lado de la mesa del desayuno, después de mi primera aventura de toda una noche.

—Es un problema tremendo, ¿verdad? —dijo él.

—Perdóname, papá... — ¡Dios, que relamida era yo! — ... pero no tengo ningún problema.

— ¡Entonces tienes suerte! —Todavía me sonreía como Til Eulenspiegel. —Cuando yo era joven, nunca sabía qué decirles después.

— ¿Pero ahora has aprendido?

Dos podían jugar este juego de bromistas.

—Oh, sí. Siempre les digo lo mismo: gracias y, con un millar de "lo siento", adiós.

—Realmente, eso debe arrancarles lágrimas a sus ojos.

—No. —Rió y agitó una media luna en mi dirección. —Pero deja la situación fluida. Uno no se hace una enemiga, hasta puede tener la suerte de conservar una amiga para una fría noche de invierno.

No quise conservar a mi muchacha mujer. Me levanté sin despertarla y dejé dinero sobre la almohada. Salí sigilosamente a la luz grisácea previa al amanecer y llamé un fiacre para que me llevara de regreso a la pensión. El cochero estaba semidormido y el caballo demasiado cansado para trotar, pero sobre el lento clip clop de sus cascos en el empedrado, pude oír a Lily cantando la canción de cuna de mi infancia:

Ride a cockhorse to Banbury Cross,
To se a fine lady upon a white horse,
Rings on her fingers and bells on her toes,
She shall have music wherever she goes.

(Monta un caballito de juguete hasta Banbury Cross,
Para ver a una hermosa dama sobre un caballo blanco,
Anillos en sus dedos y campanillas en sus pies,
Ella tendrá música dondequiera que vaya.)

Zurich

Ahora estoy empeñado en un viaje más peligroso que
cualquiera de los realizados por los antiguos navegantes, un
viaje al centro de mí mismo. Debo descubrir quién soy, por
qué soy. Debo ponerme de acuerdo con el **daimon** que vive
dentro de mi piel. Debo razonar con mi padre, muerto hace
mucho, sobre el Dios que él predicaba y que yo rechacé.
Debo hablar con mi madre, muerta también, a quien nunca
aprendí a amar. Debo batirme con el hombre que me violó
cuando yo era muchacho y con los dioses oscuros que atormentan mis sueños de adulto. ¡Debo cortar las cuerdas que
me atan a Freud, y esto, créanme, no es una fácil declaración de divorcio! Debo apartarme de la última costa conocida e internarme en el océano tempestuoso de mi subconsciente.

Hay terror en esto. Lucho con ese terror en las horas
oscuras que siguen a la medianoche. Soy como un marinero
que mira fijamente un mapa donde, más allá de las Columnas
de Hércules, el cartógrafo ha dibujado bestias terribles que
escupen fuego y la leyenda: ¡MARINERO, TEN CUIDADO!
AQUI HAY MONSTRUOS Y EL FIN DEL MUNDO. Estoy
familiarizado con los monstruos. He soñado todo un bestia-
rio de ellos: ¡el falo gigante de un solo ojo en la caverna, la
paloma que habla con voz humana, los cadáveres vivientes
de Alyscamps, el escarabajo negro y las rocas que arrojan
sangre! Una u otra de estas bestias siempre monta guardia
junto a mi almohada.

En la oscuridad, estiro una mano para tocar a Emma y
atraerla hacia mí a fin de que me dé consuelo y tranquilidad. Ella lanza un leve gemido de disgusto, se aparta
rodando de mí y se cubre el pubis con las manos. Ese gesto

defensivo me enfurece. Nunca me le he impuesto por la fuerza. Comprendo que, con un embarazo de dos meses, no se sienta inclinada al sexo; pero ella no sabe lo solitario que me siento en este lecho matrimonial, lo desnudo que estoy ante todos mis fantasmagóricos enemigos. Si no tuviese a Toni en este momento de mi vida, podría verme reducido a la impotencia.

Por supuesto, hay en esto algo más que una aversión estaciokal al sexo. Emma siempre ha sido algo autoerótica. En realidad, así lo confesó a Freud en su última correspondencia con él. Por lo tanto, tiene de mí menos necesidad que yo de ella. Mi enfermedad me ha cambiado y ha cambiado mi rol en la familia. Me he convertido en una partida del pasivo, no del activo. Ya no trabajo en la clínica. He renunciado a la cátedra porque no puedo concentrarme en el texto más sencillo. Mi lista de pacientes privados es lastimosamente reducida. Ya no soy el que gana el pan y subsistimos con la herencia de Emma. Ella se ha convertido en la **matrona victrix**, la matrona victoriosa, segura en su rol de paridora de niños, segura en su autorrespeto, mientras que el mío ha disminuido por la enfermedad y la dependencia financiera. De ese modo, ella puede obtener, por lo menos, una venganza sutil de mis infidelidades, reales o imaginarias.

No me proclamo un virtuoso sexual. No soy promiscuo; pero, por carácter, tampoco soy monógamo. Creo que los griegos tenían la combinación adecuada: una esposa para la casa y los niños, la cortesana o el camarada muchacho para compañía, y la casa de lenocinio para diversiones más rudas y salaces si uno lo deseaba. Nuestra estólida sociedad calvinista suiza impone restricciones intolerables a hombres y mujeres. En un buen matrimonio, uno necesita una licencia para descarriarse un poco.

Por supuesto, Emma no lo ve de ese modo y yo no trato de hacer de ello un tema de discusión. Ya tenemos escenas a causa de Toni, y Emma no vacila en recitar, en voz muy alta, ciertas indiscreciones mías del pasado. ¡Como la mujer de Spielrein que a toda costa quería tener un hijo mío!

Este asunto de la psicología analítica está sembrado de tentaciones. Aunque uno sea tan virtuoso como un ermitaño con cilicio, no se puede resistirlas a todas. Cuando una mujer desnuda su alma ante uno, es mucho más peligrosa que cuando se quita simplemente la blusa y la falda. Las que uno rechaza difunden escándalos. Aquellas a las que uno se rinde como en un gesto de afecto, se vuelven tan voraces como bacantes.

Así, uno está condenado si lo hace y si no lo hace. Y nuestra esposa complica el problema apartándose de nosotros en la cama y cubriéndose el sexo con las manos, como una virgen de Botticelli. ¡Al demonio con todo! Mejor estar levantado y trabajando que quedarme aquí, tendido en la oscuridad, alimentando viejos temores y un prurito en la entrepierna.

El estudio está frío y silencioso como una tumba. Ojalá Toni estuviera aquí para traer fuego y calor. Estoy tentado de llamarla por teléfono; ¡pero ni siquiera soy lo bastante egoísta para despertarla a las dos de la mañana! Me sirvo una generosa dosis de brandy. Cargo mi pipa. Abro, sobre el atril, el libro negro donde registro cada paso de mi peregrinaje a lo que ruego que sea una iluminación final. Pongo sobre mi escritorio el fichero de análisis de sueños en el que hemos trabajado juntos Toni y yo. A su lado deposito un bloc de anotaciones, un cuaderno de dibujo, mis lápices y mis lápices de colores. Enciendo mi pipa. Inhalo con placer la primera bocanada de humo. Tomo un sorbo largo y lento de brandy.

"Ahora" me digo a mí mismo. "Ahora", le digo a mi oscuro **Doppelgänger**. "Empecemos. Veamos si podemos encontrarnos algún sentido uno al otro."

Tomo el lápiz negro —el blando— y trato de escribir... inmediatamente estoy bloqueado. Simplemente, no puedo traducir mis fantasías en escritura lineal. Sólo con el mayor esfuerzo puedo anotar las simples preguntas rituales: "¿Quién soy? ¿Dónde vivo? ¿Cuál es mi profesión?"

Después de unos minutos, abandono el inútil ejercicio. Bebo. Aspiro el humo sedante. Caigo en un ensueño. Tomo otra vez el lápiz y empiezo a dibujar mi sueño. Mientras dibujo, caigo en una calma maravillosa. Las paredes de mi estudio se desploman. Mis ropas desaparecen. Estoy desnudo delante de un gran acantilado de piedra ocre, dibujo sobre la roca con un palito carbonizado.

Primero trazo un gran círculo, confiado y perfecto como la "O" de Giotto. Dentro del círculo dibujo una muchacha y un hombre. Ella es joven, recién convertida en mujer. El es anciano, venerable, con largo cabello blanco y una barba flotante. Lleva un báculo. Tiene un aire de serena autoridad. Yo acentúo la sonrisa que le curva los ángulos de la boca. A mis espaldas, una voz profunda pronuncia un elogio:

—¡Mejor! ¡Mucho mejor!

Me vuelvo para mirar al que habló. Allí, de pie, delante de mí, están el anciano y la muchacha. Quedo atontado por el asombro. Miro desde el dibujo a la realidad. La muchacha ríe de mi desconcierto. El anciano sonríe y dice:

—En realidad es muy sencillo. Yo soy Elías. Esta es Salomé. Tú nos sueñas y nos dibujas en una pared. ¿Pero quién eres tú?

No puedo responderle. Miro mi desnudez y me da vergüenza. Meneo la cabeza.

—No sé quién soy.

—No tiene importancia —dice el anciano—. Nosotros sabemos quién eres.

La muchacha tiende la mano. Yo la tomo con timidez. Salomé me atrae hacia ella y el anciano. Nuevamente estoy tranquilo. Recuerdo que me llamo Carl Gustav Jung y se lo digo. Juntos, nos sentamos sobre una roca plana. Respetuosamente, pregunto:

—Elías, señor, ¿esta joven es tu hija?

—Díselo, criatura. —El anciano parece divertido por la pregunta pero no la responde directamente. —Dile lo que tú eres para mí.

—Soy todo... hija, esposa, amante y protectora.

—¿Estás satisfecho, Carl Gustav Jung?

—Estoy sorprendido. No estoy satisfecho.

—No tienes derecho a estar satisfecho. Vuélvete nuevamente a la pared y termina el dibujo...

Cuando me vuelvo, estoy otra vez en mi estudio. Mi pipa humea en el cenicero. El brandy se ha derramado y lo seco con mi pañuelo. Pero hay, ciertamente, un dibujo en mi cuaderno. El círculo es perfecto como una "O" de

Giotto. El anciano y la muchacha son tal como los soñé y dibujé en la pared de roca... ¿Qué significa eso? ¿Cómo puedo llegar a ponerme de acuerdo con este fenómeno?

Entonces recuerdo algo. Paso una hora buscando en mis estantes de libros. Escribo notas furiosamente... Ahora no tengo ninguna dificultad con la escritura lineal. Para las cuatro de la mañana he reunido tres pequeños recortes de la historia. Simón el Mago, uno de los primeros gnósticos, viajaba con una muchacha de un lupanar. Lao Tsé, el sabio chino, se enamoró de una bailarina. Pablo el Apóstol, según dice la leyenda, estaba tiernamente vinculado con la virgen Tecla...

¡Todas historias antiguas! ¿Pero qué magia cósmica las puso en mi inconsciente? Ahora, Elías y Salomé están para mí presentes como si pudiera estirar una mano y tocarlos. Si ellos no fueran reales — ¡en algún modo especial de realidad! — ¿cómo hubiera podido soñarlos? ¿Está toda nuestra historia sepultada así dentro de nosotros, olvidada pero disponible, aguardando solamente ser conjurada como los fuegos fatuos del agua oscura del pantano?

No puedo enfrentar ahora la pregunta. Cierro el cuaderno de dibujos. Salgo a la bruma grisácea de antes del amanecer. Llego a la orilla del agua, arrojo guijarros al lago y grito, una y otra vez:

— ¡Elías!... ¡Elías!... ¡Salomé, amor mío!

Mi única respuesta es un batir de alas cuando una polla de agua se desliza huyendo sobre el agua poco profunda.

MAGDA

Esta mañana vi un espectáculo triste y disparatado. Yo iba caminando por Champs Elysées, pensando en mi noche en la casa de Dorian, y buscando un café aceptable para desayunarme. Un vendedor de frutas, de los que sirven a los restaurantes locales, cruzó delante de mí con una cesta de naranjas sobre la cabeza.

El vendedor dio con la punta de uno de sus pies contra una piedra saliente del pavimento y se tambaleó hacia delante. La cesta resbaló de su cabeza y las naranjas rodaron en todas direcciones. Algunas se partieron, algunas fueron recogidas a la carrera por un trío de escolares, algunas fueron pateadas hacia la cuneta por los que pasaban.

El vendedor quedó un momento inmóvil, impotente, como hipnotizado, con la vista clavada en la cascada de frutas doradas. Después, como era yo la testigo más cercana, se volvió furioso hacia mí y gritó en italiano:

— ¡Todo es culpa suya! ¡Culpa suya!

Levantó la mano y me hizo el signo de los cuernos, arrojó la cesta a mis pies y se alejó a grandes zancadas. Su cólera fue tan infantil, tan ridícula fue la acusación, que me eché a reír. Pero cuando me senté en el café, noté que estaba temblando. El incidente ya no me parecía cómico, sino maligno y siniestro. De pronto me sentí nuevamente en el paisaje de mi sueño. Las naranjas eran bolas de cristal y una Magda desnuda estaba encerrada dentro de cada fruta. Ninguna de las Magdas podía hablar con las demás.

Fue un momento de crudo horror: el mismo horror que se había apoderado de mí la vez que mi mejor caballo de caza se desbocó y tuve que castigarlo y hacerlo galopar hasta que cayó agotado. Sentí la misma punzada de pavorosa malignidad que experimenté cuando encontré a Alexander, mi mastín, muerto fuera de mi puerta, con el hocico lleno de espuma sanguinolenta... ¡y tres años más tarde, a mi glorieta de rosales devastada con un hacha por algún vándalo!

El gesto de los cuernos, el signo primitivo del exorcismo, no fue una mera vulgaridad. ¿Me parecía yo a una bruja? ¿Tenía efectivamente el mal de ojo? ¿Llevaba en mi frente la señal de Caín? Busqué un espejo en mi bolso y me estudié. La imagen me dijo solamente que estaba pálida y que el hombre de la mesa a mis espaldas estaba tratando de decidir si yo era una prostituta madrugadora o una dama indiscreta dando un paseo.

Eso tampoco me ayudó. Me convenció de que había un futuro muy ingrato para una viuda madura que lloraba sobre una taza de café en Champs Elysées y a medianoche hacía el amor con personas desconocidas en casas de citas. Sentí como si una trampa se hubiera abierto bajo mis pies y yo estuviera cayendo al vacío y la oscuridad.

El hombre a mis espaldas se puso de pie y se me acercó. Con mucha cortesía, me preguntó:

—¿La señora se siente mal? ¿Tal vez yo podría ayudarla?

—Gracias, pero estoy perfectamente bien.

—¿Está usted segura?

Yo estaba completamente segura. También estaba segura de que necesitaba ayuda de alguien. El problema era adónde ir y qué decir cuando llegara allí. Hablo seis idiomas, incluido el húngaro, pero ninguno de ellos es adecuado para expresar la vida que he llevado desde que era una niñita.

Es fácil hablar de sexo. No importa lo fantásticos que sean los gustos de una, siempre es posible encontrar un público atento. Pero el resto de ello —mi infancia en el castillo encantado, los primitivos pero extrañamente hermosos ritos de mi iniciación a la feminidad, mis años en la universidad y en la residencia de un hospital— son como cuentos de un país remoto, ¡hasta de otro planeta! No estoy segura de poder hacerlos inteligibles para nadie.

Además, sobre todos esos cuentos cae la misma sombra, la sombra de un patíbulo, ¡y no hay forma de explicar eso tomando café con medialunas! Hasta papá, que podía contemplar con indiferencia la mayoría de las aberraciones humanas, nunca quiso discutir ese tema conmigo. El sabía lo que yo había hecho y por qué; pero lo más cerca de una admisión de su conocimiento a lo que llegó jamás fue un único y ácido comentario:

—¡Espero, querida hija, que no hables en sueños!

Desde que murió papá y mi amado esposo me fue arrebatado prematuramente, he dormido en muchas camas extrañas con toda una galería de hombres y mujeres. Varios de ellos eran muy capaces de un chantaje, pero ninguno sugirió nunca que yo hubiese revelado secretos durante el sueño.

Hasta ahora, mejor así. Pero tal como me advirtió Dorian, mi resistencia se está agotando. No puedo tolerar por siempre esos cambios salvajes de una lujuria maníaca a la más profunda depresión. Necesito un amante estable, un amigo, un confidente... tal vez hasta un confesor.

El pensamiento me intriga. Representa la más extraña de las soluciones para una mujer que nunca tuvo ninguna convicción religiosa. Papá era un racionalista a la antigua que me enseñó que la vida empieza y termina aquí y que tenemos que aprovecharla lo mejor posible. Solía decir:

—Los he cortado vivos y los he disecado muertos, y nunca vi la más mínima señal de Dios o de un alma.

Yo amaba tanto a papá que jamás se me hubiera ocurrido cuestionar ninguna de sus opiniones. No las cuestiono ahora; pero juego con la idea de que podría ser agradable hacerme católica y poder entonces acercarme todos los sábados a un confesionario, recitar mis pecados y salir limpia como un pañuelo nuevo.

Es un pensamiento inútil y, por supuesto, completamente ilógico. Si una no cree en Dios ni en el pecado, ¿por qué afligirse? Lo cierto es que una se aflige. Una se vuelve pálida ante el signo de los cuernos y ve muñecas encerradas en unas naranjas derramadas.

Me siento culpable —no, me siento ridícula y avergonzada— porque estoy dispersándome, estoy arrojándome al aire, pedacito a pedacito, como confetti en una boda. Hasta una prostituta tiene más sentido común; ella vende lo que tiene. Lo curioso es que una parte de mí es ciertamente muy cuidadosa. Campesina frugal, solía decir papá.

Dirijo mi propiedad como cualquier negocio. Mis cuentas son llevadas con meticulosidad, ¡y siempre muestran una ganancia! Compro las mejores ropas, pero las consigo con descuento porque las luzco bien y en los mejores lugares. Cuando hago negocios de caballos, soy capaz de regatear con astucia. En una subasta, puedo oler una trampa a un centenar de pasos.

En la sociedad educada soy recatada y discreta. La mayoría de mis amigos quedarían pasmados si supieran cómo soy de licenciosa en mis placeres, si oyeran las palabras soeces que digo cuando estoy en la cama. Hubo un tiempo en que esta doble vida parecía un juego excitante y embriagador. Ahora es una experiencia peligrosa, una caminata nocturna por un fétido callejón lleno de sombras amenazadoras.

Pagué mi café y fui al banco de Ysambard Frères, a retirar dinero contra mi carta de crédito. Esperaba que Joachim Ysambard, el mayor de los dos hermanos, me invitaría a almorzar. Joachim es ahora un sesentón, canoso, sarcástico y sabio en cosas de mujeres. Hace diez años tuvimos un verano de amor en Amalfi. Después él regresó para casarse con su segunda esposa —un casamiento de gran conveniencia— una alianza dinástica con una antigua familia de banqueros alsacianos. Milagrosamente, seguimos siendo amigos, quizá porque, hasta en la cama, él me recordaba mucho a papá.

Cuando llegué, él estaba en una conferencia pero su secretaria me trajo un mensaje donde me rogaba que esperara y almorzara con él. Mientras tanto, al hermano Manfred le agradaría conversar un momento conmigo. Manfred tiene poco más de cincuenta años, está siempre acicalado como un maniquí, es impecablemente cortés pero extrañamente frío. Nunca se casó. Hasta donde yo sé, no tiene amante permanente, mujer o varón. Hay a su alrededor un aura monacal que me resulta desconcertante y, a veces, repelente.

Pero por la otra parte, Joachim habla de él con respeto y admiración:

—Manfred es un genio. Entiende el comercio como ninguno. Puedes iniciarte con él con una montaña de bloques de té prensado en el Tibet y muy pronto él te entregará lana en Bradford, oro en Florencia, hierro en lingotes en el Ruhr y una ganancia en tus libros en París...

Con todo lo cual me veo obligada a estar de acuerdo. El manejo de mis fondos franceses que hace Manfred me ha valido una segunda fortuna, pero él rechaza mis agradecimientos con remilgado desdén:

—No hay nada de magia en ello, madame. Sencillamente, se trata de trueque en una escala más grande que en el mercado del pueblo. La verdadera habilidad está en la noción de oportunidad... lo cual me lleva a sus asuntos. Joachim y yo aconsejamos que invierta por lo menos la mitad de su capital fuera de Europa.

—¿Por alguna razón en especial?

—Una dispersión de riesgos. Hay lucha en los Balcanes. El resto de Europa estará en guerra dentro de un año.

—¿Cómo puede estar tan seguro?

Manfred se permitió una sonrisa leve y condescendiente.

—Los antiguos augures estudiaban las entrañas de los pájaros. Nosotros estamos mucho más evolucionados. Observamos los movimientos del carbón, el mineral de hierro, los productos químicos, el dinero. Por ejemplo, en este momento, todos los regimientos de caballería en Europa están buscando caballos de remonta y lugares para ponerlos. Una locura, por supuesto... una locura de generales seniles. Un año de guerra moderna y el caballo será tan obsoleto como la espada. Sin embargo, este sería un momento excelente para vender su caballada. —Tras una breve pausa, añadió un comentario erizado de púas.

—Su reputación, como criadora, todavía es alta. La propiedad está en excelentes condiciones. Nuestro consejo es que venda ahora, con mercado en auge, e invierta el producto con Morgan de Nueva York. Eso le daría una base segura en el Nuevo Mundo, en caso de que las circunstancias la obligaran a abandonar Europa.

Le dije que no podía imaginarme ninguna circunstancia

que me obligase a abandonar Europa. El me regañó:

—Querida señora, la guerra es un asunto de lo más indecoroso. Despierta las pasiones más bajas del hombre y proporciona la excusa y la oportunidad para entregarse a ellas. Usted es... ¿cómo debo decirlo?... bien conocida, pero no en todas partes bien considerada dentro de la sociedad. Usted es vulnerable a las murmuraciones y maquinaciones.

—¿Maquinaciones? Es una palabra muy extraña.

—No obstante, es certera. Permítame que le muestre algo.

Mi legajo estaba sobre su escritorio. Manfred lo abrió, sacó una carta y me la entregó. El papel tenía membrete de "Société Vickers et Maxim". La carta, dirigida a Manfred Ysambard, estaba escrita con trazos enfáticos, abiertos.

Estimado Colega:

Me complace comunicarle que, por decisión unánime de nuestros directores, Ysambard Frères ha sido designado banquero de La Société Vickers et Maxim y de La Société Française des Torpilles Whitehead. Esperamos tener una larga y beneficiosa relación con usted y su estimado hermano.

Quizá podríamos iniciarla con una cena en mi casa, a la que usted invitaría a esa clienta muy especial y hermosa de quien hablamos la semana pasada y a la que ahora ruego serle presentado.

A bientôt,
Z.Z.

La firma era una atrevida doble "Z". Pregunté quién era el remitente. Manfred pareció incómodo. Fue la primera vez que lo vi ruborizarse.

—Su nombre es Zaharoff, Basil Zaharoff. Está en todo... acero, armas, navegación, periódicos, bancos...

—¿Y cómo se enteró de mi existencia?

—No por nosotros, se lo aseguro, madame. Joachim

ratificará eso. Fue Zaharoff quien nos mencionó su nombre. Quedamos sorprendidos por la cantidad de información que poseía sobre usted y sus asuntos, pero así es él. Esa clase de hombre. Se mueve en los círculos más altos de la política... con reyes, emperadores, presidentes. Tiene el mejor servicio de inteligencia privado del mundo.

—¿Y por qué debería tener interés en mí?

Yo esperaba una respuesta evasiva; pero no, Manfred estaba ansioso de una confesión.

—Zaharoff usa a mujeres como aliados en sus asuntos. Paga bien y con gusto por el servicio y la información. Tiene la historia suya en las puntas de los dedos. También conoce la historia de su padre. Insinúa estar al tanto de otras cuestiones de las cuales nosotros no tenemos conocimiento... En resumen, ha hecho un gran servicio a Ysambard Frères. En retribución pide un modesto favor... una presentación a usted.

—¿Y si yo me niego a conocerlo?

—Hallará otra forma de arreglar el encuentro. Es un hombre muy decidido.

—Yo también puedo ser decidida.

—¡Por favor! —En la voz de Manfred hubo un asomo de desesperación. —Permítame que trate de explicarle algo de este Zaharoff. El es traficante, a una escala enorme, de armamentos militares. Representa, por ejemplo, a la compañía británica Vickers. Le gustaría mucho obtener el control de nuestra compañía francesa, Schneider-Creusot. ¿Qué hace, entonces? Muy sigilosamente, empieza a comprar acciones del Banque de l'Union Parisienne, una institución propiedad de Schneider-Creusot, que reúne fondos financieros para ellos y para otras industrias francesas. Zaharoff ya está en el directorio; no obstante, nos trae grandes cuentas para convertirnos también a nosotros en sus aliados. Al final, recuerde lo que le digo, él dirigirá Schneider-Creusot... Si él quiere conocerla a usted, lo hará, de una forma u otra. Entonces, ¿por qué no hacerlo en la forma agradable? Permítanos que reunamos a dos de nuestros distinguidos clientes. ¿Y bien?

—¿Qué piensa Joachim de todo esto?

—Pregúnteselo usted misma en el almuerzo.

La respuesta que me dio Joachim fue tan clara como el tañido de una campana de iglesia en una mañana helada.

—Si la mitad de las murmuraciones que oigo son ciertas, tú necesitas un protector. ¿Quién mejor que Zaharoff, el hombre má poderoso de Europa?

—¿Por qué necesito un protector, Joachim?

—Tu edad. —Joachim me dirigió una leve sonrisa. —Y una tendencia creciente a las indiscreciones sexuales.

—¿Y tú cómo sabes esas cosas, mi querido Joachim?

—Algunas me las han contado mis propios chismosos...

—Y otras, sin duda, este Basil Zaharoff.

—Correcto.

—¿Cómo es él en la cama, Joachim?

—¿Qué sé yo? —Joachim estaba divertido, pero sólo un poco. —Yo supongo que él, para nada te quiere en su cama.

—Hablas como si fuera un proxeneta.

—Se dice que fue así como empezó... como correveidile de las casas de lenocinio de Tatlava.

—Eso suena como el fin del mundo.

—Es el viejo barrio griego de Estambul.

—¡Y ahora este griego, este turco, lo que sea, ha conseguido que Joachim Ysambard trabaje como proxeneta para él!

Fue una crueldad calculada, pero no pude resistirme. Joachim digirió el insulto en silencio. Su respuesta fue suave, casi como si me pidiera disculpas.

—Ojalá pudiera decirte que los banqueros tenemos manos más limpias que los que solicitan parroquianos para los burdeles. No las tenemos. Estamos reuniendo millones para cañones, explosivos y gases venenosos. Estamos prestando dinero por todo el mapa, a fin de que, cualquier bando que gane, no podamos perder. Debería sentirme avergonzado. No lo estoy. Yo trabajo por dinero, me casé por dinero. Tú fuiste una de las pocas gratificaciones en las que gasté dinero...

—¿Y ahora te gustaría cobrarte la deuda?

—¡No seas vulgar! Además, te estoy haciendo un favor. Zaharoff necesita una mujer que dirija sus salones y cultive la relación con sus clientes. Te instalará como a una duquesa.

—¿Y me arrojará a la calle como a una criada preñada cuando la fiesta haya terminado? No, gracias.

—Como tú quieras, por supuesto. —Joachim se puso estudiadamente formal. —Ahora, en cuanto a tus asuntos financieros...

—Seguiré el consejo de ustedes. Venderemos la propiedad y la caballada e invertiremos el producto en los Estados Unidos. ¿Qué más habría que liquidar?

—Manfred y yo prepararemos una lista. Lo discutiremos antes que te marches de París. ¿Dónde podemos ponernos en contacto contigo?

—Desde mañana, en el Crillon. He decidido ponerme nuevamente en circulación.

—Por favor, piensa en Zaharoff.

—Lo haré, Joachim. Y gracias por cuidar tan bien mis intereses.

—Siempre es un placer, querida mía.

Y ese fue otro capítulo cerrado, otra amistad muerta y sepultada. Cuando salí al tránsito agitado de la Rue St. Honoré a primeras horas de la tarde, me sentí, una vez más, ridícula y avergonzada. Un hombre que había sido mi amante me trataba como a un bien mueble, un objeto de trueque en el mercado. Peor aún era su apacible suposición de que yo debía sentirme muy dichosa con la transacción.

¿Qué me estaba sucediendo? ¿Qué leían los demás en mi cara que yo no podía ver en mi propio espejo? ¿Por qué tenían que suponer que yo, la más independiente de las mujeres, necesitaba de pronto un protector? Y aunque así fuera, ¿cómo se atrevían a ofrecerme a un traficante de armas de Tatlava surgido del arroyo?

No vi lo gracioso de la situación hasta que estuve de regreso en mi dormitorio de la pensión. Yo estaba pagando buen dinero por peores compañías todas las noches de la semana. Estaba pagando, no para ser protegida sino para ser explotada; y en vez de estar instalada como una duquesa, era una víctima fácil para cualquier policía y rufián del mundo del vicio. Me arrojé sobre la cama y reí hasta que lloré y lloré y lloré...

JUNG

Zurich

Hoy hace calor y está excesivamente húmedo. Nubes oscuras se amontonan sobre el lago. Tendremos tormenta antes de mediodía. He estado trabajando desde el amanecer, recogiendo piedras de la orilla del lago, amontonándolas junto a mi aldea en miniatura, clasificándolas por tamaño y textura. Estoy desnudo hasta la cintura, como un obrero. Mi cara y mi cuerpo están manchados de polvo y sudor, pero me siento relajado y contento.

Emma y los niños están pasando el día con unos amigos que tienen una villa cerca del pico del Sonnenberg. Toni ha puesto una mesa plegadiza debajo del gran manzano y está escribiendo sus notas. Ha preparado una jarra de limonada y ha traído toallas limpias para que podamos bañarnos antes de almorzar y cambiarnos en la casa de botes.

No hablamos mucho. No es necesario. Nos contentamos con estar juntos, cada uno impulsado por la corriente de una meditación privada, como dos arroyos que confluyen. Mientras construyo mi aldea de juguete es como si estuviera reconstruyendo mi infancia a partir de retazos y jirones de memoria: como la leyenda del padre de mi madre, el pastor Preiswerk, quien todos los miércoles recibía al fantasma de su primera esposa, ¡con gran desazón de la segunda, que le dio trece hijos!

Mi padre también era pastor protestante, un hombre inteligente y manso, desesperadamente frustrado por las restricciones de una pequeña parroquia rural y una teología pasada de moda a la que él nunca encontró el coraje de examinar. Por eso se refugiaba en los recuerdos: los buenos y viejos tiempos, los románticos años de estudiante, los laureles que había ganado como graduado en lenguas orientales, ¡que nunca más volvió a leer! Reñía a menudo con mi madre, una mujer corpulenta, alegre, cálida como el pan recién horneado, que amaba la charla y la compañía. Experiencias posteriores me llevan a creer que las reyertas tenían también una base sexual. No puedo decir quién tenía la culpa. La hipocresía de los suizos en cuestiones sexuales a veces puede ser increíble. El hecho es que mi padre se hundió cada vez más profundamente en la depresión y que estuvo un largo período en un hospital.

Tengo hacia ella sentimientos extrañamente ambivalentes. Detrás de esa persona cálida, gorda, confortable, acechaba otra... poderosa, oscura, dominante, que no toleraba contradicciones. Esta última, creía yo, podía mirarme a los ojos y ver qué estaba sucediendo dentro de mi cráneo. Mis sentimientos acerca de ella han coloreado todas mis relaciones posteriores con mujeres. Durante muchos años, mi respuesta a la palabra "amor" fue de duda desconfianza. Mi primera, y en ciertos sentidos mi más profunda experiencia de un sueño, tiene que ver con mi relación con mis padres y con la de ellos entre sí.

En ese sueño yo descubría, en un prado detrás de nuestra casa, la entrada a un pasadizo subterráneo. Me internaba allí. Me encontraba en una vasta cámara en la cual había un trono real. Sobre el trono se erguía un falo grande como un árbol. Su único ojo ciego miraba fijamente al techo. Oí la voz de mi madre que gritó: "¡Míralo! ¡Ese es el devorador de hombres!" El sueño se repetía noche tras noche. Yo estaba demasiado aterrorizado para irme a la cama y eso causaba discusiones con mi padre, a quien no me atrevía comunicarle lo que había visto.

El sueño, como dirán muchos analistas, está abierto a toda una gama de interpretaciones y todos los años yo le he encontrado un significado nuevo. Pero al recordarlo ahora, en este jardín estival, no me mueve el terror sino el deseo inspirado por la hermosa criatura que está sentada al alcance de mi mano.

Voy hacia ella. Ella me sirve limonada y me lleva la copa a los labios. Después seca el sudor de mi cara y mi cuerpo. El contacto de sus manos es como una descarga de electricidad... y yo salto como la rana de Galvani.

—¡Te deseo! —le digo, en tono implorante.

—Yo también te deseo —dice ella.

Entonces... ¡un regalo de los antiguos dioses!... caen las primeras gotas de lluvia y los primeros relámpagos desgarran el cielo sobre las cadenas de montañas. Toni recoge sus cuadernos y corremos a refugiarnos en la casa de botes.

Ahora no hay ruegos, no hay protestas. Mientras Toni se desviste, hago una cama con los cojines y velas de mi barco. Nos tendemos allí mientras afuera la tormenta estalla en toda su furia, con relámpagos y truenos, y granizo con unas piedras tan grandes como balas que se estrellan contra el techo. La tormenta ruge una hora y más, sobre todo el lago. Nadie puede interrumpirnos. Emma no saldrá del Sonnenberg hasta que termine la tormenta. Nuestros sirvientes están encerrados en el interior de la casa. Toni y yo somos libres y felices como niños. Hacemos el amor en una forma más salvaje y apasionada de lo que jamás habíamos disfrutado. Cuando nuestras pasiones quedan agotadas, permanecemos tendidos pecho contra pecho, envueltos en las velas blancas, escuchando el gemido del viento y el tamborileo de la lluvia, y los crujidos del manzano que se dobla bajo su carga de frutos jóvenes.

Después, como siempre, nos envuelve la lenta tristeza que sigue a la cópula. Toni me abraza con desesperación y murmura el viejo refrán:

—¿No sería maravilloso estar todo el tiempo así? ¿No sería hermoso no tener que tomar precauciones? Odio ser la que tiene que regresar a su casa. ¿Por qué no nos conocimos antes que apareciera Emma? ¿No te gustaría que pudiésemos estar casados?

No me atrevo a decirle que un anillo de casamiento lo cambia todo, que no hay mejor receta para aburrirse que tener sexo todo el año con una esposa legal, que la mitad de la excitación que compartimos viene de los riesgos de ser descubiertos. Menos todavía puedo explicarle la rapidez con que los símbolos del sueño se transmutan para mí: cómo la caverna útero donde el falo reina, erecto y triunfante, se convierte en una cámara sepulcral donde un asqueroso gusano blanco es el único vestigio de vida.

La misma Toni se transfigura mágicamente en este

brumoso país de después del coito. En un momento es Salomé, hermana, esposa, amante y protectora. En el instante siguiente, es la joven sirvienta que atendía la casa para mi padre y para mí cuando mi madre estaba en el hospital. Tiene el mismo pelo negro lustroso, la misma piel mate, el mismo olor a mujer, y ella, también, ríe cuando le hago cosquillas en las orejas con mi lengua.

Cuando cesa la lluvia también cesa la magia. Toni se pone de pie de un salto y se viste apresuradamente. Hace todas las preguntas habituales:

—¿Tengo el cabello en orden? Mis labios están irritados, ¿verdad? ¿Está derecho el borde de mi falda?

Le abotono la blusa, le doy un último beso y la envío a trabajar nuevamente en la casa. Estará allí cuando Emma regrese con los niños. Guardo las velas en sus fundas de lona, apilo prolijamente los almohadones, cierro con llave la casa de botes y reanudo mi trabajo de albañil en la aldea modelo.

Entre las piedras que encontré esta mañana hay un curioso fragmento cónico de cristal. Será una espléndida aguja para la iglesia. La iglesia me hace pensar en Dios, la Trinidad, Jesucristo y mi padre, su representante oficial. Mi padre dirigía funerales. Los muertos eran encerrados en cajas negras, cargados sobre los hombros de hombres con levitas y botas negras y después sepultados en agujeros en el suelo. Mi padre decía, en el servicio:

—Dios los ha recibido en Su seno. Jesús, el Salvador, les ha dado la bienvenida a Su Reino.

Por eso, para mi mente infantil, Jesucristo se convertía en una figura negra y amenazadora cuyo reino era el oscuro mundo subterráneo, hogar de topos ciegos, grillos chillones y monstruos de un solo ojo.

Por supuesto, el monstruo de un solo ojo puede aparecer en cualquier parte. Por ejemplo, esta casa, muy cerca de la iglesia que estoy construyendo, es para mí un lugar siniestro. El hombre que solía vivir aquí era amigo de mi padre y también amigo mío. Me prestaba libros. Alimentaba mi pasión infantil por la pintura y el dibujo. Me llevaba a pescar y a nadar. Me enseñó los rudimentos de la arqueología. Me hizo ver por primera vez los símbolos eróticos de los griegos y romanos y los eruditos de las cortes del

Renacimiento. Después, un día de verano, cuando nos bañábamos en un rincón alejado del lago, trató primero de seducirme para que tuviese sexo oral con él. Cuando retrocedí lleno de temor y disgusto, se apoderó de mí, me puso de cara contra el tronco de un árbol y me violó.

Fue una experiencia dolorosa y humillante, más todavía porque, mezclada con mi sensación de ultraje moral, estuvo la convicción de que de alguna manera yo le había fallado al amigo que acudió a mí en busca de alivio o consuelo. El elemento de placer en la copulación me confundió aún más. Yo había alcanzado el clímax, había eyaculado, y ese hombre mayor que yo se apresuró a usar esas sensaciones placenteras para justificar su invasión de mi persona y mi forzada cooperación en la sodomía.

Aún ahora, en mis años de madurez, durante breves minutos después de mi apasionada unión con Toni, el recuerdo de aquel otro encuentro sigue acosándome y confundiéndome. Colorea toda mi situación con Freud, por quien he sentido un gran afecto, un sentimiento de un hijo hacia su padre, de un alumno hacia un querido maestro. Pero la situación siempre ha sido más compleja que eso, muy griega, muy platónica. Yo soy el camarada de armas, quien ha compartido su jergón en el vivaque y que ahora lo abandona para luchar bajo otra bandera, por una causa diferente.

Sin embargo, debo decir que, pese a todos sus afectados modales vieneses y a su sutileza hebraica, también hay en Freud algo de macho dominante, tal como hay en mí algo femenino que desea ser dominado y en Toni algo masculino latente que quiere dominarme.

En todo esto hay una pauta que empiezo a entender lentamente y que estoy tratando de codificar. El problema es que me falta el vocabulario. Cuando era más joven solía quejarme en alta voz de los filósofos y teólogos que creaban palabras grandes y difíciles para las proposiciones más elementales. Ahora entiendo por qué. Mientras más grande la palabra, más magia contiene, mejor disfraza la humana ignorancia. Pero una vez que se la establece en el ritual, la palabra mágica se vuelve una palabra sagrada. ¡Desafiarla es herejía y, peor aún, blasfemia!

Pongo el coronamiento de la torre de mi iglesia y retrocedo un paso para admirar el efecto. En alta voz, hago una pregunta a un muerto:

— ¿Qué piensas, padre? ¿Le gustará a tu Dios la casa que he construido para El?

Mi pregunta es un desafío a mi padre muerto, cuyas fórmulas de fe ya no son válidas para mí. También es una evocación deliberada de un sueño de cuando yo era muchacho. En el sueño, yo veía a Dios Padre, anciano y poderoso, entronizado en el cielo azul, exactamente sobre la aguja de nuestra catedral. Mientras yo observaba, lleno de temor reverencial, Dios lanzaba una ventosidad atronadora y un grande, divino cilindro fecal caía — ¡plop! sobre la torre y aplastaba la catedral hasta el suelo.

Para mí fue un sueño de liberación: Dios rechazaba los intentos del hombre de encerrarlo en sistemas y rituales. Sin embargo, aquí estoy, en mi propio jardín, reconstruyendo la prisión de mi infancia. ¿Por qué? Mi padre no puede decírmelo. El está encerrado en su caja negra, bajo tierra, donde todo es diferente.

En el reino secreto del inconsciente, nada es del todo lo que parece. Los muertos hablan y los vivos enmudecen. El falo es un dios caníbal, ahíto de sangre. El útero húmedo invita al violador. El violador viola por un amor que no puede experimentar. Jano, el guardián de dos caras de la puerta, ve el pasado y el futuro pero es ciego para el presente e inconsciente de la eternidad que a todos los incluye.

De pronto se me presentan Elías y Salomé. Les enseño mi aldea. Les digo los recuerdos que la misma evoca. Les pregunto:

— ¿Tiene algo de esto sentido para ti, Elías? ¿Para ti, Salomé, mi hermana, mi amor?

Por primera vez me percato de que Salomé es ciega y de que ahora hay con ellos un tercer personaje: una gran serpiente negra con ojos que brillan como obsidiana. La serpiente se me acerca y enrosca su cuerpo alrededor de mi pierna. Claramente, es una criatura amistosa, pero yo tengo miedo. Salomé tiende una mano para tranquilizarme. Yo evito su contacto. Elías sonríe a su modo lento y sabio y me regaña.

—Tienes más miedo de Salomé que de la serpiente.

Admito que es así, porque hoy ella me recuerda a mi madre cuando estaba de humor sombrío y parecía mirar directamente dentro de mi cabeza. Siento que los ojos ciegos de Salomé ven más que los ojos de la serpiente. Entonces, tan repentinamente como vinieron, ellos desaparecen. La única otra criatura viviente en el jardín es un tordo que picotea los gusanos de la tierra húmeda.

MAGDA

París

Esta mañana, a las diez, cuando estaba tomando el desayuno en mi vieja suite del Crillon, un botones me trajo una nota. Me dijo que abajo un chofer uniformado estaba esperando una respuesta. La nota era de Basil Zaharoff.

Mi estimada señora:

Nuestros amigos comunes, los hermanos Ysambard, son banqueros excelentes; pero, en la diplomacia del corazón, son niños. Yo les encomendé la misión de que arreglaran un encuentro informal con usted en una cena en mi casa. Ellos cometieron una chapucería. Sólo espero que no hayan dañado mi crédito con usted.

Deseo ansiosamente conocerla. Largo tiempo he admirado su belleza, su sentido de la elegancia y su independencia de carácter.

¿Me haría el gran honor de cenar conmigo esta noche? Si acepta, iré yo mismo a buscarla a las ocho.

No soy, créame, el otro que a veces pintan. Siento una saludable desconfianza de mis congéneres, pero soy un ardiente admirador de las mujeres.

Por favor, diga que vendrá.

Z.Z.

La doble "Z", trazada con imperial desdén, ocupaba todo el ancho de la página. El sabía que yo aceptaría. ¿Cómo hubiese podido rehusar? Me sentí como Eva, con la vieja serpiente haciéndole guiños y ofreciéndole un segundo mordisco de la manzana del árbol de la sabiduría. Yo había estado largo tiempo fuera del Edén. ¿Qué tenía que perder? Apresuradamente, escribí una nota aceptando la invitación a cenar y convidándolo a tomar previamente champaña en mi salón.

Llamé por teléfono a mi modisto y le pedí que exhibiera algunos vestidos para mí a mediodía. Después arreglé para que André, el **coiffeur**, me peinase y ayudase con mi tocado a las cinco y media. Ambos quedaron encantados al tener noticias mías. La vida había estado aburrida últimamente. Esperaban que yo encendiera algunos fuegos de artificios en París.

La llegada de Basil Zaharoff fue anunciada por regalos y notas explicativas: un enorme ramo de flores de verano "porque esta es una ocasión festiva"; un frasco de cristal con perfume "mezclado en mi propia perfumería de Grasse", un bol de caviar, helado y aderezado, "para acompañar el champaña". En contraste con esta opulencia, el hombre, en sí, resultó un modelo de encanto y discreción. Pese a sus orígenes levantinos, Basil Zaharoff era la imagen misma de un aristócrata europeo tradicional. Era alto, con facciones fuertes y aquilinas, cabello blanco y en el mentón una perilla pequeña e inmaculadamente recortada. Sus ojos eran grises con una chispa de humor. Sus modales eran serenos y aplomados. Sus primeras palabras fueron un cumplido.

—Señora, usted es aun más hermosa de lo que yo esperaba.

—Y usted, señor, es un huésped extravagante pero bienvenido.

—¿Qué esperaba usted?

—Algo bastante más formidable.

Eso pareció complacerlo. Sentí que necesitaba de la lisonja, que le gustaba que la gente lo reverenciara. Ahora advertí que los ojos grises estaban inquietos. Lo miraban todo. Se detenían solamente en los detalles sensuales. Pensé que podían volverse duros y atemorizadores. Le pregunté:

—¿Por qué estaba usted tan ansioso de conocerme?

. No respondió de inmediato. Esa fue otra de sus tretas

que noté. Siempre se tomaba tiempo para pensar antes de responder aunque fuera a una pregunta sencilla. Abrió cuidadosamente el champagne, sirvió dos copas, me entregó una. Anunció:

—Brindemos por el encuentro antes de tratar de explicarlo. ¡Por una amistad nueva y duradera!

Bebimos. El preparó un canapé de caviar, me lo ofreció y esperó mi aprobación. Sólo entonces estuvo dispuesto a responder la pregunta.

—¿Por qué quería conocerla? Usted es agradablemente notoria. Posee belleza, elegancia y cierta temeridad que yo admiro. Tiene edad suficiente para llamar a las cosas por su nombre y yo también tengo los años suficientes para aburrirme con jóvenes vírgenes recién salidas del colegio de señoritas. Además, por supuesto... —La vacilación duró apenas lo suficiente para crear suspenso—... Está el hecho de que hace muchos años yo conocí a su madre. Sentí que me debía a mí mismo el placer de conocer a la hija que tanto se le parece.

Sentí un choque breve, punzante, y después una súbita oleada de cólera porque mis defensas habían sido derribadas con tanta rapidez. Expliqué, fríamente, que yo nada sabía de mi madre, ni siquiera su nombre. Zaharoff no mostró sorpresa ni emoción.

—Hubo motivos para eso. No estoy seguro de que fueran buenos motivos, pero los seres humanos son animales estúpidos. Su padre era un hombre brillante; pero también podía ser estúpido... ¡como todos los húngaros!

—¿También conoció usted a papá?

—Por un tiempo, sí. Después, como sucede en la vida, perdimos contacto... Pero dejemos los recuerdos para después de cenar. Solo cuando las personas se conocen el pasado tiene sentido y el futuro se arregla cómodamente a sí mismo... Para empezar, ¿puedo llamarla Magda?

—Por supuesto.

—Y usted puede llamarme Zed-Zed... Todos mis amigos lo hacen.

Una vez más el instinto me aconsejó que no hiciera comentarios. Se suponía que yo era capaz de llamar a las cosas por su nombre. Era evidente que Zaharoff estaba dictando las reglas básicas para cualquier relación que pudiera desarrollarse. En una relación así, todo se haría por edictos sobre esa imperiosa doble "Z". Zed-Zed firmaría las instrucciones a los banqueros; Zed-Zed pediría desayuno en la cama o hacer el amor con solo levantar una ceja; Zed-Zed podría igualmente ordenar un destierro o una ejecución... ¡pero escribía cartas corteses!

También era un anfitrión cortés. Cenamos à deux en su casa. Los sirvientes llevaban librea, la porcelana era de Sèvres, antigua, los cubiertos eran de oro y las servilletas y el mantel habían sido bordados en Florencia. Zaharoff trataba todo este refinamiento con estudiada indiferencia, pero dedicó mucha atención al menú y a su propia participación en su preparación. El pâté estaba preparado según su receta personal, la sopa estaba sazonada con su propio bouquet de hierbas aromáticas. El tenía un juego de cubiertos personal para trinchar la carne. También tuvo un comentario ingenioso para la ocasión: para el mundo, él era un maître de forges, un antiguo maestro del hierro como Krupp o Schneider; pero aquí, en su casa, era un maître chef que todavía podía darle dos o tres lecciones a su cocinero. Hizo una gran ceremonia con los vinos, me instruyó, con pedantería, sobre cada uno y observó atentamente cómo reaccionaba yo al licor. Me pregunté si me estaba probando como candidata para la cama o para el personal de relaciones sociales de Torpilles Whitehead.

Calculé que tenía alrededor de sesenta y cinco años. También deduje que todavía era vigoroso, o por lo menos ambicioso, en la cama... lo que los franceses llaman très vert. Su cuerpo se mantenía en buen estado. Su apretón de manos era firme, seco. Aprovechaba todas las oportunidades de establecer un contacto físico, aunque fuera fugaz.

Por mi parte, no puse objeciones a sus pequeñas estratagemas. Siempre soy curiosa en los encuentros sexuales y he tenido algunas sorpresas muy agradables con hombres de la edad de Zaharoff. Aun así, con este me sentía predispuesta a la cautela. No quería más escenas de ópera que pudieran salirse súbitamente de control; y, además, había en el aire un leve sabor a peligro. Así que, cuando fuimos al salón para tomar café, dije, quedamente:

—Usted estaba diciendo que conoció a mis padres.

El sonrió y me palmeó la mano, como reconociendo mi paciencia.

—Ahora permítame... veamos... conocí a su padre primero, a comienzos de la década de 1860. Yo me encontraba en Atenas, era un joven inmigrante de oriente que trataba de ganarme la vida en la capital. Merodeaba por los alrededores del Hotel Grande Bretagne y le pagaba una propina diaria al conserje, quien me permitía hacer propaganda de las tiendas de souvenirs y actuar como guía para los turistas. Su padre se hospedaba en el hotel. Lo recuerdo como un joven soltero, guapo y obviamente rico, a quien seguían todas las mujeres casaderas que había en el hotel.

"El conserje lo identificó como el conde Kardoss, vástago de una antigua familia húngara, residente en Viena, médico y cirujano. Era, según me informó el conserje, un ardiente coleccionista de antigüedades y de experiencias sexuales. Si yo era capaz de satisfacerlo, podía acercármele. Hice justamente eso. El me dio generosas propinas. Yo evité que tuviera dificultades y me ocupé de que su dinero le fuera bien retribuido. Cuando él se marchó, estábamos tan cerca de ser amigos como era posible para un húngaro con título de nobleza y un pequeño buscavidas de Tatlava.

"La siguiente vez que lo vi fue en Londres, un año después. Yo estaba allá tratando de iniciar un negocio importante con un pequeño capital que me había prestado un tío. Su padre trabajaba de ayudante de un famoso cirujano londinense especializado en ginecología. Nos encontramos por casualidad un domingo de mañana en el parque de Saint James. Su padre estaba caminando con la mujer más hermosa que yo había visto jamás. No se ofreció a presentármela. Fue evidente que quería que yo me marchara lo más rápidamente posible. Intercambiamos tarjetas y convinimos encontrarnos durante la semana para almorzar en un modesto restaurante griego de Soho.

"En ese almuerzo su padre explicó su situación. La joven dama era la esposa de un personaje de la nobleza que integraba el Estado Mayor del virrey de la India, y que todavía debía permanecer doce meses en el servicio. Ella había regresado antes debido a que los rigores del clima de la India habían resultado excesivos para su frágil constitución. El cirujano famoso era su consejero médico. El ayudante de cirujano, o sea su padre de usted, era el amante. Yo aventuré la opinión de que la dama se veía saludable como una potranca de pura sangre. Su padre rió y dijo que ella, efectivamente, gozaba de muy buena salud y que, además, esperaba un hijo de él.

"Le señalé que tanto él como la dama tendrían enormes dificultades si ese pequeño detalle llegaba a hacerse público y que la respuesta adecuada parecía un aborto seguro y discreto. Su padre me dijo que estaban pensando en otra solución. El regresaría inmediatamente a Europa y se stablecería en Baden-Baden. La dama lo seguiría, después de un corto intervalo, con el pretexto de visitar amistades en el extranjero. Desde una distancia segura, ella podría componer tranquilamente la situación con el marido, arreglar un divorcio, tener el niño y vivir para siempre feliz con su amado médico. Sin embargo... —Zaharoff emitió un pequeño y teatral suspiro de pena, —no fue así como resultó.

—Obviamente. ¿Pero qué sucedió?

—Su padre partió de Londres y se estableció en Baden. Era bien parecido y tenía buenas recomendaciones. Pronto tuvo una floreciente clientela en las termas. La dama se quedó en Londres todo lo que su estado se lo permitió. Después, acompañada de su doncella, Lily Mostyn, partió para una muy publicitada visita a sus amigos del continente. Regresaría, dijo, a tiempo para recibir a su marido cuando bajara del barco de la India... ¡y por cierto que regresó!

Lo miré boquiabierta. El se encogió de hombros y me miró con expresión contrita.

—Ella vivió con su padre hasta que nació usted y unas semanas más, para recuperarse del parto. Después, un día, se marchó sola de la casa y nunca regresó. Usted fue amamantada por una nodriza de la localidad. Lily Mostyn se quedó para ayudar a su padre a criarla a usted.

—¿Y mi madre?

—Regresó junto a su marido, quien heredó poco

después el título de un ducado del oeste de Inglaterra. Le dio un heredero, llevó una vida virtuosa entre Londres y su propiedad rural, y fue sepultada al lado de su marido en la catedral local.

— ¡No me sorprende que mi padre la odiara!

—Creo que su madre también tenía motivos de queja —me regañó amablemente Zaharoff—. Su padre era un mujeriego incurable. Andaba a la caza, día y noche. Perseguía a cualquier cosa con faldas, en cualquier parte... como usted misma tiene motivos para saber.

No me ruborizo con facilidad, pero esa última frase burlona hizo que la sangre me subiera rápidamente a las mejillas. Llena de ira, lo desafié:

— ¿Cómo es posible que usted sepa todo eso?

—Todos mis negocios dependen de una información exacta. Mis informantes están bien pagados y son muy concienzudos.

Demasiado tarde recordé la advertencia de Manfred Ysambard de que Basil Zaharoff tenía el mejor servicio de Inteligencia privado del mundo. Me pregunté cuánto más sabía de mí. Le hice la pregunta, directamente. Su respuesta fue suave pero devastadora.

—Creo que tengo una biografía auténtica. Su historia académica, por ejemplo: que una mujer descollara como usted en medicina fue algo realmente fenomenal. Estoy enterado de su matrimonio y de la muerte prematura de su marido. Conozco su situación financiera, que es sana pero podría ser mejorada. Estoy al tanto de sus problemas con su hija. Tengo una versión muy completa de sus aventuras sexuales...

Abrí la boca para protestar. El me silenció levantando la mano.

— ¡Por favor! ¡Conservemos la calma! No hay por qué avergonzarse, no es ningún misterio. Soy el dueño de muchas de las casas donde usted se divierte: la de la condesa Bette, por ejemplo; la Orangery, en Niza; Dorian, aquí en París... Muchos de mis negocios surgen de esos lugares. Las conversaciones de almohada venden una amplia gama de mercaderías: morteros, cañones de campaña, submarinos, acero de alta resistencia... usted se sorprendería.

—Ya no. —Me rendí tan graciosamente como me fue posible. —Usted es un personaje formidable.

—Yo podría decir lo mismo de usted, querida señora. Deberíamos trabajar juntos.

—¿Trabajar juntos? —Yo no esperaba una propuesta tan repentina.

—¿Por qué no? Tenemos todo que ganar y nada que perder. Permítame ser franco. Usted y yo somos intrusos... estamos los dos fuera de la ley, si vamos a ver. Oh, sí, conozco la historia de la cacería del zorro y la pobre mujer que cayó en el seto vivo y murió mientras usted estaba tratando de revivirla. Una historia triste que nunca podrá ser desmentida. Yo he creado ficciones en mi propia vida, docenas de ficciones, con documentos que prueban que son ciertas. Nosotros, los de afuera, tenemos que inventarnos vidas, identidades temporarias, nombres supuestos, todas esas tonterías; pero después de cierto tiempo ese juego se vuelve innecesario. Una vez que uno tiene el poder en sus manos... ¡y créame que yo lo tengo!... a nadie le interesa si uno es magnate del hierro, dueño de un burdel, o el Dalai Lama...

—¿No está arriesgando mucho al contarme todo eso?

—El saberlo la pone en peligro a usted, no a mí, señora. ¡De modo que ahora calle! ¡Escúcheme! —Se volvió duro, amenazador. Sus ojos fríos vigilaban cada reacción mía a sus palabras. —Habrá guerra en Europa. Hasta puedo darle una fecha aproximada de su comienzo: el verano del año que viene. Yo estaré instalado aquí, en París, dirigiendo esa guerra... con cañones Vickers y torpedos Whitehead y acero Krupp y níquel francés y vehículos Skoda y barcos de Clyde e instrumentos de precisión suizos. Yo soy el mercader al que todos tendrán que acudir, dueño del hierro para los ejércitos del mundo y dueño de los burdeles para los generales y los políticos.

—¿Y dónde encajo yo en todo ese gran proyecto?

Me sonrió por sobre el borde de su copa de coñac. De pronto, fue otra vez el joven rufián de sonrisa astuta que explotaba a los turistas en el Grande Bretagne.

—Usted será la madam del burdel más grande del mundo, con sucursales en todas las capitales y clientes de todas las cortes y gabinetes. Será mi anfitriona cuando yo la necesite y la amante de cualquier hombre o mujer que yo designe. El dinero que pudiera ganar por su cuenta en esa actividad será asunto suyo, pero tendrá un ingreso garantizado de cien mil libras esterlinas anuales pagaderas mensualmente en un banco suizo. Ropas, transporte y... ¿cómo diré?... la necesaria **mise en scène** estarán a cargo de mis empresas.

—Es un ofrecimiento generoso.

—Usted se ganará hasta el último penique.

—¿Y después?

—¿Qué pasa con después?

—Necesitaré previsiones para mi retiro, seguros, llámelo como quiera.

—Habrá, por supuesto, una sustanciosa bonificación al retirarse. ¿Pero seguro? Seré muy abierto con usted, mi querida Magda. El mejor seguro que tiene es mi continua buena voluntad. Piérdala y estará en el Punto Cero, en una calle de un solo sentido que no lleva a ninguna parte.

No discutí ese punto. Le creí implícitamente. En cambio, pregunté:

—¿Qué le hace pensar que yo estoy calificada para este **métier**?

También tenía la respuesta, elaborada en su cabeza. La recitó como una lista de compras para la tienda de comestibles.

—Primero: usted es una mujer hermosa e inteligente con la manía de los experimentos sexuales. Su debilidad será para beneficio mío. Segundo: usted es financieramente independiente y por lo tanto está más allá del soborno. Tercero: usted es médica, tiene conocimientos de drogas, venenos y su aplicación en situaciones personales y políticas. Cuarto: usted es vulnerable a sus propios vicios. Su lealtad está garantizada por su necesidad de protección. Quinto: usted solo puede florecer en un ambiente artificial y yo soy el mejor hombre en el mundo para proporcionarlo... ¿Le encuentra sentido?

—Como usted lo explica ahora, sí. Usted es un hombre muy persuasivo, Zed-Zed. Sin embargo, me gustaría pensarlo unos días.

—Por supuesto. No se puede hacer esta clase de contrato

a la ligera. No es nada fácil de romper.

—Gracias por ser tan considerado.

—¡Por favor, querida mía! Los mejores negocios se hacen con calma y lentitud... Por otra parte, el mejor amor se hace impulsivamente. ¡Me gustaría acostarme con usted... ahora!

—Nada me complacería más; pero le ruego, amigo mío, esta noche no. —Otra vez vi la súbita cólera en sus ojos. Me apresuré a explicar: —Yo no le gustaría mucho. Es el mal momento del mes. Pero la próxima vez, se lo prometo. ¿Puedo llamarlo mañana?

—Cuando usted lo desee, querida mía. Estoy seguro de que nos veremos muy a menudo.

Me tomó las manos, me hizo levantarme y me abrazó. Me besó con la boca abierta y me acarició con manos expertas. Yo respondí con la calidez suficiente para persuadirlo de mi interés, pero no sentí nada. Eso fue extraño para mí, y bastante atemorizador. Puedo excitarme con mucha facilidad... hasta con una sonrisa, un vaho de perfume o un contacto leve en mi mejilla. Con este hombre me sentí seca y muerta, como una hoja de invierno arrojada a la tormenta.

Zurich

Hoy Toni tiene gripe y debe quedarse en cama. Emma está encantada de tenerme para ella sola y me ruega que la lleve con los niños a navegar en el lago. Es un día hermoso, sopla una brisa suave y fácilmente me dejo tentar para salir de mi brumoso aislamiento. Mientras Emma prepara una cesta de picnic, voy con los niños a preparar el velero.

Siento una punzada momentánea de culpa cuando saco las velas y los cojines sobre los cuales Toni y yo hicimos el amor. La culpa trae un recuerdo físico de nuestro acoplamiento y aprieto con mi mejilla la tela áspera, como si fuera un pañuelo o una bufanda. Agatha, mi hija mayor, una preciosa niña de nueve años, pregunta:

— ¿Por qué haces eso, papá?

Tartamudeo y me excuso diciendo que es simplemente para sentir si las velas están húmedas. Ella y Anna me ayudan a asegurar las velas a las drizas y a preparar el botalón. Los pequeños, Franz y Marianne, doblan la cubierta de la cabina y sacan los almohadones. Su parloteo infantil me alegra y me llevan a un mundo más simple del que he estado ausente demasiado tiempo.

Cuando baja Emma, vestida de veraniega muselina, siento otra punzada de arrepentimiento por una época perdida y distante. Ahora ella tiene treinta años y está embarazada de nuestro quinto hijo. La vi por primera vez cuando ella tenía dieciséis años solamente y recuerdo que me dije: "¡Esa es la muchacha con quien voy a casarme!". Entonces yo la amaba; la amo ahora; pero el amor es una palabra camaleón y los humanos cambiamos de color más rápidamente que las palabras que pronunciamos.

Emma es Basilea antigua, antigua clase burguesa, antiguo

dinero de mercader. Yo soy pequeña gente de campo, el hijo de un pastor pobre, que dificultosamente se abrió camino para salir del barro y del estiércol de vaca. Nuestras primeras disputas fueron por dinero. Ella lo tenía. Nuestras disputas posteriores fueron sobre precedencia. Cuando empecé a hacerme una reputación como clínico, analista, catedrático, Emma se sintió privada de la atención social que hasta entonces había aceptado como algo natural y merecido. Así, el yugo del matrimonio nos oprime a ambos. Nos amamos; pero a menudo nos vemos constreñidos a ser menos que amantes entre nosotros.

El viento infla la vela principal. Doy un empujón para apartarnos del muelle y enfilamos hacia el centro del lago. Los niños chillan de contento cuando el velero se inclina. Emma toma el timón mientras yo aseguro el foque y la escota mayor y enrollo los cabos de amarre. Emma tiene las mejillas encendidas, sus ojos brillan de placer. Cuando paso torpemente a su lado, deliberadamente le rozo un pecho con mi mano y trato de besarla en los labios. Ella no rechaza la caricia, pero allí está esa primera mirada apresurada a los niños, el primer retraimiento instintivo, como si yo hubiese hecho algo indecente. Para disimular mi irritación, hago un gesto más amplio y apoyo mi nariz en su mejilla como un patán enamorado. Ahora ella me da un empellón, empuja con demasiada violencia el timón, el barco escora notablemente. Los niños se asustan. Emma está irritada. La pequeña dulzura del momento se pierde para siempre. Emma se da cuenta, pero no me hace ningún gesto. Vuelve su atención a los niños. Me siento otra vez culpable porque estoy celoso de mis propios hijos. Recuerdo un comentario de Freud: "¡He pagado la hipoteca de mi matrimonio!". En aquella ocasión no entendí lo que quiso decir, pero he empezado a comprender cómo gestos no pagados pueden ir sumándose como entradas en un libro de contabilidad hasta que toda la equidad de un matrimonio es consumida.

En ese preciso momento, el velero de un vecino, mucho más veloz que el mío, se nos adelanta y nos roba el viento. Es una travesura común entre navegantes. Nuestro vecino ríe e intercambiamos insultos. Su barco se llama **Pegasus** y lleva, estarcida en la vela, la imagen de un caballo alado.

El caballo me recuerda la secuencia de sueño que registré en La psicología de la demencia precoz. Un caballo es izado en el aire con arneses de correas. Las correas se rompen. El caballo cae; pero entonces se aleja galopando, arrastrando tras de sí un enorme tronco de madera. El caballo soy yo, elevado en mi profesión, pero constreñido por lazos familiares y profesionales. Rompo los arneses... pero trabajo por el tronco, que es, como el árbol falo, una imagen de mi pesada, gravosa sexualidad. Freud me escribió sobre este sueño y dijo que tenía que relacionarse con el fracaso de un matrimonio acaudalado. Eso fue hace mucho tiempo. Mi matrimonio con Emma todavía está intacto; aunque a veces, Dios lo sabe, desearía estar libre de su miscelánea de obligaciones, ¡y desearía que mis necesidades sexuales fueran calmadas por las correspondientes satisfacciones sexuales!

El viento aumenta un poco y me veo obligado a concentrarme en la navegación, en vez de en el análisis de sueños y situaciones viejos, ya demasiado rígidos para cambiar. Emma distribuye tortas y cordial ente los niños y sirve un vaso de cerveza para mí. Chocamos nuestros jarros y gritamos juntos: antiguas rimas en dialecto, canciones de estudiante que me enseñó mi padre, trozos de lieder que Emma entona con su voz clara y dulce. El campesino que hay en mí se deleita con esta diversión sencilla al aire libre. El otro yo, acosado por demonios, rechaza esa rústica simplicidad y se hunde cada vez más profundamente en el quién y en el por consiguiente y en el oscuro por qué de las cosas.

Tengo que confesar —por lo menos a mí mismo— que esta nueva disciplina del análisis pone en gran peligro a quienes la practican. Cuando yo trabajaba en el Hospital Psiquiátrico Burgholzi de Zurich, veía a centenares y centenares de pacientes. Bleuler dirigía el lugar con una eficiencia casi monástica. No nos estaba permitido beber. Nos levantábamos a las seis y media de la mañana y teníamos que estar listos a las ocho y media para una reunión de personal. Escribíamos a máquina nuestras historias clínicas y los residentes menores debíamos encontrarnos en el hospital a las diez de la noche... después de esa hora se cerraban las puertas y nosotros no teníamos llave. Era una disciplina dura y había muchos vacíos en nuestros conocimientos, pero nuestra atención estaba dirigida fuera de nosotros mismos, enfocada en los pacientes.

En mi estado actual, toda mi atención se dirige a mí mismo. Yo soy el paciente. Yo soy el clínico. Me pregunto si es por esto que nuestro grupo de pioneros —Freud, Adler, Ferenczi, todos los demás— somos tan endogámicos como una tribu montañesa de los Montes Atlas. Reñimos como mujeres. Abrigamos rencores. Vemos desaires en cualquier palabra suelta.

En nuestra conferencia en Bremen estábamos hablando de los hombres de la ciénaga, cuyos cadáveres momificados, algunos víctimas evidentes de ejecución ritual, son descubiertos a menudo en las turberas de Alemania y Dinamarca. Freud se puso furioso. Fue casi como si él mismo se sintiera una posible víctima... ¡y literalmente, se desmayó! Lo que quiero decir es que para él era imposible ser objetivo hasta una cuestión de arqueología local.

—¡Estás a millas de distancia, Carl! —Emma cortó mis pensamientos con la vieja y trillada pregunta: —¿En qué estás pensando?

—En Bremen. En cómo Freud se desmayó cuando estábamos hablando de los hombres de las ciénagas. ¿Qué fue lo que dijo?

—Lo recuerdo muy bien. Estuvo muy mordaz. Dijo: "¿Por qué tiene que hablar siempre de cadáveres?" Tú lo tomaste a broma y dijiste: "No siempre, querido amigo; muy a menudo hablo de mujeres bonitas."

Emma me recuerda también otra cosa. Después del incidente, mis sueños se volvieron más obsesionados con los muertos. Soñé, por ejemplo, que me encontraba en Alyscamps, cerca de la ciudad francesa de Arles, caminando por una avenida de sarcófagos. En realidad, los sarcófagos están allí. Se remontan a la época de los merovingios. En el sueño, cuando yo pasaba delante de cada ataúd, el cuerpo momificado que contenía se movía y cobraba vida...

Saco de mi mente la macabra fantasía y me concentro en virar hacia una pequeña ensenada donde anclaremos y almorzaremos. Los niños quieren ir a nadar. Emma dice que el agua está demasiado fría. Yo no quiero contradecir sus órdenes. De modo que saco una caja con avíos de pesca y un tarro de cebo y los pongo a pescar desde el barco. Emma y yo bebemos vino blanco y comemos patas de pollo, apio tierno y crocante pan casero. Brindo con ella y le digo que es la mejor esposa del cantón. Me dirige una sonrisa extraña y torcida y me dice:

—Es lindo oír eso, Carl, pero mi talento no se limita a la cocina y al cuarto de los niños.

La palmeo en la barriga y le digo que sus otras habilidades nunca han estado en discusión. Parece más conforme, pero solo un poquito. Emma ha comentado a menudo que aunque los europeos no practican la circuncisión femenina, hacen todas las otras cosas necesarias para desalentar a las mujeres a que se entreguen a ocupaciones placenteras fuera del matrimonio. Es un tema espinoso y no tengo intención de discutirlo mientras estemos meciéndonos en un velero anclado, en un lago ventoso. Desabrocho mis pantalones y orino sobre la popa. A mis espaldas, oigo que el pequeño Franz anuncia con su voz aguda:

— ¡Mira! ¡Yo te lo dije! ¡El de papito es enorme!

Emma y las niñas estallan en carcajadas. Yo también río, pero dentro de mi cabeza es como si hubiese estallado un incendio. Recuerdo otra ensenada en otro lado y una voz profunda, amistosa, que me dice:

—Mira cómo se pone de grande y de duro. Tómalo en tus manos. Pálpalo. En la antigüedad, todo jardín romano tenía su Pan priápico y jóvenes y viejos lo tocaban para que les diese buena suerte.

El recuerdo siempre vuelve a mí cuando pienso en Freud y en la dificultad de escapar de su influencia y autoridad... Una de las lecciones que debo enseñar a mi hijo es que nunca se puede orinar contra el viento, especialmente cuando sopla desde las profundas y oscuras cavernas de la memoria.

MAGDA

Esta noche, con la despreocupada crueldad de un califa, Basil Zaharoff me violó. Me envileció, me despojó de todo resto de autorrespeto y después ofreció comprarme como a una yegua de cría en una subasta.

Hizo más. Destrozó algo que era hermoso para mí. Irrumpió en mi Edén privado, pisoteó las ilusiones de mi infancia, las imágenes adoradas de papá y Lily. Se burló de todos nosotros. Ojalá yo hubiera podido mentirle; pero no pude. Por lo tanto, desde ahora hasta la eternidad, él puede chantajearme con lo que sabe de mis orígenes, con la sospecha de mi matrimonio, su preludio y lo que siguió, y con lo que cada madam en el negocio estará feliz de informarle sobre mis necesidades y aberraciones sexuales.

En el camino de regreso al Crillon me sentí descompuesta. Quise detener el automóvil y vomitar en la cuneta; pero no quise que el chofer de Zaharoff fuera testigo de mi humillación. Luché contra las náuseas hasta que estuve encerrada en mi habitación; después devolví en el cuarto de baño la refinada comida y los vinos finos de Zaharoff. Después, todavía en mi ropa de noche, me arrojé sobre la cama y miré sin ver la escena pastoril pintada en el techo.

Quienquiera que fuese quien había pergeñado la trama de mi vida, la vida de Magda Liliane Kardoss von Gamsfeld, era un maestro de la ironía. Yo, que había llegado tan alto, me encontraba arrojada sobre el polvo. Yo, la domadora de leones, me sometía por un simple restallar del látigo. Yo, que conocía todas las artimañas del oficio de ramera, me sentía más lastimada y magullada que cualquier virgen campesina después de su primer encuentro con el amo del burdel.

Lo extraño era que no podía culpar a Zaharoff. Hasta podía envidiar la fría genialidad de su plan. El sabía que yo no me ofendería por cualquier cosa que pudiera pedirme. Yo lo había hecho todo antes, a menudo con menos estilo que Zaharoff. Yo era, en un sentido, la compañera perfecta para él. Eramos el rey y la reina de un mismo juego de cartas. Mientras yo sirviera los intereses del rey, él me mantendría en mi adecuada posición.

Si durábamos juntos —sin separación, sin divorcio, sin traiciones o rivales— hasta podríamos convertirnos en una especie de amigos. ¡Hay cierto consuelo en la sociedad de la mala vida, donde todos saben deletrear las mismas palabras sucias! Pero —¡este era el temor que me sofocaba!— desde el momento que yo hiciera un pacto con Basil Zaharoff, nunca más volvería a ser dueña de ninguna parte de mí misma. Los términos serían no negociables y eternos: nada de reembolso de intereses, nada de condonación de la deuda final. Cuando Mefistófeles viniera a cobrar, Fausto —¡o Fausta, ahora!— debería entregar su alma.

¿Pero por qué preocuparme? Papá me había asegurado que yo no tenía alma. Yo también había buscado en vano un alma en las salas de disección de una docena de hospitales. ¿Entonces, por qué vacilar? El dinero era bueno, las condiciones de trabajo eran de primera clase, la seguridad era total. ¿Qué era este precioso yo que, de pronto, me sentía tan poco dispuesta a entregar?

La habitación empezó a girar y otra vez me sentí descompuesta. Después del espasmo y el vómito, me quité mis ropas manchadas, permanecí largo tiempo en un baño caliente y después me acurruqué en la cama con el compañero de mis noches solitarias: un muñeco de trapo llamado Humpty Dumpty. Lily lo había hecho para mí... ¡Dios sabe cuántos años atrás! Le había bordado la cara con hilo negro para que pareciese un huevo quebrado. Me había enseñado la cancioncilla que los niños ingleses cantaban sobre el personaje:

Humpty Dumpty sat on a wall,
Humpty Dumpty had a great fall.

**All the King's horses and all the King's men
Couldn't put Humpty Dumpty together again.**

(Humpty Dumpty estaba sentado sobre una pared,
Humpty Dumpty tuvo una gran caída.
Todos los caballos del rey y todos los hombres del
rey,
No pudieron volver a armar a Humpty Dumpty.)

Siento que me deslizo hacia la oscuridad. Me oigo a
mí misma susurrar, en una voz de criatura: "Lily, ¿dónde
estás? ¡Lily!..." Después oigo el ladrido de perros de caza
y el tronar de cascos al galope, y una vez más estoy de vuelta en la pesadilla...

Me encuentro cabalgando con los perros. Es primavera,
toda la campiña está en flor. Hemos levantado un zorro, el
animal huye hacia las colinas. Los perros le siguen la pista
a la carrera. Yo dirijo la cacería, inmediatamente detrás de
la jauría. El zorro nos lleva a un desfiladero entre altos
acantilados negros. Yo sigo galopando; pero cuando salgo al
otro lado, estoy sola. No hay perros ni cazadores, solo el
pequeño cadáver ensangrentado del zorro... La tierra ha
cambiado. Todo a mi alrededor hay una desolada llanura de
arena roja, sobre la cual el sol brilla como un gran ojo car-
mesí. Mi caballo se encabrita y me arroja al suelo. Cuando
levanto la vista, ha desaparecido. Estoy sola en ese desierto... Estoy desnuda y tengo la cabeza afeitada como la de
una monja. Me encuentro prisionera dentro de una gran
bola de cristal que rueda y rueda, exhibiendo todas mis
partes privadas, mientras el ojo rojo me mira con fijeza y
un terrible silencio se burla de mí...

Cuando despierto, estoy acurrucada en posición fetal,
con mi Humpty Dumpty apretado entre mis piernas como
si yo, todavía no nacida, acabara de parirlo. Tengo que hacer
un esfuerzo para incorporarme en la cama y mirar mi reloj.
Apenas eran las tres de la mañana; pero sentí un impulso
irresistible de escribir el sueño, su preludio y su secuela.

Fue casi como si papá estuviese hablándome, repitien-
do su viejo refrán: "¡Escribe cada historia clínica, muchacha! Anota los síntomas con claridad. Asegúrate de que has

apuntado la secuencia clínica, o si no lo has hecho, que por lo menos sabes dónde están los vacíos. Entonces podrás ver la lógica. Eso es el diagnóstico: lógica y probabilidades... Pero si tu primera anotación está desorganizada, te confundes y pones en peligro a tu paciente. Escríbelo; escribe..."

Así, obediente todavía al primer hombre que jamás amé, pongo a Humpty Dumpty delante de mí y empiezo, al principio en forma deshilvanada pero después con mayor fluidez, a escribir mi propia historia clínica. Así...

Mis primeros recuerdos son de olor a mujer y sabor a leche y los pechos grandes y blandos de mi nodriza. Recuerdo cosas de cocina: carne asándose, chirivías al horno, nuez moscada, canela, manzanas dulces, manos enharinadas preparando la masa para el pan campesino.

Oigo voces de mujer, canciones, risas, parloteos; voces de hombres que saludan y gruñen. Fuertes pisadas de botas sobre el enlosado de piedra. Tipos amistosos, que huelen a vaca y a heno cortado y a cerveza rancia y a tabaco, me levantan y me arrojan hacia el techo. Después me sientan en sus regazos y me dan de comer strudel tibio con crema batida.

Hay todo un calidoscopio de otras imágenes: cornejas graznando en los olmos que bordean el camino, vacas con pesadas ubres que vuelven lentamente a casa a la hora de ordeñar, Lily y yo danzando en una pradera dorada con dientes de león y ranúnculos. Hay una geografía para todo esto, pero tiene poca importancia aparte del hecho de que fueron tiempos y lugares felices. Durante los dos primeros años de mi infancia, Lily y yo vivimos en una granja al sur de Stuttgart. Papá estaba trabajando en la **Klinikum** de Tubingen y dos días a la semana atendía a su clientela privada en Stuttgart. A veces se reunía con nosotras los fines de semana; a veces no. Cuando venía, sus bolsillos estaban llenos de regalos y se reía mucho y olía a agua de lavanda.

Más tarde, cuando yo tenía cuatro o cinco años, nos trasladamos a Silbersee, en la región de Salzburgo. Papá había vendido sus propiedades en Hungría y compró un pequeño castillo barroco con granjeros arrendatarios que criaban ganado lechero, cerdos y caballos de tiro y cortaban madera en las laderas arboladas. El castillo también obtenía rentas de una casa de huéspedes y cuartos para alquilar en la aldea local.

En esa época papá era cirujano mayor en el hospital de Caridad de Salzburgo y tenía además una numerosa clientela privada en esa ciudad. Tenía lo que él llamaba sus "diversiones sociales" en Viena, donde también le pedían ocasionalmente que operara. El retrato de él pintado por Zaharoff, como un mujeriego rico con poco interés en su profesión es una mentira evidente. Sus visitas al Schloss Silbersee, nuestro castillo, tendían a ser esporádicas. A veces no lo veíamos por tres o cuatro semanas seguidas. Su administrador dirigía la propiedad. Lily dirigía mi vida: gobernanta tradicional, madrecita, hermana mayor de una niña que hubiera podido sentirse intolerablemente sola pero que fue, por lo menos esos pocos años, sumamente feliz.

¿Cómo puedo describir a esta Lily Mostyn a quien tanto amé? En contraste con las campesinas que servían en nuestra casa, de busto grande, de espaldas y nalgas anchas, Lily parecía una muñeca de Dresde. Pero debajo del sobrio atavío, la blusa recatada, el bombasí y las enaguas, había un cuerpo de atleta.

Lily podía correr, saltar, ponerse de cabeza en el suelo, caminar sobre las manos y dar vueltas de carnero, nadar como una foca. Cuando yo le pregunté cómo había aprendido todas esas cosas, ella ladeó la cabeza como una cotorra burlona y me dijo, con marcado acento de Lancashire:

—Cuando seas más grande, cariño, y tus huesos estén firmes, te enseñaré. Haremos ejercicios en nuestra habitación y buscaremos un prado tranquilo donde estos holgazanes ordinarios de Salzburgo no puedan vernos. Ese será otro secreto que tendremos...

Todo era un secreto con Lily. Me enseñó a hablar inglés "para que podamos decir lo que queramos delante de los sirvientes". Hizo que papá nos enseñase húngaro a las dos "porque, chiquilla, cuando él está en la cama prefiere hablar su idioma nativo. Todos los hombres hacen lo mismo, pero él no puede hablarle a la pared, ¿verdad? Además, si yo puedo hablar esa maldita lengua, quizá la gente me tome por la condesa Kardoss... cosa que no me molestaría ser, en realidad, pero nunca me han hecho ese ofrecimiento".

Le pregunté por qué no. Se puso en cuclillas delante de mí y me explicó, con una sonrisa animosa:

—Porque tu papá nunca se casará con nadie. Yo no lo culpo, después de la experiencia que tuvo con tu madre. Además, tú conoces el viejo dicho, más mujeres uno conoce, menos desea quedarse con una. En cuanto a mí, aunque me casara, ¿cómo podría conseguir una posición mejor que esta? ¡Yo, hija de un párroco rural de Lancashire! Vivo en un castillo. Me pagan tres veces lo que podría ganar en Inglaterra. Tengo una chiquilla a quien amar... que eres tú, mi dulce niñita. Tengo un hombre que me ama... tu papá, aunque no lo hace muy a menudo porque anda a la caza de prostitutas caras y viudas ricas en Viena. Pero cuando está aquí, es maravilloso. Y él se cuida para no dejarme preñada, y no trae la gonorrea a casa. En mi país, estaría suspirando por casarme con un empleado de banco o un maestro de escuela... Ahora vamos a desnudarnos, tomaremos juntas un baño caliente y después cenaremos vestidas con nuestras batas...

Por supuesto, yo no entendía ni la mitad de las cosas que me decía, pero en realidad no era necesario. Bastaba con que ella hablara, me tocara, me besara y me acariciara. Este es mi recuerdo más tierno de Lily y mi padre. Ellos eran enteramente sensuales. Abrazaban al mundo, lo abarcaban, lo percibían con todos los sentidos. Lo tocaban, lo saboreaban, lo escuchaban como a una música, lo inhalaban como a un perfume. Cuando Lily me cepillaba el pelo y lo trenzaba, comunicaba placer. Era como si estuviese manejando filamentos de oro. Cuando me ofrecía una flor para que la oliese, formaba con las manos una copa alrededor de la corola a fin de que no escapara una sola vaharada de perfume. Cuando me enseñaba una canción, decía: " ¡Escucha esto, es **hermoso**!" o " ¡Es tan **bailable**!" Cuando me tocaba, cada contacto en cada lugar era una caricia y un despertar.

Era eso, creo, lo que hacía de mi padre un cirujano tan bueno, ¡y un amante tan deseable! Manejaba la piel humana como si fuera la tela más preciosa del mundo. Su queja constante sobre sus colegas era: "Cortan los tejidos como carniceros de cerdo. Los cosen como zapateros remendones y dejan traumatismos en todas partes." Verlo limpiar y vendar una cortadura en la mano de un muchacho granjero era una lección de cuidados minuciosos y de una gentileza y suavidad casi gratuitas. Cada vez que venía a casa, me examinaba de pies a cabeza con clínica atención y la experiencia era como ser besada por mariposas. Le gustaba comer; le gustaba beber, pero nunca se excedía. Saboreaba cada bocado. Ver a Lily y papá, acurrucados sobre el gran diván frente al fuego, era como contemplar una pareja de gatos hermosos y flexibles y sentirse orgullosa de ser la gatita de esos dos.

Entre nosotros tres no nos teníamos vergüenza. No teníamos que temer intromisiones de extraños. A nuestras habitaciones en el castillo —mi cuarto, el dormitorio de Lily, nuestro cuarto de baño, la gran sala de estar y más allá las habitaciones de papá— solamente podía entrarse pasando una única antecámara, más allá de la cual los sirvientes no podían aventurarse sin que los llamaran.

Una vez en la suite, sin embargo, se podía pasar libremente de una a otra habitación. Podíamos acercarnos desnudos a la ventana y contemplar la puesta de sol que teñía de colores los picos de los montes Tauern; podíamos cerrar las cortinas y acurrucarnos en la sensual seguridad de un reino de cuentos de hadas. Lo que sucedía en ese reino era el secreto más grande y el más celosamente guardado de todos.

Cuando papá estaba en casa, nos pertenecía completamente a nosotras. Recibíamos invitados a cenas, fiestas y cacerías, pero ningún extraño, hombre o mujer, se alojaba jamás en el castillo. Del mismo modo tengo que admitir que Lily y yo nunca veíamos el interior de las habitaciones de papá en Salzburgo o Viena. No sé cuántas otras vidas llevaba él, pero en Silbersee llevaba solo una y nosotras éramos el centro de esa vida.

Eramos una familia en todo, salvo en el aspecto legal. Papá dormía con Lily. Cuando él estaba ausente, ella se instalaba nuevamente en su habitación contigua a la mía. Yo me hacía mimar por ellos, como cualquier otra niñita con sus padres. Lily fue mi primera maestra, la única que tuve hasta que llegué a la edad suficiente para ser enviada pupila a una academia para señoritas. Ella me enseñó a leer y escribir, matemáticas, idiomas y rudimentos de música y piano.

Papá siempre me examinaba cuidadosamente sobre el trabajo que yo había hecho desde su última visita. También insistía en que yo aprendiera a montar a caballo, de modo que el caballerizo mayor nos enseñaba equitación a Lily y a mí. Todo esto era bastante normal para la hija de un médico rico — ¡y para colmo húngaro!— pero el resto de mi educación nada tuvo de ortodoxo. Supongo que fue lo que los franceses solían llamar "une éducation sentimentale". Más tarde, en realidad mucho más tarde, yo empecé a verla como un esfuerzo de papá para completar, por medio de la fantasía, las carencias de su propia carrera sentimental. Creo, por ejemplo, que él estuvo locamente enamorado de mi madre, que quiso de verdad casarse con ella y fundar con ella una familia. Ciertamente, deseó un hijo varón. En cambio, lo que tuvo fue una hija nacida fuera del matrimonio y una herida de la cual su orgullo masculino nunca se recuperó.

Pese al hecho de que las mujeres médicas eran raras y se las consideraba, si no brujas, con toda seguridad excéntricas, él me indujo astutamente a que eligiese la carrera de medicina. Me alentaba a que le hiciese preguntas sobre su trabajo. Me contaba coloridos relatos de historia médica: de Cos la isla de las curaciones, de las artes de los antiguos egipcios, de hierbas mágicas como la digital y el eléboro. Lentamente iba dirigiendo mi atención hacia sus libros de texto. Usaba su propio cuerpo, el de Lily y el mío para enseñarme fisiología, anatomía y las funciones glandulares. Pacientemente, durante muchos años, averiguó cuáles escuelas de medicina aceptaban estudiantes mujeres y fue estableciendo lazos de amistad con importantes miembros de sus cuerpos de profesores. Solo después que él murió, cuando revisé su correspondencia, decubrí cuánto tiempo y trabajo había empleado para encontrar una escuela que me aceptara.

Estaba obsesionado en otras formas extrañas con la continuidad. Cuando yo era muy pequeña, recuerdo que me explicó que cuando una mujer se casaba tomaba el apellido del marido. Después añadió:

—Pero, por supuesto, la mujer puede conservar también su propio apellido. Eso es lo que quiero que hagas tú: conserva siempre el apellido Kardoss. ¿Me prometes que lo harás?

Hice mi promesa más grande, más sagrada. Le dije que un día le daría un nieto. En eso, al final, le fallé. Pero él también me falló a mí. ¡No! No fue así. Fue otra cosa: mala dirección, mal cumplimiento, una mentira introducida en mi vida de niña. El y Lily cambiaron los letreros indicadores, y cuando yo fui capaz de leerlos ya me encontraba muy adelantada en una calle de un solo sentido, sin salida en el otro extremo. Extraño, ¿verdad? Zaharoff me dijo lo mismo con otras palabras; pero yo lo odié por eso...

Es muy tarde y estoy muy cansada, pero debo tratar de poner por escrito este pensamiento. Ha estado conmigo demasiado tiempo, enroscado como una negra serpiente en el umbral de mis sueños. Papá estaba tratando de producir una criatura imposible: un hijo que continuase su apellido y dejara su impronta en el planeta y una hija en la cual él pudiera poseer a la mujer que lo abandonó, en la cual pudiese gozar de esa mujer y, en una forma extraña y sutil, en la cual pudiera vengarse de ella.

Logró sus propósitos no por medio de la crueldad sino por medio de la lenidad. Mi educación sentimental fue realizada en el aislamiento de un invernadero. Fui inducida a la vida sexual, como me dijeron que inducen los orientales a sus prostitutas niñas, por medio de serena seducción. Papá era demasiado buen médico para someterme a un trauma, pero cada año me atraía más íntimamente hacia él, me llevaba más cerca del momento en que él me iniciaría —tiernamente, hermosamente, ¡oh, sí! ¡Oh, sí! —y me ataría a él más fuertemente de lo que hubiera podido hacer cualquier amante joven. Toda mi vida es un testimonio de lo bien que lo hizo.

¿Y Lily? ¿Mi Lily a quien todavía amo y a quien a veces echo tan terriblemente de menos? ¡Ella fue mi primera madam! ¿Por qué lo hizo? Al principio creo que no vio en ello ningún daño. Lily era una muchacha sana, vigorosa, para quien un revolcón en la cama era tan natural como bailar. Pero más tarde, cuando yo empecé a reemplazarla como compañera de cama de papá, tuvo que saber lo que había hecho. Lily había tratado de usarme para retenerlo a papá. Al final ella lo perdió y todos nos perdimos unos para los otros.

Ahora me encuentro al final de esa calle de un solo sentido, con mi nariz contra una pared de ladrillo. No puedo avanzar. Si me vuelvo, caeré directamente en los brazos de Basil Zaharoff. Quizá la única solución sea saltar sobre la pared...

¡Ya está! El pensamiento ha salido, está escrito con mi propia letra de médica. He sacado a otros de la cárcel de la vida. No deberá ser muy difícil encontrar una salida limpia e indolora para mí misma. ¿Tú que dices, papá? Lily, ¿qué dices tú?

Zurich

Ahora me siento todo el día atormentado, acosado por mis conflictos con Freud sobre la interpretación del tabú del incesto. Temo lo que pasará en nuestro congreso en Munich en el mes de septiembre, cuando todo esto y nuestros desacuerdos relacionados serán considerados con fanática parcialidad y nuestras relaciones personales quedarán finalmente, y públicamente, destruidas.

Freud ve al deseo del incesto como ve a todo otro fenómeno psíquico: con raíces en el impulso sexual. Yo lo veo como un símbolo de algo más profundo y más primitivo, relacionado con los mitos solares. No es la cópula lo que se desea sino volver a nacer, lo cual solo puede lograrse volviendo a entrar en el útero materno... Del mismo modo, disiento totalmente con el concepto de Freud de la sexualidad infantil. A mí me parece... ¿Pero por qué volver sobre terreno conocido? Freud es obstinado. Está empeñado en conservar la autoridad, no en llegar a la verdad. El respeto que sentía por él ha sido corroído. Ya no puedo mantener nuestra relación.

Y allí precisamente está el problema personal. No puedo mantener la relación... pero tampoco puedo destruirla. Es demasiado fuerte, demasiado compleja. Es como una enredadera tropical cuyas raíces se extienden por todas partes y cuyos zarcillos se introducen y enroscan por cada resquicio de mi psiquis.

Primero él fue mi mentor; después, con mucha rapidez y facilidad, yo lo adopté como la figura paterna en la construcción de mi vida adulta. Sentíame halagado por su más leve palabra de alabanza. El también se sentía halagado, creo, aunque nunca lo hubiera admitido con esas palabras.

A él le complacía la deferencia de un hombre que había tenido muchos años más de experiencia clínica que él. Después de todo, la experiencia de Freud en instituciones era mínima, mientras que yo había trabajado años en el Burgholzi, con un millar de pacientes clínicos y obtenido valiosa evidencia estadística que todavía sigue vigente.

Pero nuestra relación fue más lejos. Yo sentí por él una afición súbita y violenta —una relación fuertemente erótica— coloreada por mi experiencia juvenil de violación homosexual por un hombre mayor. Acerca de esto fui sincero con Freud. El confesó sentimientos similares hacia mí y otro colega. Esto hizo que nuestra relación fuera más abierta, pero no menos difícil.

Cuando empezamos a disentir radicalmente en cuestiones de teoría, Freud rogó que le diese mi apoyo para preservar su autoridad como líder de nuestro círculo y proporcionar por lo menos un consenso doctrinal visible para nuestra ciencia en pañales. Pero cuando invocó nuestra amistad, me sentí estafado. Fue casi como si él estuviera chantajeándome con material de confesión. Sentí, y todavía siento, que el único remedio era el remedio bíblico: lleva el hacha a la raíz del árbol y derríbalo.

¡Ojalá fuera tan fácil hacerlo como decirlo!... ¿A quién mato primero? ¿Al maestro, al padre, al amante? Y cuando los haya extirpado a todos de mi vida psíquica, si es que lo hago alguna vez, ¿qué quedará? ¿Con quién compartiré la experiencia de vergüenza y pérdida?

Emma entiende algo de lo que me sucede. Se ha convertido en una analista razonablemente buena, aunque no tan aguda o brillante como Toni. También ha mantenido una amistad con Freud, con quien sigue carteándose. A mí esto me duele, pero no puedo prohibírselo. Sin embargo, Emma nada sabe del elemento homosexual en mi relación con Freud y está mucho más preocupada por nuestra situación familiar. Mis accesos de cólera la perturban a ella y a los niños. Emma todavía está resentida por mis primeros episodios con pacientes mujeres. Está celosa de Toni y le disgusta su continua presencia en nuestra casa. Comprueba que mi nueva existencia como consultor especializado es muy difícil de explicar a nuestros vecinos y amigos. Era mucho más fácil cuando podía usar mis títulos: director clínico del Burgholzi y catedrático titular en la universidad. ¡Nosotros los suizos necesitamos categorías muy precisas si queremos vivir cómodamente juntos!

Me encuentro en un dilema todavía mayor con Toni. Ella está muy enterada del aspecto padre-hijo de mi inclinación por Freud. Conoce mi necesidad de una figura paterna fuerte para reemplazar la de mi padre, a quien yo amé pero nunca pude respetar porque no quiso confrontarme con los temas de la fe y la duda. Todo esto puedo discutirlo abiertamente con Toni. ¡Pero lo otro, no! Nuestra relación sexual es rica y apasionada. Me estremece pensar lo que sucedería si de pronto le pusiera adelante la imagen baja y brutal de la violación per anum.

De modo que me quedo solo con este demonio. Debo luchar con él en secreto. A medida que crece mi disgusto conmigo mismo, crece mi resentimiento con Freud. Mi resentimiento se extiende a ese pequeño círculo de compinches parásitos y serviles que cloquean y se mueven a su alrededor como cortesanos alrededor del Rey Sol... "El maestro no está de acuerdo... el maestro está ofendido... ¡el maestro esto, el maestro aquello!" ¡A veces se hubiera dicho que él era el mismo Señor Buda en vez de un judío vienés cuyas mejores ideas están teñidas de delirios de grandeza!

Esta es otra cuestión entre nosotros que, por razones obvias, ninguno de los dos quiere expresar con palabras. Freud es un judío que ha sido capaz, con bastante comodidad, de prescindir de la religión de su raza. Para él, toda religión es un mito creado por el hombre, una muleta para la psiquis doliente que debe ser desechada antes de que pueda declararse la curación definitiva. Yo soy un suizo alemán, criado en la iglesia luterana. He abandonado la religión de mi padre, pero nunca mi búsqueda de una deidad que tenga sentido para mí y en la cual pueda creer como hombre racional. Yo no veo a los mitos del hombre, los cuentos de hadas y las diferentes religiones como muletas. Más bien los veo como sacramentos de curación, como símbolos a través de los cuales el hombre expresa su percepción del misterio y adapta su psiquis a su carga.

Sé que ciertos fanáticos de Freud me desprecian como a un místico o una especie de poeta fracasado que chapotea en la ciencia de la mente. ¡Algunos hasta han difundido rumores maliciosos de que yo presento síntomas de demencia precoz! Olvidan que mi experiencia clínica es mucho más larga que la de ellos y que he escrito lo que es, hasta ahora, el trabajo más autorizado sobre el tema.

Pero esos difusores de rumores me han hecho mucho daño. Mi clientela ha disminuido. Una cantidad de pacientes me han abandonado. Me veo en la obligación de aceptar el sórdido jueguito de explotar a pacientes ricos que no son para nada neuróticos sino que, simplemente, están aburridos o disgustados de sus circunstancias.

Me avergüenzo de esto. Me enfurece el verme obligado a rebajarme por dinero. Sé que estoy llegando mucho más allá de las fronteras de Freud, y estoy convencido de que un día tocaré una verdad que está fuera del alcance de su imaginación. Me siento atraído hacia ella como la polilla es atraída por la llama de una bujía; empero, no puedo ver la luz o encontrar el camino hacia ella.

Toni llega tarde, todavía pálida y tosiendo por la gripe. La regaño y le digo que hubiera debido quedarse en la cama. Ella protesta.

—Me siento mejor trabajando. En la cama me da fiebre, te deseo, espero que vengas a verme.

Le explico con algo de impaciencia que Emma y los niños quisieron salir a navegar y que yo no puedo negarme a esos sencillos pedidos de la familia. Toni acepta el argumento de mala gana. Es aquí donde aprieta el zapato. Su posición en esta situación está siempre un peldaño más abajo que la mía. Profesionalmente, ella es todavía una aprendiza. Como amante, está en segundo lugar después de la esposa y la familia. Cuando le aseguro que siempre está primera en mi corazón, me recuerda que mi corazón es un país extraño, a veces duro y hostil. Hay un momento breve y amargo cuando parece como si fuéramos a reñir otra vez; después ella se rinde. Nos besamos y el sabor amargo desaparece. Ella me cuenta un sueño que tuvo durante su siesta, después de mediodía.

—Mi cabeza estaba llena de ti y me dolía el cuerpo de

tanto que te deseaba. Me quedé dormida y soñé que yo era una gaviota que volaba sobre el lago. Te vi sentado en la playa, con las piernas cruzadas como un oriental. Estabas desnudo y solo. Descendí para reunirme contigo; pero cuando estuve más cerca, había otro hombre contigo. Te abrazaba y te acariciaba de un modo sexual... del mismo modo que te acaricio yo. Cuando él me vio, agitó los brazos y me hizo señas de que me alejara. Yo subí y volé en círculos en lo alto, y seguí observando el juego amoroso. Entonces Emma llegó a la playa y empezó a golpear al hombre con su sombrilla. Yo me alejé volando porque no quise que ella me viera...

Mientras escuchaba a Toni relatar su sueño, sentí un embate de emoción, como una oleada de aguas desbordadas, lodosas, turbulentas, llenas de restos extraños. ¿Toni había adivinado el oscuro secreto que me atormenta? ¿Yo se lo había comunicado por medio de algún mecanismo del inconsciente? Este sueño ella lo tuvo cuando yo estaba cavilando acerca de esas mismas cosas, en el velero anclado en la tranquila bahía. Esta es una situación que se presenta muy a menudo: coincidencia, sincronicidad, cosas que suceden en el mismo momento, sin relación causal, pero lo mismo estrechamente relacionadas en su naturaleza. La relación merece un examen más a fondo en el contexto de la experiencia psíquica. No confío en mí mismo para comentar el sueño inmediatamente. Me siento ante mi escritorio, tomo rápidas notas sobre su contenido y entonces, en el modo formal que adoptamos para la discusión clínica, le pregunto a Toni:

—Antes de quedarte dormida, ¿sabías que yo saldría a navegar?

—No. Pero era un día tan hermoso que pensé que podrías sacar el velero.

—¿Hubo algún otro desencadenante del sueño?

—Oh, sí. Un pájaro blanco pasó frente a mi ventana y yo pensé: "¡Afortunado! ¡Ojalá yo pudiera volar así." Después debí quedarme dormida.

—Ahora cuéntame. —Adopté un tono perentorio. —Cuéntame, sin reflexionar, qué significa el sueño para ti.

—¡Oh, está muy claro! —Me responde con esa inocencia límpida que me desarma tan fácilmente. —Fue muy claro hasta mientras lo estaba soñando. Hemos hablado mucho del **anima** y del **animus**: el elemento femenino en todo varón, el elemento masculino en toda mujer. Bien, el tú que yo vi en la plaza era tu **anima**, la parte femenina de ti. El hombre que estaba acariciándote era mi parte masculina, mi **animus**. Nos amábamos de ese modo en la playa porque en la vida real nuestros roles están invertidos. A causa de nuestra situación, yo tengo que perseguirte. Tú eres pasivo y femenino hasta que yo me presento para excitarte. Entonces, por supuesto, eres totalmente masculino. Pero cualesquiera sean los roles que asumamos, Emma siempre viene para separarnos... En realidad, es un sueño muy trivial, no tiene ningún misterio.

—No lo descartemos tan a la ligera. ¿Estabas excitada por mi parte femenina?

—Oh, sí.

— ¿En la vida real podrías tolerar una inversión de roles semejante?

—Eso es lo que el sueño dice, Carl: tengo que tolerarla todo el tiempo. Tú no me persigues como un enamorado. Yo tengo que perseguirte a ti, buscar en todo momento tu compañía. Oh, sí, tú me deseas; pero esperas aquí hasta que yo vengo. Por supuesto, tú eres el activo cuando hacemos el amor, pero antes y después... sí... los roles se invierten. No me estoy quejando. Estoy exponiendo un hecho, interpretando mi sueño.

—Si yo te dijese, Toni Wolff, que me estás mintiendo, que nunca tuviste ese sueño, que estás jugando e inventando evidencia clínica. ¿Cuál es tu respuesta?

— ¡Hay tres respuestas, oso viejo y gruñón! Estoy mintiendo. Estoy diciendo la verdad. Estoy ofreciendo una construcción onírica que encaja en nuestra situación. ¡Tú eliges!

Me siento muy tentado de acusarla de mentirosa y de dar salida, en un acceso de cólera, a todos mis temores y frustraciones. En el mismo instante me doy cuenta de que Toni espera precisamente eso. Me está mirando con la misma expresión, medio divertida, medio amenazadora, que yo solía ver en la cara de mi madre cuando ella miraba dentro de mi cabeza. Sé que si reñimos terminaré teniendo que disculparme, que explicarme... ¡y esta vez el gato saltará fuera de la bolsa! Tendré que revelar la sórdida y pequeña historia de mi violación y mi inclinación erótica hacia Freud... Toni siente la verdad. El sueño es una estrategia destinada a obligarme a revelársela.

De modo que hago lo que hago siempre. Miento. Le tomo las manos y la atraigo hacia mí. La beso en los labios, le acaricio los pechos y le digo:

—Hago bromas de mal gusto porque te he echado mucho de menos. Por supuesto que creo en tu sueño. Dice exactamente la verdad sobre ti y sobre mí. Estamos tan unidos que somos una persona... todas nuestras partes están mezcladas como fruta dentro de un pastel.

Apenas han sido pronunciadas las palabras cuando oímos a Emma que llama a los niños en el jardín. Nos separamos apresuradamente. Toni se retira a su escritorio, yo al mío. Me pongo furioso porque me siento ridículo. Toni todavía está con ganas de bromear. Se alisa la blusa sobre sus pezones erectos, y con una risita, me dice:

—Me pregunto si Emma lleva su sombrilla.

MAGDA

Esta mañana despierto sumida en una depresión suicida, convencida de que debo enmendar mi vida o ponerle fin. Está claro que no hay forma de enmendarla en una asociación con Basil Zaharoff, de modo que debo encarar inmediatamente esa situación. ¿Pero cómo? Solamente podría ser por sí o por no. Zaharoff no toleraría ningún jueguito. El ha sido un rufián demasiado astuto para dejarse engañar por artimañas femeninas. Si yo quisiera negarme, tendría que enfrentarlo y convencerlo de mi ineptitud para el papel que él ha escrito para mí.

Me obligo a bañarme, hago un bulto con mis ropas manchadas, guardo con llave el material que escribí durante la noche, después llamo a la doncella para que me traiga té de manzanilla y una bolsa de hielo. Tengo un dolor de cabeza terrible, contra el cual ni siquiera las nuevas tabletas alemanas de aspirina sirven de mucho. Cuando me miré en el espejo tuve un sobresalto. Mi piel estaba pálida como la leche; mis labios, exangües; las patas de gallo se marcaban profundamente alrededor de mis ojos, y el miedo que leí en mi rostro —un miedo al desastre inminente y a la amenaza del futuro— era tan evidente que cualquiera lo habría notado.

A las diez llamé a Basil Zaharoff. Su criado me dijo que estaba durmiendo y que no era posible despertarlo. Había enfermado durante la noche y su médico acababa de marcharse. Le dije al criado que yo también estuve descompuesta. Instantáneamente, el criado fue presa de pánico. El señor Zaharoff había sospechado de las ostras de la comida de anoche. Ahora no quedaba duda alguna. Por favor, ¿me quedaría yo en el hotel? Con toda seguridad, el mismo señor

Zaharoff me llamaría por teléfono no bien se recuperase. ¡Mientras tanto, por favor, estimada señora, cuídese mucho! ¡Enviaré al médico inmediatamente!

El médico llegó como un visitante celestial y yo quedé boquiabierta del asombro. Era Giancarlo de Malvasia, colega de mis días de estudiante en Padua y de internado hospitalario en Viena. Ahora andaba por la mitad de los cuarenta pero seguía siendo apuesto como Lucifer, siempre el mismo florentino quisquilloso que una vez había declarado que su ambición era convertirse en el diagnosticador más grande del mundo y después ser admitido como noble célibe en la Soberana Orden de los Caballeros de Malta.

Siempre habíamos sido colegas amigos, pero por alguna razón, la química del sexo nunca había funcionado entre nosotros. Yo era una moza demasiado retozona para él. El era un toscano demasiado esnob para confiarle mi exótica historia. Pero de algún modo habíamos logrado entablar una amistad cautelosa y un respeto profesional. Habíamos trabajado juntos en turnos de guardia, en clases de anatomía, en correspondencia ocasional sobre casos difíciles. Después, cuando yo abandoné la medicina, perdimos contacto. Por papá supe que Giancarlo estaba haciéndose de una clientela lucrativa entre las personalidades internacionales que hacían el circuito anual europeo. Esperé que no estuviera demasiado enterado de mi canallesca reputación.

Se mostró discretamente complacido de verme —¡todavía esa maldita condescendencia florentina! —y cortésmente interesado en mi relación con Basil Zaharoff. Me examinó a fondo, después se relajó lo suficiente para hacerme un cumplido.

—Mi querida Magda, te ves diez años más joven de lo que tienes derecho. Mis felicitaciones.

—Y las mías para ti, Gianni. Es evidente que has realizado todas tus ambiciones.

—De ningún modo. —Se encogió de hombros e hizo una pequeña mueca de disgusto. —Ya no soy candidato a la Soberana Orden de los Caballeros de Malta.

—¿Eso te preocupa?

—Mi matrimonio me preocupa más. Es una unión sin hijos, sin amor y no conveniente.

—Lo siento.

— ¡Por favor! —Levantó una mano. —Uno aprende a aceptar lo inevitable. ¿Y cómo están las cosas contigo? Sé que eres viuda y que has tenido una vida variada y divertida. Este... hum... asunto con Zaharoff, ¿es nuevo?

—Este asunto, como tú lo llamas, mi querido Gianni, se ha limitado a una cena con ostras en mal estado. Zaharoff ha hecho ciertas propuestas que en este momento yo veo con grandes reservas.

—Espero que puedas mantener las cosas así. —Giancarlo arrugó el entrecejo y se movió, nervioso e incómodo. —Es un hombre peligroso. Yo soy su médico personal y él me paga como un príncipe; pero no vacilaría en pedir mi cabeza si llegara a disgustarlo... Sin embargo, no debo inmiscuirme en tus asuntos. Hoy quédate en cama. Toma solamente tostadas y té con limón. Por un largo tiempo no podrás volver a comer ostras.

Hizo ademán de marcharse. Le rogué que se quedara un rato y charlara conmigo. Le dije que necesitaba desesperadamente consejo, consejo clínico bajo juramento hipocrático. Me dirigió una mirada larga e inquisitiva y preguntó, vacilando:

— ¿Estás segura de que esto es sensato? Yo no soy tu médico regular. No sé nada de tu historia clínica. Además, nunca me he especializado en ginecología. Podría recomendarte un buen profesional...

—Decidámoslo cuando hayas oído lo que tengo que decirte. ¡Por favor, Gianni! Necesito una opinión sensata, pero no quiero discutir esto con un extraño.

—Muy bien, entonces. —Se sentó sobre el borde de la cama y me tomó una mano entre las suyas. — ¡Cuéntame!

La pregunta me dejó atontada. Estallé en llanto y por fin logré tartamudear.

— ¡Gianni, soy un desastre! ¡Toda mi vida es un desastre! No sé qué hacer con ella.

— ¡Yo tampoco, hasta que me expliques el desastre! —Me dio su pañuelo de bolsillo para que me secara los ojos. —Ahora que has tenido tu llanto, seamos profesionales, ¿quieres?

Otra vez luché por encontrar las palabras y finalmente lo logré.

—Viena. El profesor Richard von Krafft-Ebing. ¿Lo recuerdas? ¿Recuerdas su libro **Psicopatología sexual** y los grandes debates que solíamos tener acerca del mismo?

—Lo recuerdo. ¿Y...?

—Había una frase que él solía usar en sus conferencias sobre los aspectos forenses de la sexualidad. **"Il faut toujours avoir pitié de ceux qui ont le diable au corps..."** "Siempre hay que tener piedad de quienes tienen el diablo en el cuerpo." Bueno, yo soy una de esos, Gianni. Lo he visto todo, he hecho de todo... ¡pero nada puede apagar el fuego! Soy conocida por la policía y los profesionales. Por eso Zaharoff quiere que trabaje para él. Quiere que yo dirija sus burdeles europeos. Si acepto, obtengo protección y hago una fortuna. Si me niego, ¡quedo a merced del diablo que vive dentro de mi piel! Antes que tú llegaras esta mañana, estaba dispuesta a terminar con todo... ¿Adónde puedo acudir, Gianni? ¿Quién ayuda a las personas como yo? ¡No me desprecies, por favor!

Me desprecié a mí misma. Estaba arrastrándome de manera abyecta ante un hombre al que no veía desde hacía años, vertía mis lágrimas en su pañuelo de seda. El no me respondió. Abruptamente, se puso de pie, caminó hasta la ventana y allí permaneció un momento mirando las flores de la terraza bañada por la luz del sol. Cuando se volvió para mirarme, su rostro quedó en la sombra. Me hizo una pregunta extrañamente irrelevante:

—¿Eres creyente? ¿Perteneces a una religión... católica, luterana, valdense?

—No. A veces he pensado que me hubiera gustado ser una creyente... pero nunca sentí una verdadera necesidad o aptitud para la religión. ¿Por qué lo preguntas?

—Si tienes una fe a veces puede ayudarte. A mí me ayudó. En realidad, estoy seguro de que nunca hubiera podido soportarlo sin ella.

—¿Soportar qué?

Se sentó y otra vez me tomó las manos. Ahora sonreía, con una sonrisa fría, irónica, que transfiguraba esas facciones finas y aristocráticas con un pathos extraordinario.

—Solías llamarme esnob. Yo no lo era, en realidad. Estaba tratando de crearme una identidad. Yo hubiera sido un hombre del Renacimiento, uno de esos jóvenes galantes de la corte de Lorenzo el Magnífico. El hecho es que soy un homosexual incurable. Mi padre me empujó al matrimonio. Los padres de mi mujer la empujaron a una unión con una familia rica y noble. Fue una equivocación espantosa para nosotros dos. Estamos tratando de obtener de la Rota Romana la anulación de nuestro matrimonio, pero es un asunto tedioso y ruinosamente caro. Mientras tanto, mi mujer ha encontrado un amante... por lo cual no la culpo. Y yo...

Calló. Esperé un largo momento en silencio y después lo insté a que continuara.

—He hecho las paces con Dios. He vuelto a la iglesia y me he unido a la Tercera Orden de San Francisco. Dedico parte de mi tiempo a hacer obras de caridad entre los pobres.

Lo anunció con tanta sencillez que me quedé sin respirar. Era la primera vez en mi vida que yo oía una profesión de fe y no supe si debía sonreírme o llorar. Cautamente, pregunté:

—¿Y sientes que eso cambia las cosas para ti?

—No las cambia. Todavía los hombres me atraen más que las mujeres. Pero vivo célibe y creo que hay mérito y finalidad en el sacrificio. Pienso menos en mis problemas y más en los de otras personas... Cuando llegan los días de desesperación... y créeme, mi querida Magda, que tengo muchos de esos días... rezo y siento que no estoy solo.

—Tienes suerte. ¡Yo no tengo talento para la piedad!

Gianni meneó la cabeza. Su rostro se puso otra vez sombrío.

—No es un talento. Es una gracia, un don. Por qué Dios lo otorga a unos y se lo niega a otros es un misterio... quizá el más turbador de todos los misterios.

—A mí eso no me ayuda, ¿no crees? ¡Y perdóname, pero tampoco dice mucho de tu Dios!

—Eso es precisamente la fe... vivir con la paradoja. Comprendo tu escepticismo, pero me pregunto si por lo menos no aceptarías un consejero religioso... Para las personas como nosotros, mi querida Magda, la doctrina del perdón, de nuevos comienzos, tiene mucho consuelo. En vez de vernos como monstruos o rarezas, nos percibimos a nosotros mismos como elegidos, en un sentido, como portadores de una cruz más pesada, para cumplir un destino más grande. Sé que hablo como un misionero de aldea, pero yo también estuve cerca de la desesperación. Entonces un viejo sacerdote, que solía ser capellán de nuestra familia, me persuadió a que hiciera un retiro con los camaldulenses que tienen un gran monasterio cerca de Florencia. Por fuera es un lugar triste, pero adentro encontré tanta serenidad, tanta compasión para los afligidos... ojalá pudiera compartir eso contigo, explicártelo con mejores palabras de las que tengo...

Se mostraba tan solemne acerca de todo eso que pensé que podría echarme a reír. ¡Recordé cuando me le acercaba en las salas de clase y me preguntaba cómo podría arrancarle una chispa de respuesta sexual! ¡Todas esas miradas maravillosas malgastadas en un **finocchio**! Entonces sentí el loco impulso de arrastrarlo a la cama, hacerle algunos juegos que yo sé y enseñarle a gozar de verdad. ¿Un retiro con los camaldulenses, plegarias para curar la comezón de Venus? ¡Santo Dios! Me alegré de que papá no estuviera allí para escuchar tantas tonterías. Afortunadamente, pude controlarme. Seguí recatadamente sentada en la cama, con los ojos bajos, las manos cruzadas sobre mi regazo, esperando que este predicador aristocrático concluyera su pequeño sermón. Su siguiente pregunta me sorprendió.

—¿Cuánto hace que abandonaste el ejercicio de tu profesión?

—Oh, más de una docena de años. Mi esposo murió de cáncer. Yo lo traté durante su enfermedad. Ese fue mi último caso.

—¿Te has mantenido al día con tus lecturas... las últimas publicaciones, los nuevos textos?

—No. ¿Por qué lo preguntas?

—He estado siguiendo los trabajos psicoanalíticos de Freud y Jung, y sus asociados. Hace dos años fui a la conferencia que hicieron en Weimar. Los trabajos que presentaron eran de gran calidad y llenos de nuevos enfoques de los desórdenes psicóticos y neuróticos. Sus análisis de sueños, sus exámenes de las relaciones familiares y ancestrales... me resultó todo muy valioso para manejar mis propios problemas y tratar los problemas de mis pacientes. Pero, por supuesto, yo no estoy lo suficientemente entrenado y preparado para dedicarme exclusivamente a la práctica analítica. Un día, quizá... Sin embargo, mi querida Magda, se me ocurre que no te haría ningún daño consultar a uno de los expertos en este campo... El análisis no resuelve necesariamente el problema, pero lo reduce a dimensiones humanas, hace que deje de ser una sombra gigantesca proyectada sobre la pared...

— ¿Cómo te ayudó a ti? —Todavía quería provocarlo. —No puede ser más potente que Dios... aunque podría resultar más tolerable que un mes de confinamiento solitario en un monasterio.

Por primera vez, Gianni rió y en su risa hubo un eco de genuino buen humor.

— ¡Lo sé! Tú sigues creyendo que soy un relamido esnob florentino, atado a las cuentas del rosario de su madre. Pero he hecho mi propio viaje por el infierno... y por una singular misericordia, he sobrevivido. El mismo bastón que me sirvió a mí no te servirá necesariamente a ti... Pero, como Dante, necesitas un guía, alguien a quien hablarle en el desolado país. De otro modo, te volverías realmente loca...

De pronto sentí vergüenza de mí misma. Yo era una perra autodestructiva que me burlaba de un hombre bueno porque él se acercaba demasiado a la verdad. Le ofrecí una torpe disculpa. El la rechazó con una sonrisa.

—Consideremos cuál de esas personas podría ayudarte más. Freud es la elección más obvia. El es el expositor más osado y esclarecedor de la sexualidad humana en todos sus aspectos. Mientras Krafft-Ebing se ocupaba de síntomas y manifestaciones, Freud se ocupa de orígenes y factores determinantes. Por otra parte, yo, personalmente, he llegado a tenerle cierta antipatía. El es judío, por supuesto... y admito que tengo un prejuicio histórico contra esa raza. Es brillante, pero inclinado a la arrogancia... —Giancarlo tuvo la gracia de ruborizarse cuando lo dijo. — ¡Lo sé! ¡Yo también soy arrogante! Pero una cosa me irrita de Freud: él excluye enteramente todo concepto religioso del hombre, toda creencia en Dios o en la intervención divina en los asuntos humanos.

Eso, para mí, es un aspecto muy drástico y negativo de su sistema. Jung, por su parte, está explorando los símbolos históricos que se repiten en nuestra vida consciente e inconsciente. El admite la experiencia religiosa, aunque no siempre la define en términos ortodoxos. Después, hay personas como Bleuler, un clínico muy experimentado, los americanos Putnam y Brill, y un joven discípulo de Freud, muy ardiente y muy inteligente, llamado Jones. Sin embargo, comparando, yo recomendaría a Jung. Jung se encuentra en Zurich, bastante cerca, y sé que acepta pacientes particulares. En realidad, todos lo hacen. Se habla mucho del psicoanálisis como de una ciencia nueva, pero todavía no es tan lucrativo como la medicina común... —Extendió un brazo, me tomó del mentón y me obligó a mirarlo en la cara. —No tomes esto demasiado a la ligera. La menopausia es una época mala, de todos modos. Necesitarás ayuda si quieres superar la tuya sin traumas desagradables. ¿Qué dices? ¿Te gustaría que yo le escriba una nota a Jung y le pida que te reciba?

—Déjame pensarlo, Gianni. Si me decido a ir, yo misma le escribiré... en caso contrario, quizá tú puedas encontrar para mí un convento lindo y cómodo en Toscana.

—Podría encontrar una docena. ¡Todos recibirían encantados a una penitente rica! —Añadió con una sonrisa, después de una breve pausa: —Ciertamente, estarías más segura en un convento que con Basil Zaharoff.

—Lo sé. Quizá tú puedas ayudarme a manejarlo.

—¿Cómo?

—El sabe que tú estás conmigo. Podrías decirle que me he recuperado de las ostras, pero que presento síntomas de histerismo agudo.

—Sigue mi consejo, Magda. Habla con Zaharoff sencilla y directamente. Créeme, él no querrá discutir. No es su estilo. Si tú rechazas ese ofrecimiento, la cuestión quedará cerrada. ¡Pero ruega a Dios que en el futuro nunca tengas que pedirle ayuda!

Se inclinó, me besó ligeramente en la frente, me dijo que lo llamara si me volvían las náuseas y en seguida se marchó sin más ceremonia. Permanecí largo tiempo mirando fijamente las ninfas pintadas en el techo y deseando que hubiera una mujer o un hombre para compartir mi soledad.

Me dormí hasta que, a las seis de la tarde, anunciaron a Basil Zaharoff. Se lo veía un poco demacrado, pero elegante como siempre. Venía, dijo, a hacer honorables reparaciones por mi malestar y a disculparse por el increíble descuido de su personal de cocina. Las "reparaciones" tenían la forma de un brazalete de oro antiguo con un broche de diamantes y rubíes. Protesté y dije que no podía aceptar el obsequio.

Zaharoff se mostró inflexible. Puso el brazalete en mi muñeca y cerró el broche de seguridad. Solo entonces me permitió que hablase. Le comuniqué mi decisión. No podía aceptar su ofrecimiento. Me apresuré a darle explicaciones y a humillarme para halagar la vanidad del califa que se ocultaba detrás de la máscara del caballero.

—Me sentí halagada y tentada por su ofrecimiento. El mismo resolvería muchos problemas para mí, pero también podría crear muchos para usted. Usted es la clase de hombre que yo admiro mucho. Su estima y su protección significarían mucho para mí, pero tengo que ser muy sincera. No estoy segura de poder contar con mi estabilidad. Dentro de mí están sucediendo cosas que todavía no entiendo. Soy médica. Reconozco los signos de la tensión, el desgaste del autodominio. Todavía no estoy en la menopausia, pero eso podría resultar un momento muy malo para mí. Usted se vería envuelto en grandes asuntos. Necesita una persona en quien pueda confiar más que en mí...

Empecé a llorar otra vez, ahora por el alivio que sentía por haber dicho por fin las palabras necesarias. Zaharoff fue diligente para consolarme.

—¡Por favor, mi querida señora! No llore, se lo ruego. Lamento no poder contar con su talento, por supuesto, pero aprecio más su sinceridad y confío en que seguiremos siendo buenos amigos.

—Yo lo deseo, créame.

Me tomó en sus brazos. Me dijo que yo era hermosa y deseable. Me recordó mi promesa. ¿Qué mejor momento que ahora para solazarnos juntos? ¿Qué mejor momento, en realidad? Si yo quería apearme del tigre, tenía primero que asegurarme de que la bestia estuviese adormecida y amistosa.

Este puede ser el único testimonio que se dará jamás a

favor de Basil Zaharoff, un rufián de Tatlava que comerciaba con la muerte por toda Europa y nunca vio una mancha de sangre en sus propias manos: era un amante experto y, para su edad, sorprendentemente vigoroso.

Me hizo un cumplido, además. Estaba vistiéndose para volver a su casa y yo lo ayudaba a ajustarse la corbata de seda. Me tomó la cara con sus manos viejas y suaves y dijo, con una sonrisa triste:

—Mi querida Magda, ojalá reconsidere usted su decisión. ¡Si se hiciera profesional, sería la más grande en el oficio!

Esa noche tuve otra vez la pesadilla de la bola de cristal. Esta vez, sin embargo, no era el ojo del Sol el que se burlaba de mí. Era Basil Zaharoff. Hacía girar y girar la bola con la punta de su bastón y golpeó la cáscara de cristal hasta que aparecieron rajaduras, como las rajaduras en la cara de Humpty Dumpty. Yo estaba desnuda en el interior, acurrucada, como una mujer feto, preguntándome en qué monstruo me convertiría si llegaba a nacer, cuando la bola se abriera y me arrojara sobre la arena roja como la sangre.

JUNG

Zurich

Cuando releo el material que he escrito en este diario privado me sorprende su simplicidad y claridad. En mis trabajos publicados soy a menudo prolijo, siempre recatado, demasiado literario, como si todo lo que digo estuviera cargado de misterio délfico. Aquí escribo como siento, en el estilo directo de un campesino.

En público, en compañía de mis pares, me ajusto al ritual, uso el lenguaje mágico, agito mis abalorios y chucherías de brujo y grito un poco más alto para demostrar que de veras soy un chamán poderoso. Miento, también, cuando conviene a mis propósitos; pero todos mentimos de una u otra manera, porque no siempre somos hombres de ciencia; somos adivinos, que trabajamos con símbolos arcanos y con el material de los sueños.

Anoche tuve un sueño nuevo; quiero anotarlo antes que llegue Toni. Quiero estudiarlo antes de analizarlo juntos. No debo ser tomado desprevenido como sucedió con su sueño de la gaviota.

Me encontraba en un tren. Sabía que regresaba a Suiza desde algún lugar en el norte. De pronto miré por la ventanilla y vi que toda la tierra, hasta donde alcanzaba la vista, estaba bajo agua. No era un agua quieta, sino una vasta ola amarilla que rodaba hacia el sur, en dirección a los Alpes, que se alzaban como una pared contra el torrente. Entonces vi que la ola estaba llena de restos: árboles, animales, fragmentos de casas, ropas y cuerpos humanos, millares y millares de ellos. Mientras yo miraba, el color de la ola cambió. Se volvió rojo... rojo sangre. A continuación empecé a distinguir, entre los muertos, personas que yo conocía. Freud estaba allí, y Honegger, y Emma y los niños, y mi propio padre. Me sentí oprimido por el temor y la vergüenza porque ellos estaban muertos y yo estaba vivo y no quería salir del abrigado vagón y correr peligro de ahogarme...

Después Emma empezó a tocarme y sacudirme. Yo la había asustado con mis gritos y la había golpeado al agitar los brazos en mi pesadilla. La dejé nuevamente dormida y entonces bajé para pasar el resto de la noche en mi estudio.

Ahora escribiré lo que no me atrevo a decir a Emma y ni siquiera a Toni. Este sueño me ha asustado terriblemente. En mis observaciones en la clínica Burgholzi, noté que los sueños de caos, las visiones de desorden y destrucción del mundo, son casi siempre un síntoma del estado esquizoide asociado con la demencia precoz.

El paciente es consciente de que su personalidad se está fragmentando, estallando en pedazos, como una sierra circular cuando se la hace girar demasiado tiempo a demasiada velocidad, pero no puede definir la experiencia con palabras. La sueña. Gradualmente, la frontera entre sueño y realidad se vuelve borrosa. Por fin, él no puede distinguir uno de otra. Se abandona a un estado de permanente delirio, que tiene, no obstante, su propia lógica, la lógica de la insania esquizofrénica.

El mero hecho de que esté escribiendo estas líneas me dice que todavía puedo distinguir el sueño de la realidad; pero la advertencia está allí. Puede no ser siempre así... como prueban mis diálogos en el jardín con Elías y Salomé, que son invenciones de mi inconsciente, pero que a veces son tan reales para mí como Emma y Toni. No puedo enfrentar este temor, solo, en mi estudio, en las frías horas entre medianoche y el amanecer. De modo que empiezo a disecar el sueño, frase por frase, como un gramático:

Estaba viajando en un tren...

Un viajero es móvil, sin raíces. No está anclado en el tiempo y el espacio. Se encuentra aislado en su propio medio de transporte, desde donde ve al mundo pero no puede establecer contacto con él. Este es exactamente mi caso, desde que renuncié a mi cargo en la clínica, a mi cátedra en la universidad. He viajado mucho, por Europa y el extranjero. He asistido a muchas conferencias, pero estoy privado del contacto diario con mis pares.

Afuera, la tierra está cubierta por las aguas...

Desde que Bulgaria invadió a Servia y a Grecia en junio de este año, toda Europa ha estado acosada por el temor de hostilidades entre las Grandes Potencias. Suiza, por supuesto, permanecerá neutral; de aquí la imagen de los Alpes irguiéndose como una barrera contra la inundación... Así, en contraste con mi viaje hacia atrás en el tiempo para encontrarme con Elías y Salomé, quizá este sueño sea una experiencia profética, una ojeada clarividente al futuro. Mientras juego con este pensamiento, otra vez me siento inquieto. Esta es exactamente la clase de lógica espuria que el paciente esquizoide se construye para sí en la demencia precoz. Paso rápidamente a la imagen siguiente.

Veo cadáveres de personas conocidas...

Este es un símbolo menos atemorizador. Expresa deseo pero no intención. Como todo hombre casado que alguna vez se embarcó en un enredo amoroso extramatrimonial, yo tengo fantasías acerca de ser otra vez soltero y libre. Mi esposa, mi familia, son obstáculos a esa libertad. Mi inconsciente abriga el pensamiento de que si ellos murieran, todos mis problemas se solucionarían. Mi padre está muerto; yo estoy libre de su dominación. Si Freud estuviese muerto, yo heredaría su manto de autoridad.

Me siento oprimido por la vergüenza porque no quiero abandonar el vagón...

Esta es casi una imagen exacta del momento de hace apenas unos pocos días, cuando Emma, llevada a la desesperación por uno de mis accesos de cólera, me acusó amargamente:

—No piensas en nadie más que en ti mismo, Carl. Siempre es lo que tú quieres, nunca lo que nosotros podemos necesitar de amor, de atenciones, de simple amabilidad. Te encierras en tu estudio como un ogro en su cueva. Compartes tus secretos con tu querida y no con tu esposa. Quizá crees que estás consiguiendo algo que hará que todo valga la pena... ¡pero no para nosotros, Carl! ¡No para nosotros! Los niños viven para hoy, no para mañana. Yo quiero el hoy tanto como ellos. Muchas veces siento como si estuviera despidiéndote en una estación de ferrocarril, y no estoy segura de si regresarás alguna vez...

Hago toda clase de protestas, pero en el fondo de mi corazón sé que ella tiene razón. Soy un hombre egoísta, más aún porque estoy asustado de las grietas y divisiones que siento en mí. Necesito la tranquilidad que me da Toni. Escapo de las responsabilidades que me plantea la vida de familia porque estoy muy lejos de la realización de mis ambiciones personales. Soy irritable y regañón porque tengo muchas incertidumbres. Así, por más voluble que sea mi análisis de la pesadilla, yo sé que es un sueño de caos y tarde o temprano tendré que reconocer y aceptar sus secretas advertencias.

Lleno mi pipa y saco la botella de coñac. Veo cierto peligro en este hábito de beber a la madrugada, de modo que me limito a una sola medida generosa. Si Toni estuviese aquí, o si Emma fuera más dispuesta a la sexualidad, yo no tendría ninguna necesidad de beber. Tengo nada más que treinta y ocho años y que me condenen si voy a vivir como Simón el Estilita.

La imagen de ese viejo avinagrado, trepado en su columna en el desierto, viviendo a pan, agua y dátiles secos, realizando todas sus funciones naturales a la vista de sus devotos, me intriga. Veo su extraña existencia como una parodia de la mía. Yo quiero retirarme del trato con la gente. Necesito exhibirme, que se reconozcan los méritos de mi trabajo. Las dos necesidades no se reconcilian del todo. Mis colegas me ven como un excéntrico arrogante. Mis pacientes, algunos de ellos, por lo menos, murmuran sobre mi libertinaje.

Simón el Estilita me recuerda a nuestro propio ermitaño suizo, el bienaventurado Klaus de Flühli. Cuando yo era muchacho, visité su santuario con mi padre, y ese mismo día conocí a una jovencita que largo tiempo frecuentó mis sueños. El hermano Klaus, el bienaventurado, parece haber descubierto la fórmula de la beatitud en esta vida y en la siguiente. Era casado. Había tenido hijos, pero pasó solamente la mitad de su vida con su familia, y la otra mitad en feliz comunión consigo mismo y con su Creador, en su ermita.

Quizá esta es la respuesta para mí. Encontrar un terreno, construirme una ermita y retirarme cada vez que la vida hogareña se vuelva intolerable. Toni podría reunirse conmigo allá. No creo que Emma haría muchas objeciones, especialmente si ello aleja a Toni de Küsnacht.

Abro mi cuaderno de dibujos y empiezo a dibujar una torre de piedra cuadrangular sobre la orilla del lago. La rodeo con una muralla, dentro de la cual podré vivir mi vida de ermitaño. En el patio habrá un aljibe y leña, cortada y medida, para el invierno, y una estela sobre la que esculpiré el registro críptico de mis trabajos y mis días. Los muebles los haré yo mismo, con sencillas herramientas campesinas: una azuela, una cuchilla de doblemango, una sierra de arco, un mazo de madera y una garlopa afilada en una piedra de afilar. Habrá flores y un huerto de especias, y cebollas colgadas de las vigas de mi cocina. Habrá luz de linternas y velas y un fogón de hierro para hornear pan y comidas campesinas.

Cuando dibujo el plano básico de todo el edificio, noto que el mismo consiste de dos figuras geométricas: un cuadrado encerrado en un círculo. Recuerdo que fue de un círculo que salieron Elías y Salomé para entrar en mi vida consciente. Los invoco, pero ellos no responden.

No obstante, siento una presencia en la habitación. Es más poderosa, aunque más simple que la de ellos. También la invoco. No hay respuesta, pero el silencio parece intensificarse a mi alrededor, como si la presencia estuviera volviéndose más sólida.

Involuntariamente, tomo el lápiz y repaso el trazado de los contornos del cuadrado: uno, dos, tres, cuatro. En la misma forma automática pongo una letra junto a cada lado de la figura, como si estuviera planteando un problema de geometría. Las letras, en secuencia, son Y H W H. Las miro fijamente largo tiempo. Entonces, en un instante, su significado es claro. Lo que he escrito es el Tetragrámmaton, el símbolo hebreo de cuatro letras del nombre impronunciable de Dios.

Una vez más, mi inconsciente ha tomado material de su depósito de símbolos y mitos. El círculo y el cuadrado son figuras perfectas. El Tetragrámmaton es el símbolo de la perfección esencial que llamamos Dios. El silencio, el sólido silencio, me envuelve como el

103

Creador envuelve a toda su creación...

Miro nuevamente la figura. Recuerdo haberla visto en muchas variaciones y con diversos embellecimientos en textos orientales. Es el mandala, el símbolo de la consumación, de la serenidad del arribo final. La torre que he señado será para mí un lugar de serenidad y reposo. Ahora estoy seguro de que la construiré y de que, se lo pida o no, Dios allí se me presentará.

No será el Dios de mi padre: un jurista estrecho que contabiliza los delitos de sus criaturas en algún ábaco divino. No será el Dios de los católicos que insiste en vestir a sus sacerdotes castrados con faldas negras y sombreros como palas. Por el contrario, será la deidad inscripta en cada corazón, oculta en el inconsciente colectivo de toda la raza, a quien percibían los antiguos gnósticos, a quien los canonistas y teólogos disfrazaron y ocultaron detrás de sus fórmulas...

En esta fría hora antes que cante el gallo, he tropezado con una verdad importante: para mí, Carl Gustav Jung, no hay camino real hacia la sabiduría. Para llegar al futuro debo viajar al pasado. Para alcanzar el Sol debo penetrar en el reino oscuro del inconsciente. Para lograr la cordura de la unidad con el Uno, debo arriesgarme en el torbellino de locura de los poseídos.

Como el viejo Martín Lutero, he llegado a un momento de decisión. "Hier stehe ich; ich kann nicht anders. Gott hilf mir!... Yo estoy aquí; no puedo hacer otra cosa. ¡Que Dios me ayude!" El cargado silencio pesa sobre mí como una bóveda de plomo.

MAGDA

Hoy estoy más tranquila. He apaciguado a Basil Zaharoff. Soy libre de tomar algunas decisiones personales. Los hermanos Ysambard sugieren que reinvierta parte de mi capital en los Estados Unidos. Después de mis conversaciones con Zaharoff, estoy convencida de que ellos tienen razón. Habrá guerra en Europa. Una base en el Nuevo Mundo será una seguridad reconfortante. A continuación, sugieren que venda mis propiedades con sus valiosos animales. El mercado está alto. Puedo dispersar el dinero obtenido sobre una base más amplia y reducir mis riesgos en las secuelas de la guerra. No sé qué pensar acerca de esta propuesta.

La unión de la propiedad de papá en Silbersee con la propiedad de mi difunto marido en la cercana Gamsfeld representa para mí una de las posesiones más ricas en el territorio de Salzburgo. Todas mis raíces están allá, mis recuerdos más dulces de papá y Lily y el único otro hombre que amé jamás, mi marido Johann, Ritter von Gamsfeld.

Conozco esa región como la palma de mi mano. Puedo recitar la historia de cada castillo y santuario. Hablo el dialecto. Conozco las canciones y danzas antiguas. Crecí con los hijos y las hijas de los granjeros locales. Deshacerme de mi heredad sería como cortarme la mano derecha... y sin embargo, la cuestión, en un sentido, ya está decidida porque ya no soy bienvenida en mi tierra natal.

La noche antes que partiera para Berlín a fin de entregar los caballos que le había vendido al príncipe Eulenberg, mi caballerizo mayor vino a verme. Se llama Hans Hemeling. Tiene sesenta años, es tirolés, un león de hombre con una melena de pelo blanco y facciones curtidas por el clima, la imagen misma del héroe de su país, Andreas Hofer. Cuando yo llegué a Silbersee de niña, él era uno de los lacayos. Fue él quien me sentó sobre mi primer pony y me sacudió el polvo y secó mis lágrimas cuando por primera vez caí de un

105

caballo. Juntos, él y yo creamos una de las mejores líneas de sangre de la cría de caballos europea. Ahora él fue mi acusador, severo como un juez de sentencia.

—Usted toma a Apollo, nuestro mejor semental. Deliberadamente lo hace pasar cerca de las yeguas. Entonces, cuando él se pone inquieto, usted lo castiga, lo hace sangrar con sus espuelas y galopar hasta el agotamiento. ¡Rompe el corazón de una bestia hermosa! ¿Por qué, en nombre de Dios? Su perro de caza favorito se le acerca para que lo acaricie. Con el hocico le mancha su traje de montar. Usted lo castiga hasta dejarlo medio muerto; de modo que yo tenge que poner fin a sus sufrimientos con un disparo y lo entierro en el jardín de rosas. ¡Entonces, usted se levanta a media noche y corta los rosales!... ¡Oh, sí! Usted juró que no lo hizo. Quizá hasta lo creyó. ¡Pero la vieron!... ¿Cómo cree que nuestra gente toma esas cosas? ¡Yo se lo diré, señora! ¡Ellos creen que usted es una **Hexe**, una bruja! Si usted no se marcha de aquí, ellos se irán... ¡y yo me iré con ellos! ¡Si cree que puede dirigir este lugar con forasteros, no lo intente! Le robarán sus animales, sus granjas serán quemadas... La única razón de que todavía no haya sucedido es porque yo les dije que usted irá a Berlín para recibir atención médica y yo quedaré a cargo de las cosas aquí... ¡No discuta! ¡Haga lo que yo le digo! Por lo menos, usted sabe que yo soy honrado. ¡No le faltará un solo **pfenning**! Pero si se queda, lo perderá todo...

Yo sabía que él tenía razón. Desde aquellos días de locura había sentido la hostilidad que crecía a mi alrededor como una muralla de fuego. Le pedí a Hans que me explicase qué me sucedía. Se encogió de hombros, con gesto de cansancio.

—No lo sé. Ojalá lo supiera. Usted siempre fue una salvaje. Su marido, ¡que Dios le dé la paz!, la domó un poco. Después que él murió, usted se volvió nuevamente salvaje. Yo solía pensar que todo lo que usted necesitaba era otro individuo ardiente que le hiciera hijos. Si yo hubiera sido más joven, y soltero, yo mismo la habría buscado. Pero eso está todo en el pasado. Ahora, usted actúa como si estuviera embrujada y hasta los animales lo sienten. ¡No sé si necesita un médico que mire dentro de su cabeza, o un sacerdote que expulse los demonios de su cuerpo!

Eran puras tonterías campesinas; pero me golpearon con más fuerza que cualquier retórica. Nosotros tenemos una iglesia en cada colina y una capilla en cada cruce de camino; empero, los antiguos dioses y demonios germánicos viven en las selvas oscuras, los altos despeñaderos y los lagos pequeños y sombríos entre las montañas. Para mí siempre fueron más reales que los santos de escayola. Los conozco de cuentos junto al hogar, murmuraciones de cocina e historias de viejas acerca de hechizos y contrahechizos. Después de mis accesos de furia asesina, yo podía creer muy bien que toda una legión de espíritus malignos habían venido a vivir dentro de mi cráneo. De modo que no discutí con Hans. Incliné la cabeza como una niña arrepentida y le dije que me ausentaría hasta que el demonio fuera expulsado. Después, regresaría.

El no quedó conforme. Bruscamente, me advirtió:

— ¡No se apresure! Y escríbame antes de siquiera pensar en regresar. ¡Nuestra gente tiene muy buena memoria!

El mensaje era claro. Nunca me perdonarían ni olvidarían lo que yo había hecho. Así que esta mañana, en París, llamé por teléfono a Joachim Ysambard y le dije que estaba de acuerdo con sus recomendaciones. El tendría que vender la propiedad, dispersar los animales, tomar las debidas previsiones para mi personal e invertir lo que quedara en los Estados Unidos. Joachim se mostró complacido por mi buen sentido. Preguntó por mis planes futuros. Le pregunté si le gustaría tomar otras vacaciones conmigo, en Amalfi. Rió y cortó la comunicación.

Para mí no es cosa de risa. Estoy, lo sé, desesperadamente sola. Antes de poder hacer ningún plan, debo curarme de la locura que me afecta. Las palabras de Hans Hemeling todavía me acosan: "Consiga un médico que mire dentro de su cabeza o un sacerdote que expulse los demonios de su cuerpo." Es el consejo de Giancarlo en diferentes palabras. Pero ambos, me parece, están prescribiendo una fuerte dosis de magia: la magia de la antigua religión, o la magia de una nueva camada de curanderos por la fe, que trabajan sin cartas anatómicas, sin pautas de procedimientos clínicos y ciertamente sin promesa de cura.

Recuerdo que papá me contó que, en el mundo antiguo, los pacientes que sufrían de desórdenes mentales eran llevados a la isla sagrada de Cos. Allí, después de preparaciones rituales, eran sometidos a la "experiencia del Dios", que parece haber sido una combinación de éxtasis hipnótico y una terapia primitiva de choque y terror. Era, me explicó papá, un ejemplo profundo de sabiduría curativa. El paciente era renovado, volvía a nacer. La "experiencia del Dios" era como el bautismo para el cristiano, el punto de referencia donde empezaba su nueva vida. Pero primero tenía que pagar el precio: los lárgos rituales, las purificaciones mágicas, las infusiones de drogas calmantes. Por fin, en la parte más interior del santuario, en la oscuridad y el miedo, tenía que dar un salto hacia el misterio.

Yo tengo que dar el mismo salto, en la oscuridad de un confesionario o en la sala de consulta de un analista. No es el misterio lo que me aterroriza. Es el riesgo, simple, brutal. ¿Hasta dónde puedo confiar en el hombre, sacerdote o médico, que reciba mi confesión? Lo sé todo acerca de la ética profesional y del juramento hipocrático; pero he estado en demasiadas salas de médicos y en demasiadas camas para confiar mi vida a la discreción de mis pares. Sí, si no hago la confesión, todo es inútil. Seré como el paciente que se queja de una migraña mientras un cáncer está creciendo en su vientre.

De modo que Magda, querida mía, ¿qué vas a hacer? No puedes quedarte toda tu vida encerrada en una suite del Crillon. No puedes seguir frecuentando las casas de citas sabiendo que cada aventura le será finalmente comunicada a Basil Zaharoff, o a la policía. No puedes hacer ningún plan; porque, sin una cura radical, el futuro para ti es un país de demonios. No es la culpa lo que te atormenta. Es algo mucho más siniestro. Has aprendido que no hay excitación más grande que tener una vida en tus manos, sabiendo que puedes apagarla como a la llama de una bujía. No hay orgasmo más potente que el producido por el acto de ejecución. Tú lo has experimentado. Estás obsesionada por repetirlo, y tarde o temprano lo harás.

¡Ya está! Lo dije, lo escribí; la verdad sobre Magda Liliane Kardoss von Gamsfeld. Ya lo ves, yo me entiendo a mí misma. ¿Por que necesito la intervención de un analista? Y ciertamente, un sacerdote no puede ayudarme porque no estoy segura de sentirme arrepentida... Pero tengo miedo. Mis manos tiemblan tanto que no puedo sostener la pluma. No puedo estar sola. Tomo el teléfono y le pido a la telefonista que me comunique con el doctor Giancarlo di Malvasia.

Giancarlo estuvo muy gentil, se mostró muy preocupado. Me llevó a almorzar a un tranquilo restaurante de la **Ile**. Me dijo que se había levantado temprano y había asistido a misa para rezar por mí. Me sentí tan conmovida que estuve dispuesta a soltar allí mismo toda la historia, pero él me contuvo.

—Confieso que estuve tentado de aceptarte como paciente y tratarte aquí, en París, con la ayuda de alguien como Flournoy o Janet. Pero después, cuando estaba orando, vi con claridad que eso habría sido una gran equivocación. Somos demasiado vulnerables uno para con el otro. Sumaríamos nuestros riesgos. Por otra parte, para ti podría ser peligroso contarme la historia solo en fragmentos. Tiene que ser o todo o nada...

—Ese es precisamente mi problema, Gianni... ¡todo o nada! Tú no sabes, no puedes saber lo vulnerable que soy al chantaje. ¿De cuántos colegas tuyos puedes confiar que mantendrán sus bocas cerradas acerca de sus pacientes?

—¡Algunos... pero admito que no todos!

—¿Cuántos sacerdotes, entonces?

—Con el sacerdote es diferente. La situación es anónima. Puedes confesarte en cualquier iglesia que quieras, con cualquier sacerdote que escojas. El confesionario es oscuro. Tú no eres nada más que una voz sin un cuerpo. Tu narración es una cuestión de sustancia, no de circunstancia. No tienes que escribir una novela sobre tu robo o tu adulterio. Acudes al sacerdote como a Cristo. El te absuelve de tus pecados en nombre de Cristo. Por méritos de Cristo te es devuelta la gracia.

—¡Suena maravilloso! ¡Adulterio el sábado, absolución el domingo!

Estaba burlándome de él y él lo sabía, pero fue lo suficientemente comprensivo para entenderme y perdonarme.

—Lo has entendido mal, querida mía. No es la inocencia lo que se devuelve sino la relación entre el Creador y la criatura. ¡La criatura dice, perdóname! El Padre vuelve a recibirla en el seno de la familia. Pero llevamos hasta que morimos las cicatrices de nuestras locuras. Creo que el verdadero valor de la psicología analítica quizá sea que nos hace inteligibles para nosotros mismos y, por lo tanto, tolerables para nosotros mismos.

Eso por lo menos tenía sentido. Sé, por amarga experiencia, que mis peores excesos fueron cometidos cuando mi propia estimación estaba en su punto más bajo. Repetí mi primera pregunta:

—¿Hasta dónde puedo confiar en el secreto profesional con Freud o Jung?

Gianni se encogió de hombros, con resignación.

—¿Quién puede decirlo? En Weimar, se oyeron las habituales murmuraciones de trastienda sobre ambos hombres. Aparentemente, Jung ha tenido varios episodios picantes con mujeres. Pero los dos son los líderes de su especialidad. El riesgo de sus indiscreciones tiene que ser comparado con el riesgo de tu propio deseo de muerte. Ahora te encuentras cerca del punto de ruptura. Sigue mi consejo. Márchate mañana de París y ve a hablar con Carl Jung... Usa otro nombre, si eso hace que te sientas más cómoda.

Sacó de su bolsillo un bloc de formularios de prescripciones médicas, escribió unas pocas líneas y me tendió el papel. La nota estaba dirigida al doctor Carl Gustav Jung, en Zurich. Decía:

Estimado colega:

Usted recordará que nos vimos brevemente en Weimar. La portadora es una dama distinguida a la que conozco de hace muchos años. Es por recomendación mía que se presenta a usted. Por razones personales, desea permanecer en el anonimato, por lo menos por el momento. Le ruego que la reciba y le ofrezca la asistencia que pueda.

Con mis más respetuosos saludos,
Dr. Giancarlo di Malvasia

—¡Tómalo! —dijo Gianni con ansiedad—. ¡En nombre de Dios, tómalo y habla con ese hombre! Puede ser tu última esperanza.

No fue su elocuencia lo que me persuadió, ni siquiera mi propia desesperación. Fue la nota de Basil Zaharoff, que encontré esperándome en el hotel.

Mi muy querida Magda:

He conocido muchas mujeres en mi vida, pero nunca a una que me haya dado una tan generosa variedad de placeres. No puedo soportar la idea de perderla después de un solo encuentro tan hermoso. Esta noche viajo a Londres para reunirme con Lloyd George. No bien regrese, cenemos y renovemos juntos nuestra pasión.

También deseo discutir otra idea con usted. Ahora comprendo que el arreglo que propuse era demasiado rígido y pesado para una mujer independiente como usted. Estoy seguro de que podremos convenir otra asociación más flexible, pero no menos lucrativa para ambos.

Beso sus manos. Beso sus dulces labios. En mis viajes, la llevo en mi corazón.

Amorosamente,
Z. Z.

Hice pedazos la carta y la arrojé en el toilet. Después llamé al conserje y le pedí que me enviara un juego de horarios de ferrocarril y una guía Thomas Cook de hoteles de Europa. Luego fui caminando hasta la pequeña farmacia donde mi firma es conocida y mis prescripciones son aceptadas. El viejo boticario me miró con cautelosa curiosidad cuando leyó mi receta.

—La señora sabe que esto es mortal. Para mayor seguridad, pondré un sello de lacre.

Le agradecí su atención y expliqué que uno de mis perros tenía un cáncer incurable y debía ser eliminado. Yo lo amaba tanto que quería ser yo misma la que terminara con sus sufrimientos.

—¡Ah, señora! —El anciano inmediatamente se tranquilizó. —Usted me recuerda tanto a su padre. ¡El era un hombre espléndido... de gran corazón, de gran ternura!

¡Oh, papá! Si por lo menos supieras la clase de mujer que ha resultado tu hija. Pero tú lo sabías, ¿verdad? Nunca lo admitiste; pero lo sabías. Y el único comentario que hiciste jamás sonó como una línea de una comedia de Schnitzler: "¡Espero, querida, que no hables en sueños!" Quédate tranquilo, papá. Si esta última magia desesperada no da resultado, dormiré larga y profundamente y jamás soltaré otra palabra sobre mis secretos o los tuyos. Ahora estoy muy tranquila. ¡Mira! Hasta puedo sonreírle a mi imagen en el espejo. Recuerdo una de las lecciones de historia de Lily sobre la ejecución del rey inglés Carlos I. Yo dije que debió dolerle mucho al pobre individuo.

—No creas, chiquilla —dijo Lily, con voz animosa—. Parece feo, pero es muy rápido. ¡Una vez que te cortan la cabeza, no tienes nada de qué preocuparte!

JUNG

El sueño caótico de la gran inundación ahora se ha convertido en tema de ardientes, y a veces acerbas discusiones entre Toni y yo. Ella insiste en que mi análisis es demasiado voluble, que me equivoco al interpretar el sueño como una profecía y que los símbolos de deseos de muerte tienen matices mucho más siniestros de lo que yo quiero admitir.

Respondo que ella está cayendo en el error de Freud. El tiende a ver al inconsciente como enfrentado en una especie de travieso juego del escondite con el consciente. Las imágenes oníricas que el mismo alberga son, para él, una cortina de humo tendida para ocultar una realidad intolerable. Yo no estoy de acuerdo con eso para nada. Soñar es algo tan natural como respirar.

El inconsciente es como un desván donde son arrojadas confusamente todas nuestras experiencias personales y tribales no utilizadas o no utilizables: viejas fotografías de casamiento, el chal de la abuela, el diario del abuelo. Saltan de ese desorden por accidente, como cuando los niños juegan allí o una criada curiosa empieza a revolver las polvorientas reliquias. La naturaleza no se propone engañarnos. Ni siquiera nosotros tratamos de engañarnos. Es simplemente, que no podemos manejar, todo a la vez, el caos de información y emoción que se derrama sobre nosotros. De modo que lo relegamos al desván del inconsciente.

Estoy escribiendo sobre esto con mucha calma. Pero la discusión de hoy con Toni nada tuvo de calma. Se complicó a causa de una carta embarazosa, que Toni abrió con el resto del correo de la mañana. La carta era de Sabina Spielrein, quien no hace mucho estaba rogándome que le hiciera un hijo... ¡nuestro pequeño Siegfried! ¡Cristo! ¡Cómo me acosan estas mujeres! No puedo vivir sin ellas. No puedo vivir con ellas. ¡Si tuviera el dinero necesario, empacaría mis maletas y me iría a Africa mañana mismo!

En horas de la madrugada, como parece que sucede siempre en estos días, empieza una nueva cadena de desastres. Tengo otra vez el sueño del caos; pero esta vez aparecen elementos nuevos.

Elías está en el tren. Está vestido como revisor de billetes. Me instala en mi compartimiento. Salomé ya está allí. Está desnuda. Estira una mano para tocarme. En el asiento a su lado hay una gran cesta de paja. La serpiente está dentro de la cesta. Oigo el roce de su cuerpo contra la paja tejida.

Nuevamente me siento incómodo con Salomé. Estoy esperando a Toni. No quiero sexo con una muchacha ciega que lleva consigo una serpiente. El tren se pone en marcha, y una vez más veo la inundación, amarilla al principio, después rojo sangre, avanzando sobre la tierra. Esta vez, sin embargo, hay una criatura viviente: un hermoso semental negro. Veo su noble cabeza y sus cuartos delanteros cuando lucha por saltar desde el agua. Cuando me acerco, veo sus ojos salvajes, sus ollares llameantes y los grandes músculos de su cuello. Ahora, yo trato de salir y rescatarlo. Golpeo inútilmente la ventanilla hasta que veo que el semental es devorado por el agua de color rojo sangre. Grito de desesperación y me despierto.

Afortunadamente, Emma sigue dormida. Voy sigilosamente a mi estudio, preparo mi pipa y mi licor y empiezo a anotar los nuevos elementos del sueño. Estoy muy lúcido. Lo que escribo contiene una cantidad de ideas nuevas y estimulantes... Lo que recuerdo a continuación es la voz de Emma llamándome, y el sol matinal entrando a raudales en la habitación. Emma está de pie, junto al escritorio de Toni, sirviendo café. Me sobresalto y le grito:

— ¡Emma! ¡Qué demonios sucede! ¿Acaso no te he dicho que nunca, nunca me interrumpas cuando estoy aquí?

Me responde en esa forma apacible, controlada, que es su reacción habitual a mi grosería.

— ¡No trates de intimidarme, Carl! Es tedioso. Te he traído el desayuno. ¿Quieres lavarte antes que te lo sirva?

Sobre la silla hay una camisa limpia.

Solo entonces me doy cuenta de mi estado. Tengo la cara pegajosa por apoyarla en cenizas y licor derramado. Mis manos están sucias. Mis mangas están empapadas de coñac. Mis papeles están manchados. Hay una gran marca de quemadura en la superficie de cuero de mi escritorio. Me arrastro hasta el lavabo y me miro al espejo. El comentario de Emma es exacto, pero redundante.

—Realmente, estás hecho un desastre.

Murmuro una disculpa a través de la espuma de jabón.

—Lo siento. Debí quedarme...

—Estabas muy cansado y muy borracho. ¡Una de estas noches pondrás fuego a la casa con esa maldita pipa!

Me quito la camisa sucia, me lavo y me seco y me pongo la blusa de campesino que es mi vestimenta de trabajo. Después, voy a ofrecer a Emma un beso de buenos días. Ella vuelve hacia mí una mejilla fría, me da el café y se aleja dos pasos de mi presencia contaminada. Me pongo en la boca un trozo de pastel, bebo un gran sorbo de café. Emma ataca:

—¡Esto es una locura, Carl! Cinco veces seguidas has pasado la noche levantado. Fumas como una chimenea. Estás bebiendo demasiado. ¡Terminarás matándote!

Me ahogo con el café, lo cual arruina por completo el efecto de mi réplica.

—¡Por Dios, Emma! Tú exageras todo. A las dos de la mañana me desperté de una horrible pesadilla. No pude volver a dormirme. No quise molestarte. Bajé aquí para anotar mi sueño y tener mis apuntes listos para un análisis adecuado. Bebí una copa de coñac. No más... estaba cansado. Me quedé dormido. ¿Eso es un delito? ¡Además, he hecho una cantidad importante de trabajo, de buen trabajo! ¡Mira! ¡Te enseñaré!

Voy a mi escritorio, tomo las hojas manchadas de papel y se las tiendo. Ella las toma, mira la primera página. Su expresión cambia. Hojea el resto del material... tres hojas, en total, y me mira fijamente, horrorizada. Le pregunto qué le sucede. Ella me dice, muy quedamente.

—Carl, esto es un galimatías. ¡Una tontería sin sentido! ¡Y la escritura... son garabatos!

Le arrebato las páginas. Las palabras que puedo descifrar no tienen ningún sentido. Son una mezcla de alemán y latín y griego y ningún idioma en absoluto. Ensayo débiles excusas.

—Debí estar más cansado de lo que pensé. Sabes, los desechos del cuerpo se acumulan y producen una narcosis temporaria. Las pautas de pensamiento se vuelven confusas. La escritura se...

Emma viene a mí y apoya suavemente una mano en mi hombro. De pronto parece investida de autoridad. Me alegro de tenerla a mi lado. Me amonesta tiernamente.

—¡Por favor, Carl! Siéntate. Tenemos que hablar.

Me lleva hasta mi escritorio. Yo me desplomo en mi sillón. Ella acerca una silla y se sienta frente a mí. Me toma las manos y las acaricia mientras habla. Parece que hace años que no tenemos contacto así, piel a piel, como ahora.

—Carl, quiero que me escuches con mucha atención. ¡Eres un hombre enfermo! Todo lo indica: las pesadillas, el insomnio, las depresiones, los accesos de cólera que tanto asustan a los niños... Sé sincero contigo mismo. ¡Qué hubieras dicho si alguno de tus pacientes de la clínica hubiese escrito esas páginas de tonterías!

—Clínicamente, ese material es irrelevante. —Inmediatamente me siento irritado. — ¡La fatiga extremada o la simple anoxia producirían el mismo efecto!

— ¡Está bien! Admitamos que eso es irrelevante; pero el resto es muy sintomático. ¡Por favor, querido! ¿No entiendes que todos estamos desesperadamente preocupados por ti?

—Yo estoy preocupado por mí.

—Entonces dime... ¡después de todo, tú me entrenaste!... si yo fuera la paciente y viniera a ti con todos los síntomas que tienes tú, ¿cuál sería tu diagnóstico?

Solo empeoraría las cosas contarle que los propaladores de rumores me acusan de estar sufriendo de demencia precoz, que yo reconozco en mí por lo menos síntomas esquizoides primarios y ciclos maníaco depresivos. En cambio, trato de eludir la respuesta.

Todavía no estaría dispuesto a aventurar un diagnóstico. Es demasiado temprano. Los síntomas son demasiado variados. Recomendaría un examen físico completo. Después, si no hubiese ninguna patología física, me gustaría someter al paciente al análisis por un período de prueba.

—Entonces, mi médico querido —acaricia mi mejilla sin afeitar y me sugiere, con ternura: —¿por qué no sigues tus propias indicaciones?

Aquí estamos sobre un terreno más cómodo. Ella sabe que he visto a Lansberg para que me hiciera un examen físico. Conoce el veredicto. Estoy sano como un toro premiado, excepto por una tensión arterial ocasionalmente lábil, que está relacionada con la tensión emocional. Pero eso no la satisface. Me presiona.

—Pero tú sabes que el problema no es físico.

—Es cierto. Por otra parte...

—¿Entonces por qué no te sometes al análisis?

—¿Con quién, por Dios? ¿Bleuler, Ferenczi, Jones? ¡Esos no son mis pares!

Esta es una vieja y espinosa cuestión entre nosotros. Yo sé que ella se cartea con Freud. Sé que cree que mis desacuerdos con él son exacerbados e inflamados por mis malos humores. Tal como yo esperaba, ella cae de cabeza en la trampa.

—¡Entonces, Freud! Sé que están en desacuerdo sobre muchas cosas, pero...

—¿Desacuerdo? Ya no creo más en él. No puedo confiar más en él. Ese hombre es un dogmático sin esperanza. ¡Se desmaya cuando se lo confronta con un pensamiento desagradable! ¡Se desmaya limpiamente, como una mujer con los vapores!

Estoy decidido a terminar la discusión. Me levanto y voy hasta la ventana, donde me quedo en silencio, hostil, mirando hacia el jardín. Emma se niega a abandonar la discusión. Otra vez me desafía.

—¿Qué ves allá afuera, Carl? ¿A Elías? ¿A Salomé?

Me siento indignado y furioso. Nunca he hablado con ella de esos personajes. La enfrento con dureza.

—¿Cómo sabes tú acerca de ellos? ¿Has estado revisando mis papeles?

—Tú sabes que yo nunca hago eso, Carl... Hablas en sueños. Hablas solo, en voz alta, cuando caminas de un lado a otro por el jardín. ¿Quienes son esas personas, Carl? ¿Qué significan en tu vida?

De pronto ya no estoy furioso. Me siento cansado y asustado como un niño castigado. Respondo con cautela.

—No sé quiénes son. Son personificaciones del inconsciente. Todo lo que sé es que cuando Elías está allí, yo me siento seguro y contento. No me gusta Salomé; pero parece que no puedo tenerlo a uno sin la otra.

—¿Ahora puedes verlos?

—No. No puedo.

Emma me mira fijamente un largo y silencioso momento; después, con una extraña tristeza invernal, me habla en tono implorante.

—Te diré lo que yo veo, Carl. Veo a un gran hombre que está muy cerca del derrumbe mental. Veo al una vez director clínico del Burgholzli, al más brillante catedrático de su especialidad en la universidad, balbuceando a solas como uno de sus pacientes. Me digo que ese es mi marido. Yo lo amo. Llevo en mi seno su quinto hijo... ¡y me pregunto si cuando llegue el niño estará lo suficientemente cuerdo para reconocerlo!

Estalla en llanto y se cubre la cara con las manos. Me siento avergonzado por haberla lastimado tanto. Corro hacia ella y trato de consolarla, pero su dolor brota en un torrente de palabras entrecortadas.

—¡Tú no sabes, a ti no te importa lo malo que es esto! Me despierto en una cama fría... Los niños ya no te conocen. Tienen miedo de estar cerca de ti... Te encierras aquí como... como un monstruo en una cueva. ¡No puedo soportarlo más! ¡No puedo soportarlo!

La rodeo con mis brazos y la mezo de lado a lado como a una criatura. Después, tan suavemente como puedo, trato de razonar con ella:

—Emma, amor mío, perdóname. Lo siento, desde el fondo de mi corazón... pero no tengo palabras para explicar cómo es cuando esas negras tormentas estallan en mi interior... Lo único que sé es que no puedo luchar contra ellas. Solo me queda esperar que pase la furia y estar cuerdo después. Por eso me encierro aquí... para evitarte el espectáculo...

—No puedes seguir escondiéndote para siempre. ¡Necesitas ayuda!

—Lo sé... pero sé que es muy poca la ayuda que puedo recibir.

—¿Cómo puedes decir eso... tú, nada menos?

—Porque esta ciencia nuestra, esta medicina de la mente, todavía está en pañales. Los métodos son tentativos. Los procedimientos son incompletos... De modo que me pregunto si no estoy siendo impulsado, ¡hasta llamado!, a hacer un viaje más allá de los límites conocidos. Quizá sea eso lo que Elías significa: ¡un profeta del Antiguo Testamento que fue llevado al cielo en un carruaje de fuego!

—No es el cielo lo que veo en tus ojos, Carl. A veces, es el sufrimiento de los condenados. Y yo no puedo hacer nada.

—Yo tampoco. Soy como una hoja arrojada al viento. Por lo tanto, no tengo más alternativa que dejarme arrastrar por estas tormentas del inconsciente y ver adónde, finalmente, me llevan.

—Estás corriendo un peligro terrible.

—No es un peligro tan grande, en realidad.

—Para nosotros, lo es.

—Tú eres el ancla que me ata a la realidad. Tú, los niños, nuestra vida en esta casa.

—¡Por ahora, el ancla resiste! Pero no estoy segura de cuánto podremos soportar, Carl. Nosotros también somos humanos. Necesitamos un poco de risas en nuestras vidas.

Su vehemencia me conmueve. Yo siempre he dado por sentada su estabilidad. Trato de calmarla con palabras suaves.

—Claro que sí... Por eso, hasta que yo haya pasado esta crisis, quiero que te olvides de mí. Que ignores mi mal humor. Déjame ir y venir como me plazca. Trátame como a... como a un mueble. Concentra tus pensamientos en el nuevo bebé. Construye tu vida alrededor de los niños...

—¿Y dejar que luches solo con los demonios?

—No estaré solo. Toni Wolff tomará notas de la experiencia y me ayudará a analizarla. Ella ha pasado su propia crisis; comprende en una forma que ningún otro podría comprender.

Soy un tonto con una boca muy grande. Apenas he

pronunciado las palabras cuando la tormenta estalla en mis oídos.

— ¡No puedo creer lo que estoy oyendo, Carl! Déjame que me asegure de que entendí bien. Admites que te encuentras en una situación de crisis psíquica. No confías en Freud. Dices que Bleuler y Ferenczi no son tus pares. A mí me encuentras inadecuada. Pero te pones en manos de una muchacha de veinticinco años que una vez fue tu paciente. ¿De veras crees que eso tiene sentido?

—Tiene sentido para mí. Ella es joven, pero es brillante. Yo mismo la he entrenado y...

— ¿Y qué, Carl? ¡Oigamos la verdad!

Ahora me toca a mí encolerizarme. Así es como se desarrolla el juego. Es más fácil maltratarnos uno al otro que despojarnos de nuestras ilusiones. Le grito:

—La verdad es que tú haces una escena acerca de cada maldita mujer que entra en mi consultorio... ¡y estoy harto de tus celos patológicos!

— ¿Y por qué no debería estar celosa? Mira los escándalos que hemos tenido. ¡Eres un tonto con las mujeres! Tú empleas ese grande y tierno encanto que tienes, y todas ellas creen que es una invitación a la cama. A veces lo es; a veces no. Pero te da una mala reputación y perjudica tu profesión. Pero con Toni, está más allá de eso. ¡Tú quieres convertirla en un miembro de la familia!

—Ella tiene en mi vida un lugar legítimo... igual que tú.

— ¡Lugar legítimo! ¡Por favor, explícame eso!

—Tú eres mi esposa, la madre de mis hijos, la señora de mi casa. —Mientras pronuncio las frases pomposas, tengo una visión súbita y cómica de mi padre representando su sermón dominical. Como mi padre, ignoro la comedia y continúo: —Tú tienes mi amor, mi respeto y mi inconmovible lealtad. Toni empezó como paciente mía... Su experiencia personal de la enfermedad mental y su natural inteligencia la convierten en la más valiosa de las colaboradoras.

— ¿Y en la cama, Carl? ¿Cómo es ella en la cama? ¿Qué hacen? ¿Se leen uno al otro historias clínicas?

Antes de que yo pueda responder, se abre la puerta y entra Toni. Trae el correo de la mañana y un nuevo sombrero veraniego que cuelga de una cinta de color rosa. Nos saluda alegremente a los dos, arroja el correo sobre la mesa y le enseña el sombrero a Emma.

—¿Te gusta? Yo misma lo adorné con la cinta.

—¡Precioso!

Emma se muestra glacial pero meticulosamente cortés, No por nada se ha criado entre los buenos burgueses de Basilea. Toni nos mira como esperando una explicación de este momento de animación suspendida. Por fin, pregunta:

—Perdónenme, ¿pero he interrumpido algo? Si es así, puedo dar un paseo en el jardín.

—No, ya hemos terminado —dice Emma, y añade una palabra de despedida: —Seguiré tu consejo, Carl. Debo concentrar mi vida alrededor de los niños, y eso haré. Ahora ellos tienen una necesidad especial de mí. En cuanto a ti, Toni, Carl me dice que tú dirigirás su análisis. El tiene mucha fe en tu capacidad. Por el bien de todos, espero que esa fe esté justificada... Lo cual me recuerda algo. Debes hacer que te muestre las notas que escribió anoche. ¡Son muy reveladoras!

Se cierra la puerta, casi con demasiada fuerza. Toni me pregunta, en tono malhumorado:

—¿A qué viene todo esto?

Esta vez no puedo mentir; lo mejor que puedo hacer es inactivar el drama. Me encojo de hombros y le digo:

—Tuvimos unas cuantas palabras agudas. Ella cree que yo debería analizarme con Freud. Yo le dije que quiero trabajar contigo.

—Y ella, por supuesto, dijo: "¡Oh, espléndido! El mejor tratamiento para la psicosis es un revolcón en el heno con Toni."

Eso nos hace reír a los dos; pero nuestra risa tiene un sonido de incomodidad, de inquietud, como las risitas de niños que escuchan historias de fantasmas alrededor de un fuego moribundo. Nos besamos, nos abrazamos. Me siento lleno de deseo; pero ella se aparta rápidamente y se atrinchera detrás de su escritorio. Es evidente que me está castigando todavía por la carta de Spielrein. Menciona el comentario de Emma acerca de mis anotaciones. Es más fácil enseñárselas que tratar de explicar. Su reacción es idéntica a la de Emma.

—¡Santo Dios! ¡Esto es un galimatías sin sentido!

—Fatiga tóxica. —Nuevamente trato de hacer a un lado la cuestión con un encogimiento de hombros. —Llevo cinco noches seguidas levantado.

—Estarías mucho mejor si las hubieses pasado conmigo en mi casa.

—De acuerdo, amor mío; pero no puedo andar sigilosamente por la campiña a las dos de la mañana.

—Me hubieras encontrado despierta. Yo también te necesito, tú lo sabes.

Una vez más estamos al borde de una reyerta. Siempre es sobre la misma cosa: la precedencia de esposa y querida y otras mujeres en mi muy complicada vida. A veces creo que sería maravilloso tener el poder de bilocación, como se dice que habrían tenido ciertos místicos cristianos y brujos curanderos primitivos. Por otra parte, y después de todo, quizá no sea una idea tan buena. Tener que reñir con dos mujeres a la vez podría ser una experiencia agotadora.

Decido que es hora de ponernos a trabajar. Regreso a mi escritorio. Toni prepara su cuaderno de anotaciones. Empezamos el análisis de los nuevos elementos del sueño del caos. Debo decir esto a favor de Toni: no importa lo irritable que sea acerca de nuestra relación amorosa, en cuestiones clínicas es ciento por ciento profesional. Lo primero que ella señala es la presencia en el sueño del semental negro. Me recuerda que el caballo siempre soy yo mismo. Siempre, también, el animal está imposibilitado. En el sueño anterior, arrastraba un gran tronco. En este, trata en vano de hacer pie en medio de la inundación. Por fin se ahoga, como yo temo ahogarme en un mar de problemas personales.

A continuación, hablamos de Elías. En el sueño es un revisor de tren. Controla los billetes y el destino de todos los viajeros. Podemos dormir seguros bajo su cuidado. El es para mí el arquetipo de la figura paterna perfecta.

Salomé, sin embargo, ha cambiado de rol. Ya no es la hija, amante, protectora de Elías. Es la mujer hostil que hace de seductora desnuda para mí, un hombre que no la desea. Aquí hay una relación clara con Sabina Spielrein, de quien yo había pensado que estaba fuera de mi vida para siempre. Ahora, ella ha vuelto a través de su carta. Yo no la deseo, no la quiero. Tengo a Toni. Por primera vez, Toni abandona su papel profesional y me hace una pregunta muy filosa:

—¿Has pensado que puede llegar el día en que hablarás de mí exactamente como estás hablando de Sabina Spielrein?

Protesto con energía y digo que mis sentimientos hacia la Spielrein fueron un mero capricho pasajero. Yo me dejé arrastrar por la compasión y por la dependencia que ella tenía de mí durante su enfermedad.

—Exactamente como tú y yo llegamos a reunirnos —me recuerda dulcemente Toni—. Yo, también, he progresado desde paciente a alumna, colega y querida.

—Entonces, como colega, por favor recuerda que estamos en una situación clínica donde no tienes derecho a introducir tus sentimientos personales.

Se ruboriza. Se le llenan los ojos de lágrimas. Protesta con amargura.

—¡Dios mío! ¡A veces puedes ser brutal!

—¡Y tú, tú puedes ser estúpida, no profesional y carente por completo de tacto! En este momento yo no soy tu amante, soy tu paciente. El hecho de que pueda controlarme a mí mismo no interesa. En otras circunstancias, y con otra persona, habrías podido causar un gran daño.

—¡Perdóneme, doctor! —replica airadamente—. Tengo tan poca experiencia en estas cuestiones. Esta es mi primera relación sentimental con un hombre casado.

—Y te recuerdo que te metiste en esto con los ojos bien abiertos.

—Así fue. Pero también me metí con todo mi ser, en cuerpo y alma. Yo no soy como tú. No puedo dividirme en prolijas y pequeñas tajadas y repartirme como si fuera bizcochuelo... Este para ti; este para Emma. ¡Este es para tía Mary! Yo soy yo... ¡Toni Wolff! toda de una pieza; y si eso no te gusta, lo siento.

—Al contrario, me gusta mucho. ¡Como antiguo médico tuyo, me siento orgulloso de tu madura y estable personalidad!

Toni rompe a llorar, arroja el cuaderno de anotaciones sobre mi escritorio y corre hacia la puerta. Le grito como un sargento a un recluta:

— ¡Alto ahí!

Toni se detiene.

La reprendo con brutalidad.

—No eres una criatura. Eres una mujer inteligente, libre de hacer lo que quieras con tu vida. En este momento, sin embargo, tienes la responsabilidad de un profesional del arte de curar. Yo necesito desesperadamente tu ayuda con este análisis. ¡Ahora, recobra la compostura y reanudemos el trabajo!

Veo que le cuesta controlar sus emociones. Es un esfuerzo físico, penoso de contemplar. Finalmente, levanta orgullosa la cabeza y me mira otra vez a la cara.

—Estoy a sus órdenes, doctor. Si está de acuerdo, creo que ahora deberíamos considerar el elemento de deseos de muerte en ambas versiones del sueño.

Le respondo que preferiría no enredarme demasiado en los detalles menores. Me gustaría más discutir un rato el contexto más grande: la vasta inundación cubriendo la tierra. Con fría formalidad, ella me recuerda:

—Sé lo que preferirías hacer; ¿pero no me has dicho una y otra vez que el tema que el paciente menos deseos tiene de discutir es el que está más cerca del meollo de su problema? Así que, si no te importa, hablemos de tus deseos de muerte... para Emma, para Freud, para tus propios hijos. Preguntémonos qué harás en vez de matarlos; porque el ritual tiene que ser cumplido en hechos o en símbolos...

MAGDA

En viaje

Estoy viajando a Zurich en **wagon-lit**, en un compartimiento reservado exclusivamente para mí. Cenaré en el coche restaurante, después me acostaré temprano y leeré hasta quedarme dormida. A mi llegada me instalaré en el "Baur au Lac", en una suite con vista al lago. Una vez allí, pensaré en la mejor forma de ponerme en contacto con ese famoso doctor Jung.

Ahora que he iniciado mi viaje, me siento casi sin preocupaciones. La vida por fin se ha simplificado a lo que Lily solía llamar una elección de Hobson, o sea, aceptar lo que se nos ofrece, o nada. Si Jung puede ayudarme, si puede enseñarme a ponerme de acuerdo con el pasado y a elaborar un futuro tolerable, lejos del país de los demonios, entonces aceptaré agradecida. Si no puede, ¡así sea! Es un viaje muy corto hacia la nada. Llevo la llave en mi bolso: una botellita azul sellada con lacre rojo.

En los viejos tiempos, antes de estar casada —y después— me apasionaba viajar. Los viajes siempre me producían una intensa excitación sexual. Nunca se sabe a quién podemos encontrar en los pasillos o en el coche comedor, qué clase de citas pueden concertarse entre la sopa y el queso. Esta vez, sin embargo, no siento esa excitación. No deseo tener encuentros casuales. No puedo entregarme a los raídos rituales del amor con un desconocido. Hasta mi lectura ha sido elegida para distraerme de la preocupación sexual: una novela sobre el detective inglés Sherlock Holmes y su cronista, el doctor Watson.

No obstante, me visto con esmero para la cena y no se me escapan las miradas de admiración y los comentarios susurrados de los comensales masculinos cuando entro en el restaurante. El jefe de camareros me ubica en una mesa para dos, tal como yo le pedí. También me ha prometido que, de ser posible, encontrará una compañía femenina para que comparta la mesa conmigo. Cuando llego, sin embargo, el otro lugar está vacío todavía. Apenas he empezado mi segundo plato cuando llega mi compañera de cena. El jefe de camareros la presenta como mademoiselle de Launay. Por un instante, me quedo mirándola aturdida. Es la viva imagen de Ilse Hellmann. La razón me dice que no puede haber una relación. Esta joven tiene poco más de veinte años. Es francesa. Ilse era austríaca y no tuvo hijos. Trato de salvar el embarazoso momento con una sonrisa y una explicación:

—Perdóneme. Usted es idéntica a una joven que conocí hace tiempo. Siéntese, por favor. Espero que me permitirá que diga que usted es muy, pero muy bonita.

La comida transcurre agradablemente. Ella tiene buenas maneras y es encantadora. Me dice que va a visitar unos parientes en Locarno. En realidad no estoy interesada. Su aspecto físico sigue distrayéndome. Cada vez que vuelve de cierta manera la cabeza, veo a Ilse Hellmann, compañera de mis días de colegio, que se casó con el hombre que yo quería para mí.

Las aventuras del señor Sherlock Holmes son aburridas comparadas con esta parte de mi historia personal. El libro sigue sin ser leído mientras yo permanezco despierta en la oscuridad, recordando el drama que empezó en aquellos días lejanos y el último acto que todavía tiene que ser representado en Zurich.

Cuando cumplí catorce años, papá decidió que debían alejarme de lo que él llamaba "la compañía de campesinos y patanes". Yo debía prepararme para mi destino de joven dama de calidad. En resumen, era hora de que fuera a un internado. Después de mucha correspondencia y consultas con amigos, papá y Lily decidieron que el mejor lugar para mí era la Academia Internacional para Señoritas. El altisonante establecimiento estaba ubicado en Ginebra y lo dirigía una dama muy formidable llamada la condesa Adrienne de Volnay.

El régimen prometido por la condesa incluía: "una amplia educación en las artes, constante entrenamiento en buenos modales sociales, ejercicio regular conforme a las necesidades del físico femenino, esparcimiento cuidadosamente supervisado, visitas a museos, conciertos y festivales folklóricos, contactos regulares pero acompañados con jóvenes caballeros de buena familia e impecable moral".

Ahora, al mirar atrás, la reconozco como una educadora muy adelantada para su época. Nos convertía en mujeres instruidas y pulidas. Nos proporcionaba una vida confortable, una disciplina tolerable pero eficiente y mucha más libertad que otros establecimientos similares de aquellos días.

El lugar me gustó, probablemente porque estaba mejor preparada que la mayoría de mis compañeras. Lily me había instruido bien y me resultó fácil destacarme en las asignaturas académicas. Más que eso, ¡gracias a papá!, mi educación sentimental estaba mucho más avanzada que la de mis condiscípulas. Empecé a menstruar a los doce años. Entendía mi propia anatomía y sus funciones. Me habían enseñado a verme a mí misma como una mujer, aunque joven. Me habían explicado las funciones y precauciones sexuales. Las crecientes oleadas de deseo de mi propio cuerpo no me eran desconocidas; tampoco los medios para satisfacerlas.

Así me resultó muy fácil erigirme en líder, en una especie de Guardiana de los Misterios en nuestra Academia Internacional. Mi amistad era buscada. Yo no me avergonzaba de sacar provecho de ello. Todas me querían como "amiga especial"; pero a quien elegí fue a Ilse Hellmann, quien venía de la parte oriental del territorio de Salzburgo y era, por lo tanto, casi una vecina. Fui yo quien le dio su primera experiencia de sexo entre muchachas. Además, ella era un trofeo que yo podía exhibir con orgullo, porque era alta, delgada, rica, y fácilmente la más bonita de todas nosotras.

Ahora, al evocar, me doy cuenta de que había entre nosotras una diferencia fundamental. Yo era la hija única de una alianza exótica. Ilse era la cuarta de seis hijos, con tres hermanos mayores y dos hermanas menores. Todo lo que yo tenía —comodidad, oportunidad, amor, deferencia— era mío por derecho. Si no me lo ofrecían, yo no discutía.

Simplemente, lo tomaba. Yo anexaba cosas; también a las personas. Mademoiselle Félice, que admiraba mi talento para los idiomas, era mi profesora de francés. Rudi, que nos enseñaba equitación, era **mi** instructor. Laurent, que era el más guapo de los jóvenes caballeros que asistían a nuestras clases de baile, era **mi** pareja... hasta que yo decidía pasárselo a Ilse o a una de nuestras admiradoras menores.

Ilse, por su parte, estaba bien entrenada en estrategia social. Tenía que estarlo para sobrevivir a tres robustos varones, dos hermanas menores, una madre anémica y un padre que era un gran empresario en el negocio de minas y metales. Ella necesitaba que la protegiesen. Le gustaba la satisfacción sexual. Necesitaba una amiga para fortalecer su confianza con los muchachos. Con gusto pagaba tributo por esos servicios; pero una vez que ponía los ojos en una presa, usaba todas las tretas de piratas para conseguirla. Por más que pueda parecer extraño, fue ella quien primero me enseñó a ser celosa.

Era costumbre de papá visitarme una vez hacia la mitad del término lectivo, habitualmente cuando se dirigía a París con alguna nueva amante. Lily iba dos veces al año y me enseñaron que la presentase siempre como "tía Liliane", de Inglaterra, hermana de mi difunta madre. La primera vez que papá fue a verme, nos llevó a Ilse y a mí a almorzar a un restaurante de Ginebra, a la orilla del lago, muy chic, muy caro. Dos minutos después que nos sentamos, Ilse ya estaba coqueteándole a papá como una joven Sarah Bernhardt. Se inclinaba hacia él, le tocaba la mano, admiraba sus ropas, reía tontamente de sus bromas. Papá respondió como el veterano Casanova que era. Yo me enfurecí tanto que hubiera querido vomitar la sopa; pero con papá era inútil ponerse furiosa. Había que seguir su juego, **toujours gai**, siempre el caballero feliz. Sin embargo, yo me di muy bien cuenta de que si alguna vez invitaba a Ilse a Silbersee, habría amor bajo las estrellas la primera noche ¡y después un infierno para Lily y para mí!

No le dije nada a Ilse. Por nada del mundo hubiera dejado que ella supiese que me había disgustado; pero después de eso empecé quedamente, lentamente, a reemplazarla como la favorita de mi corte. Le conté el incidente a Lily en su siguiente visita. Lily soltó una pequeña carcajada e hizo un ácido comentario:

—Estuviste muy acertada, chiquilla. A medida que tu papá se vuelve más viejo, sus aventuras se vuelven más jóvenes y más caras. Tú y yo tendremos que vigilarlo. ¡De otro modo, alguna putita de ninguna parte terminará luciendo las armas de Kardoss y los diamantes de tu abuela!

Fue probablemente este intercambio de confidencias lo que nos preparó a ambas para lo que sucedió en Silbersee cuando cumplí diecisiete años. Yo estaba en casa por las vacaciones de verano. Papá había dispuesto para mí una celebración de todo un día: almuerzo en el jardín con amigos y vecinos, una orquesta gitana traída desde Salzburgo, baile en la terraza a la caída de la noche, una cena con champaña, coches a las diez y media a fin de que aquellos con familias jóvenes pudieran estar en sus casas a una hora decente. Ilse Hellmann estuvo allí con sus padres. Yo la había invitado porque era mi amiga del colegio más cercana y no podría hacer demasiado daño estando presentes sus padres. Aun así, flirteó descaradamente con papá, y a menudo me he preguntado cuánto tuvo que ver su presencia con lo que siguió.

Era casi medianoche. Recuerdo que estábamos en la suite del piso alto, Lily, papá y yo, bebiendo una última copa de champaña y recordando los acontecimientos del día. Hubo un momento de adormecido silencio. Después, a propósito de nada, papá dijo:

—Lily, querida, ¿no crees que Magda es hermosa?

—Muy hermosa.

Lily se inclinó y me besó en los labios. Recuerdo que les dije, casi sin pensarlo, que ellos también eran hermosos, la pareja más hermosa del mundo. Entonces papá también me dio un beso, un beso de amante... y me hizo ponerme de pie, me levantó en sus brazos y me llevó a su dormitorio. Con una sonrisa, me dijo:

—Tienes una sorpresa más de cumpleaños, mi amor. Vas a ser cambiada de niña en mujer.

Por alguna razón, yo siempre había sabido que sucedería exactamente así. Ellos dos me habían guiado, con ﹍﹍﹍agradables, hacia el momento de iniciación. Me habían enseñado suficientes formas de satisfacerme sola de modo que este momento sería de ellos, solo de ellos. Juntos me desvistieron, juntos me excitaron lentamente y con una infinidad de pequeños placeres. Después, cuando pareció que yo no podría seguir soportando la espera, papá, con Lily como testigo y maestra de ceremonias, me convirtió en mujer, y se aseguró de que ningún hombre, jamás, borraría su recuerdo de mi mente o de mi cuerpo.

Todavía ahora, mientras el tren suena rítmicamente en la noche, el éxtasis se repite, muy fugazmente. Cuando pasa, lloro silenciosamente en la oscuridad. Papá ha muerto hace tiempo y Lily es una anciana que vive con su gato en un pequeño cottage de piedra en los Cotswolds. Ella recibe de mí una pensión que todos los meses pagan los hermanos Ysambard. No hemos vuelto a vernos jamás desde que se marchó de Europa después de mi casamiento. El párroco de la localidad la cuida por mí. A veces he pensado que me gustaría visitarla y rescatar un poco de nuestro amor perdido antes que muera. Sin embargo, el párroco me dice que está casi completamente sorda, y no puedo imaginarme tener que gritarnos todos nuestros secretos en la calle de una aldea inglesa.

¿Esto suena extraño? Lo que no puedo perdonarle a papá es que, después de ese extraordinario rito de pasaje, me hizo volver al colegio por otro año. Tenía que graduarme, dijo. Tenía que calificarme para entrar en la escuela de medicina de una universidad. Yo le rogué, le imploré de rodillas que me consiguiera tutores y me permitiera trabajar en casa, en Silbersee. No, no quiso saber nada. La Academia Internacional de Señoritas había hecho un trabajo espléndido. Yo debía terminar allí el curso de matriculación. Hasta hoy no puedo entender su razonamiento. ¿Cómo pudo hacerlo? ¿Qué esperaba de un animal joven al que él mismo había despertado tan plenamente? ¿No comprendía él que la única compañía que yo tenía en el colegio eran muchachas púberes y "jóvenes caballeros de buena familia e impecable moral"? Y aunque esa moral no fuera impecable, ¿qué atractivo podrían tener ya para mí?

De modo que durante el último año en la academi

volví salvaje —con un salvajismo de jungla— con una ferocidad calculada que hasta a mí me sorprendió. ¿Papá quería que me matriculase? ¡Bien! Lo haría con calificaciones distinguidas. ¿Yo quería libertad? ¡Bien! La compraría con monedas relucientes. Mi conducta en el colegio fue irreprochable. Como resultado, me dieron libertades y privilegios que se les negaban a las demás. Dos veces por semana yo iba a Ginebra para hacer investigación en la biblioteca de la universidad. Inicié un curso de alta escuela en la academia de equitación. Los fines de semana, tomé lecciones de canto con madame Corsini, una alumna de Jenny Lind.

También arreglé, en el mismo horario, una sesión regular en el henil con Rudi, el instructor de equitación, un par de interludios interesantes con algunos estudiantes de la universidad, y una relación esporádica, pero intensamente dramática, con un tenor de bel canto que practicaba unas puertas más allá, en el mismo corredor donde tenía su estudio madame Corsini.

Al terminar el año académico llegué a casa completamente exhausta, con altas calificaciones en todas las asignaturas y un serio ataque de neumonía. Papá me trató. Lily me cuidó y mimó. El aire limpio de la montaña completó la curación. Papá me dijo que había conseguido un lugar para mí en la universidad de Padua, que tiene una de las facultades de medicina más antiguas y distinguidas de Europa. Quedé encantada. La vida siguió plácidamente ese verano en Silbersee.

Pero no era lo mismo. Nunca volvería a ser lo mismo. Los tres todavía compartíamos nuestras habitaciones. Pasábamos de un cuarto a otro vestidos o completamente desnudos. A veces nos acostábamos juntos en una misma cama y nos entregábamos a los viejos juegos; pero eso, también, era diferente. Ahora no había verdadera diversión en el juego. Era un ejercicio incómodo, insatisfactorio, forzado.

Noté que papá estaba aumentando de peso. Lily todavía conservaba su figura esbelta de muchacha. Todos los días hacía ejercicios e insistía en que yo la imitara. Su pelo estaba encaneciendo un poco, y en su cara ya aparecían las

131

primeras arrugas delatoras de su edad. Aunque su sonrisa todavía era maravillosa y siempre había relámpagos del humor salado de antes, ella sentíase evidentemente insegura y a veces desdichada. Estaba celosa de papá y se sentía posesiva hacia mí. Yo no la culpaba. Mientras yo estaba en el colegio, papá la dejaba sola durante semanas enteras, y ella se movía por el castillo vacío como una arveja en una vaina seca. Me confesó que había tenido dos o tres episodios amorosos breves, uno con Hans Hemeling y otro, ¡Dios la perdone!, con un joven sacerdote de la Pfarrhaus, cuyos superiores lo trasladaron prestamente a Viena. Pero ninguno de los dos había resultado satisfactorio... "¡porque tu papá es el mejor, chiquilla!. El sabe dar todo lo que necesita una mujer. ¡El problema es que se aburre de mí antes de terminar! El anda tras los pimpollos tiernos, no tras las flores maduras".

Yo sabía lo que ella quería decir. Yo ya no era un pimpollo virgen y papá también estaba aburrido de mí. Como Lily, yo era agradable para tenerme cerca, para acariciarme y para disfrutar de mí como compañera de juegos amorosos. Pero no bien él descansaba, se marchaba a perseguir las potrancas de la pradera vecina. Le pregunté a Lily qué creía ella que podíamos hacer. Como siempre, tenía un plan, un secreto que sólo debíamos conocer ella y yo.

—Tu papá está envejeciendo, como tú sabes. No puede soportar todos esos trotes desde y hacia Viena. En Salzburgo, tiene una muchacha acerca de la cual se ha puesto muy serio... ¡por lo menos, todo lo serio que puede sentirse él! El asunto ya lleva un año. A él le gustaría traerla aquí; pero yo estoy en su camino y también tú... y además, nosotras podríamos divulgar secretos, ¿eh? De modo que esto es lo que he planeado: tú irás a la universidad, en Padua. El no quiere que vivas sola y desprotegida. No quiere que te hagas una mala reputación en la universidad. Así que yo lo hablé para que me dejara instalar para ti una casa en un lugar decente. Habrá una habitación para él cuando quiera visitarnos, cosa que él hará, créeme, porque está decidido a que tengas una carrera como médica. Tú y yo haremos lo que nos plazca; y si nuestros hombres no funcionan, siempre nos tendremos una a la otra. ¿Qué dices, chiquilla?

—¡Digo que te amo, Lily! ¡Te amo tanto que podría comerte viva!

La historia de los cinco años siguientes es casi irrelevante para mi presente situación. Papá nos instaló en un piso elegante con fontanería funcional y un techo de Tiepolo. También pagó una criada y una cocinera diarias. Fue una época buena, una época feliz. Lily y yo vivíamos como dos hermanas, nos cuidábamos una a la otra, compartíamos confidencias, reíamos de nuestras desventuras. En la universidad, primero fui una rareza; después, cuando se publicaron los resultados del año, un fenómeno menor. Tenía más atención de la que necesitaba como mujer pero me las arreglaba para vivir mis asuntos amorosos fuera de la vista de mis amigos estudiantes. No era demasiado difícil. Yo necesitaba hombres maduros. La vida era demasiado preciosa para malgastarla en cachorritos lactantes.

Papá iba a visitarnos de tanto en tanto, siempre solo, pero siempre hacia o desde alguna complicada ocasión sentimental. En las largas vacaciones de verano, según el estado de nuestras vidas amorosas, viajábamos juntos a lugares nuevos, a Escandinavia, Africa, Inglaterra, y una vez a Petrogrado para visitar el Hermitage. Fue entonces que papá hizo un comentario que al final resultó profético.

Lily y yo habíamos pasado todo el día entregadas a un complicado flirteo con dos apuestos suecos de nuestro grupo de excursión. Eran casados. Sus esposas estaban con ellos. Nosotras nos propusimos atraer la atención de los dos y de ser posible entablar una conversación. Por fin, papá, exasperado, estalló:

—¡Dios mío! ¡Ahora sé cómo debió ser Catalina la Grande! ¡Líbreme Dios de las mujeres de presa!

Cuando le recordé que él había pasado toda su vida siendo perseguido por ellas, objetó:

—¡En absoluto! ¡Yo persigo mi propia caza! ¡No bien una mujer se parece a Diana cazadora, huyo! ¡Pero ustedes dos! ¡No las dejaría sueltas en un depósito de cadáveres!

Como estudiante de medicina, yo pasaba tiempo más que suficiente en los depósitos de cadáveres; pero el efecto que estos me causaban era solamente reforzar la sensación de futilidad que me acosaba en las horas oscuras. Cuando ahora reflexiono en eso y escucho el fúnebre gemido del silbato del tren, veo que soy completamente diferente de papá. Yo soy, o era, una médica muy eficiente. Mis diagnósticos eran acertados; mi cirugía, precisa. Pero no tengo nada de la gentileza de papá, de su cuidado por los tejidos, de su odio a los traumatismos innecesarios. Supongo que considero siempre a la medicina como una casa de postas, un lugar de descanso en el camino hacia la extinción. La muerte no me aterroriza, y como corolario, la vida, hasta la mía, me inspira poco respeto. En mí, no se trataba de compasión sino de combate: una cuestión de poder, cómo podía calmar rápidamente el dolor intolerable, cuánto tiempo podía demorar el final inevitable... Es extraño que tenga que recordar esto ahora, mientras estoy haciendo este viaje solo para elegir entre vivir o morir.

Pero el amor también ha sido así para mí, un ejercicio de poder: atraer, retener, exigir satisfacción, descartar cuando yo quería. A los únicos que nunca amé así fueron a papá, mi marido y Lily. Lo que ellos me dieron nunca pude encontrarlo en nadie más. A ellos yo no pude dominarlos. Nunca quise descartarlos. Fueron ellos quienes finalmente se ausentaron. Me pregunto qué falta en mí y cómo llegué a perderlo. ¿Quizá me fue quitado cuando mamá desapareció, o cuando papá invadió mi primera feminidad y me dejó sin ningún sueño y solo con recuerdos y deseos?

Otro pensamiento me viene en este ruidoso pero solitario viaje hacia Zurich. Fui criada en Austria, en una provincia católica. Pasé cinco años en Padua, la ciudad de San Antonio, el Milagroso, cuya maciza tumba es rodeada todos los días por peregrinos que piden favores. He visitado monasterios e iglesias y fui médica de monjas y sacerdotes, pero ninguna de sus creencias o actitudes me rozó, y mucho menos penetró la armadura de mi escepticismo. Me pregunto por qué. ¿Es, como sugiere Gianni di Malvasia, que el don de la fe ha sido negado por el capricho de algún comediante divino? ¿O es un defecto en mí, una carencia de alguna facultad como el gusto o el olfato o la percepción de los colores? Hasta ahora ello nunca me había preocupado, pero ahora me inquieta. Nunca me sentí en mi vida tan solitaria como en este momento. Si decidiera poner rápidamente fin a las cosas, sería agradable hablar con alguien antes de hacerlo. Aunque Dios fuera una ilusión, sería reconfortante que alguien susurrara Su nombre junto a mi oído. Me conformaría hasta con menos aún... con sentarme en un baño tibio como Petronio Arbiter, con un amigo que me tenga la mano y mantener una conversación agradable mientras la vida se va lentamente con la sangre, sin dolor.

Hay toda una letanía de objeciones a que yo disfrute de un final tan pacífico. La recito al ritmo de las ruedas sobre los rieles de hierro: "Yo corté las rosas, yo castigué al perro, yo maltraté al caballo, ¡yo me casé con el hombre que vivía en la casa de Johann, Ritter von Gamsfeld!..."

JUNG

Toni y yo todavía estamos atascados en el análisis de
mi deseo de muerte. Hemos revisado juntos todas las anotaciones de mis sueños; y es sorprendente la frecuencia y los
contextos diferentes en que el motivo reaparece. Lo que
ahora estamos tratando de hacer es relacionar el deseo soñado con su objeto en la vida real y examinar mi propia relación con ese objeto.

Hoy los dos estamos más felices. Anoche respondí a
su desafío. Mientras Emma dormía, en las primeras horas
de la mañana, salí sigilosamente de la casa y fui en bicicleta
a la casa de Toni. Pasamos juntos cuatro horas maravillosas
y me marché justamente cuando empezaba a aclarar sobre el
lago. Cuando Emma despertó y fue a buscarme, yo estaba
afeitado, lavado y vestido, y trabajando juiciosamente en
mi escritorio. ¡Nada de fumar esta vez! ¡Ninguna mancha
de coñac en lo que resultó un conjunto de anotaciones muy
útiles!

Toni también está con la mente mucho más calmada.
No es simplemente el desahogo sexual, aunque eso, me
asegura ella, fue enorme; es el hecho de que yo me atreví a
hacer algo por ella. Mi visita de medianoche fue una escapada
que pudo costarme mucho si Emma se enteraba. Su estallido
del otro día todavía me perturba. Yo siempre había dado
por sentado que nosotros, como suizos buenos y respeta-
bles, seguiríamos casados, no importaba lo que sucediera en
el territorio de nuestro matrimonio. Ahora no estoy tan
seguro. Si a Emma mis deslices le resultan intolerables, bien
puede decidir llevarse los niños y regresar junto a su familia,
donde sin duda la recibirían y consolarían. Por otra parte,
si mi reputación queda muy perjudicada, yo puedo decidirme

a mandarlos a todos al demonio y marcharme con Toni. Ella estaría muy feliz si viviéramos juntos con o sin la bendición del clérigo. Yo no la aliento a que hable de esto; pero sé que está en su mente y que siempre acecha en el fondo de la mía. Después de todo, Freud parece sobrevivir mejor que yo a esta clase de situación. Sospecho que "amortizar su matrimonio" significa que tiene alguna forma de entendimiento con la hermana de su esposa. Lo cual explicaría por qué es tan diabólicamente sensible a mis opiniones publicadas sobre el tabú del incesto. Bueno, va a oír más sobre el tema en Munich, llegado septiembre... Freud es, desde luego, el objeto claro del deseo de muerte, y Toni continúa martillando sobre este único tema.

—Freud es la nueva figura paterna en tu vida. Tú lo adoptaste para reemplazar a tu padre que te falló cuando vivía, y acerca de quien te sientes culpable, ahora que está muerto. Tienes un profundo vínculo emocional con Freud. Sin embargo, vas a matarlo.

—No, eso no es exacto. Mi subconsciente abriga el deseo de muerte. El mismo se expresa en sueños. Mi consciente... y mi conciencia... rechazan el pensamiento.

—¡No es cierto! —Toni parece muy resuelta. No va a tolerar evasivas en esta discusión. —Tú vas a matar a Freud. Vas a hacerlo en la conferencia de Munich. Repudiarás públicamente una de sus doctrinas claves. Lucharás con él por la presidencia de la Sociedad Psicoanalítica y probablemente ganarás. ¿Qué es todo eso sino un duelo a muerte?

Es verdad, por supuesto. Lo admito y le hago un cumplido por su precisión y sagacidad. Ella agita una mano con impaciencia.

—¡Por favor, Carl! No hagas eso conmigo. ¡Ahora no! Esto es mucho más importante. Apenas empezamos a hacer algún progreso. Hay algo más detrás de esta situación con Freud; tenemos que descubrirlo juntos... En el último sueño de caos viste al semental negro. ¿Verdad?

—Sí.

Toni hojea sus notas hasta que llega a la referencia y me la lee:

—..."Vi sus cuartos delanteros y los grandes músculos

138

de su cuello"... ¿Pero no viste sus cuartos traseros?

—No.

— ¿Cómo supiste que era un semental?

—Bueno, supongo que la constitución de la bestia, la fuerza, el...

—Los cuartos traseros estaban ocultos, pero tú sabías que había un pene y testículos. ¿Qué estás tratando de ocultar que tenga que ver con tu masculinidad? ¡Por favor, Carl! Tienes que ser sincero, de otro modo yo no podré ayudarte.

De pronto deseo contárselo. Las palabras salen en torrente: el goce culpable, la amarga vergüenza, la transferencia a Freud de este episodio homoerótico no resuelto, mi temor a cómo podría considerarlo ella. Al final estoy balbuceando como un colegial, con mi orgullo hecho pedazos. Toni me acaricia la cabeza inclinada y repite una y otra vez, "Ya está... ya está... ya pasó...", como consolando a un niño golpeado. Cuando he derramado todas mis lágrimas, ella me seca las mejillas, toma mi cara en sus manos y me sonríe con grave ternura.

—Ahora, por fin, sé que me amas, Carl. Me has dado la prueba más grande posible: tu confianza.

—Te he dado la parte más podrida de mí mismo.

— ¡No digas eso! ¡Nunca me lo digas! ¿Qué esperabas de ti, un muchacho, hijo de un párroco, con un hombre al que estimaba y en quien confiaba? Ojalá hubieras podido disfrutar el asunto a fondo, en vez de cargar con la culpa todos estos años. No ves, Carl, que esta es una parte importante de tu problema. Todo contigo está a medio hacer, a medio terminar, a medio disfrutar... ¡yo, Emma, todos los demás que entran y salen de tu vida, tus hijos también! Los quieres y no los quieres. Todo es una transacción. Tú siempre tratas de calcular si lo que obtienes vale lo que estás pagando. ¡No hay ninguna alegría en eso!

—Entonces, quizá hoy será el comienzo de la alegría.

Es un deseo más que una esperanza. Ella está muy satisfecha de sí misma, porque ha espantado un pequeño demonio de las espesuras de mi alma. No se da cuenta de que hay legiones de ellos acechando en el sotobosque. Empero, tiene motivo para estar orgullosa, y yo para sentirme agradecido, porque esta pequeña y sórdida historia por fin ha salido a la luz.

Ahora estoy tranquilo. Ella pregunta si me siento dispuesto a continuar la sesión. Le digo que sí. Mientras el agua fluya, no hay que cerrar la compuerta. Su siguiente pregunta me golpea, como es la intención de ella:

—¿Cómo matarás a Emma y a los niños?

—¡Eso es monstruoso!

—No. Es la lógica de la psique. Lo que tú sueñas es lo que tú deseas. Lo que tú deseas, tratarás de realizarlo de hecho o en símbolo. Así que, por favor, querido, mi amor, trata de responder. ¡No retrocedas ahora!

Retrocedo. No le contaré mis pensamientos sobre divorcio, nuevo casamiento, todo ese caos social. En cambio, lanzo un señuelo para distraerla y apartarla del tema.

—Ayer le dije a Emma que debía dejarme seguir mi propio camino. Ella debe concentrar su vida en ella misma y en los niños.

Toni reflexiona un largo momento. Por fin, asiente con la cabeza.

—Si eres sincero, sí, eso es una sentencia de muerte para una mujer. Si alguna vez me dijeras eso, yo estaría segura de que entre nosotros todo ha terminado. ¿Pero estás seguro de que fuiste sincero?

Ahora me siento en una encrucijada. Si digo que sí, soy un horror de hombre, que se casa con una mujer, tiene de ella cinco hijos y después la deja librada a sus propios medios. Toni percibe mi vacilación. Continúa preguntando:

—¿Amas a Emma?

—Sí.

—¿Amas a tus hijos?

—¡Sí, sí!

—¿Entonces por qué sueñas su muerte?

—Porque se interponen entre tú y yo.

—¿Pero por qué no puedes amarnos a todos?

—No hay suficiente de mí para eso.

—¡Ah! ¡Entonces los matas para salvarte, no para poseerme!

—¡Eso es dialéctica, no análisis! Dejémoslo.

Toni se ha anotado un tanto. Está dispuesta a dejar

la discusión sin protestar. Ahora empieza, más plácidamente, a desarrollar otra línea de interrogatorio. Esta vez estoy dispuesto a cooperar, porque a mí también me interesa. Toni pregunta:

—El tren... ¿dices que venía de un lugar en el norte?

—Así me pareció, sí.

—¿Adónde iba?

—A casa, aquí, a Suiza.

—¿Y la inundación no lo detenía?

—No, seguía viajando. Las aguas nunca parecían amenazar al tren.

—¿Por eso tú querías permanecer dentro del tren?

—Hasta que vi el semental, sí.

—¿No ves nada revelador aquí, ninguna analogía con tu propia vida?

Una vez más me pongo reticente. Toni me obliga a unir las piezas del rompecabezas y a admitir la relación entre sueño y realidad.

—...estoy, por lo menos en el presente, en una especie de retiro. Lo necesito. Me aferro a la privacidad que tengo aquí. Necesito la seguridad de una rutina de familia. Si este casamiento tuviera que disolverse, no creo que yo podría, por lo menos en este momento, soportar la situación. Si te pierdo, yo también estaré perdido. Cuando no te encontraste conmigo en el tren, me sentí terriblemente turbado.

—Déjame preguntarte algo importante, Carl. Tu presente está aquí. Necesitas la seguridad de tu hogar; ¿pero dónde ves tu futuro?

—Habrá otro hogar, no lejos de aquí. Mi futuro, mi verdadero futuro, está dentro de mi cabeza. Lo sé. Estoy absolutamente seguro de ello. Aguarda, tengo algo que mostrarte.

Traigo los dibujos que hice de mi torre, del plano básico, que es a la vez un mandala y el Tetragrámmaton. Se los explico con amoroso cuidado. Le digo que todavía no he encontrado el terreno, pero que un día lo encontraré. Le cuento cómo, mientras hacía los dibujos, lo veía como un lugar donde podríamos estar juntos. Su rostro se ilumina de placer. Es como una joven novia que mira los planos de su primer hogar. Cuando aparto los dibujos, la luz se apaga y su voz

141

adquiere un tono más sombrío:

—¿Por qué Salomé está ciega?

—No estoy seguro. He estado buscando relaciones para eso. Sabes que, en Oriente, las muchachas ciegas a menudo son entrenadas para prostitutas. Son muy buscadas por los hombres más viejos porque son hábiles y sensibles, y no pueden ver los estragos que los años han causado en sus clientes. Además, aquí en Europa, los ciegos son entrenados para masajistas y fisioterapeutas. Son manipuladores excelentes... Las dos ideas están relacionadas con el sueño. Salomé es una persona de bajos orígenes. También es la esposa, amante y protectora de un anciano.

—Déjame hacerte otra pregunta, Carl. En tu primer sueño muy importante, el de la cueva subterránea, viste al falo como a un dios gigante con un solo ojo. ¿También era ciego ese ojo? ¿Y cómo eres tú de ciego, Carl?

—No entiendo.

—Entonces lo diré de otro modo. Anoche me hiciste el amor. Sé que le haces el amor a Emma, cuando puedes. ¿Cuál es la diferencia? ¿O nosotras dos no somos más que dos gatas grises en la oscuridad? ¡No, no te enfurezcas! ¡Esto es importante, y tú lo sabes!

El buen humor de esas palabras me golpea y rompo a reír. Toni está desconcertada. Quiere saber qué me parece tan gracioso. Le digo que quizá yo debería llamar a Emma para que se reúna con nosotros y así no tendré que dar dos veces la misma explicación. ¿Por dónde le gustaría que yo comenzara? ¿La física de la cópula? ¿Los períodos de celo de la mujer? ¿Las variedades de estímulos para cada sexo? ¿La ausencia excita el deseo? ¿Lo mata la proximidad? Por fin, también ella ríe, y accede a retirar la pregunta. Pero en seguida me arroja otra al regazo. ¡Esta, realmente, se lleva el premio!

—Carl, ¿cómo te ves a ti mismo? ¿Qué eres tú?

Sé lo que está preguntando. Sé por qué. Hemos tenido muchas discusiones, hecho muchas definiciones tentativas acerca de la naturaleza de la salud mental. Juntos hemos arribado a una noción de unicidad, un estado en el cual el individuo se reconoce como una entidad, no necesariamente completa o perfecta, pero aceptable y duradera. Yo he acuñado la palabra "individuación" para expresar tanto el proceso de crecimiento como el estado de llegada.

El gato no cuestiona que es un gato. La cebra no trata de modificar sus rayas... Así, cuando Toni me pregunta quién soy, tengo que decirle francamente que todavía no lo sé. Esta es la naturaleza de mi enfermedad. He perdido la certidumbre, no solo acerca de mis metas, sino acerca de quién es el verdadero hombre detrás de la persona, el rostro público de Carl Gustav Jung. Cuando trato de explicar, ella escucha en silencio y sostiene mi mano entre las suyas.

—Amor mío, soy como el hombre que perdió su sombra. Porque no tengo sombra, no tengo pruebas de que yo existo. Es por eso que te necesito. Tú pruebas que yo soy sólido, sustancial, y no solamente una fantasía de mis propias fantasías... Es por eso que no soy satisfactorio para Emma y ella no lo es para mí. Ella está criando una familia, lleva un nuevo niño en su seno. Necesita un hombre seguro que la mantenga a ella y a sus descendientes. No puede llevarme a mí también, como un lactante prendido a su pecho. Así que abrigamos resentimientos mutuos y nos lastimamos uno al otro... Sé que ella tiene más motivos para quejarse que yo; pero eso no ayuda. Su captación de la realidad es más fuerte que la mía como lo es la tuya. ¡En este momento, me encuentro en la nube de la ignorancia!... Así que tú ves, la verdadera pregunta no es qué soy yo, sino qué terminaré siendo. ¿Te conté alguna vez que cuando inicié mis estudios en la universidad yo quería ser arqueólogo?

—¿Y por qué no lo fuiste?

—Simple economía. Basilea estaba cerca de mi casa. Mis padres no podían mandarme a otro lugar. Pero Basilea no tenía cátedra de arqueología. Así que, en cambio, me gradué en medicina. Ahora mírame... ¡una transacción! ¡Y las transacciones nunca funcionan bien!

—No te subestimes. Eres un médico muy bueno.

—Solía serlo, en la clínica. Ahora yo soy el paciente... y como todos los pacientes, estoy centrado en mí mismo. Sin embargo, algo me dice que aunque he viajado mucho y viajaré más en el mundo físico, mi verdadera exploración será en el país inexplorado de la mente. Recuerda el antiguo dicho: "Non foras ire: in interiore homine habitat veritas... La verdad habita en el interior de un hombre. El no tiene que salir afuera para encontrarla." A veces es un viaje atemorizador. A menudo siento como si me estuviese cayendo del borde del mundo. Pero debo continuar. Quizá mi destino final no es ser un curandero sino alguien que arriesga su propia cordura para traer las hierbas curativas y las fórmulas mágicas a fin de que otros hombres las usen...

¡Quizá!... Todo es un gran quizá hasta que ella pone sus brazos a mi alrededor y hace que mi virilidad se yerga otra vez, y se convierte en mi sombra a fin de que yo pueda permanecer, por lo menos un breve instante, sólido en el sol... tras lo cual, como siempre, viene una idea tardía e irónica. ¡La sombra, una vez reunida con la substancia, nunca, nunca se va!

MAGDA

A las cuatro de la mañana nos detenemos en la frontera suiza para las formalidades de migración y aduanas. Me pongo una bata y camino por el pasillo para observar la pequeña multitud de pasajeros, mozos de cordel y vendedores en la plataforma. El revisor me ofrece una taza de café en su cubículo, donde un joven suizo está inspeccionando pasaportes. Sonríe, me da un "Grüezi" y pregunta cortésmente si voy a Suiza de vacaciones.

Le digo que voy a visitar a un médico suizo muy distinguido, el doctor Carl Jung. El nombre no significa nada para él. Es un muchacho campesino de Appenzell. Hace una pequeña broma sobre su ignorancia. Me dice, en **schweizerdeutsch**, suizo alemán, que no conoce a ningún **Jungdoktor** (joven doctor) pero que hay una hermosa **Jungmädchen** (joven doncella) con quien él se casará cuando obtenga un ascenso.

Mira mis anillos y pregunta si soy casada. Hago mi pequeña broma y le digo que ya no soy una **Jungmädchen** pero que soy una **Junggesellin**, una muchacha soltera. En ese mismo momento él abre mi pasaporte. Un día llegará muy alto. No mueve un párpado cuando lee mi edad en el documento.

Todavía tenemos por delante un viaje de tres horas, así que vuelvo a la cama y trato de interesarme en el drama de vida y muerte de Sherlock Holmes y el infame Moriarty. ¡Esfuerzo inútil! Mi propio relato de amor y violencia es mucho más vívido, y tengo que poner en él un poco de orden antes de mi encuentro con Jung.

La primera pregunta que cualquier médico le hace a un nuevo paciente es: "¿Cuál es el problema? ¿Qué la trae hasta aquí?" ¿Cómo responderé?... "Siempre me gustaron los juegos sexuales violentos; ahora me estoy volviendo loca y temo que mataré a mi próximo compañero de cama." O si no: "Empieza con incesto y va creciendo hasta el homicidio. He saboreado los dos y me gustan. De modo que usted ve, doctor, hay un área de dificultades." Quizá sería más sencillo decir: "Ahorrémonos rubores uno al otro, querido colega. Alcánceme su ejemplar de **Psicopatía sexual** y yo marcaré los pasajes correspondientes a mi caso."

Así escrito en forma lineal, se lo lee como una mala farsa. Pero hoy, o mañana, Jung hará la pregunta de rutina y yo tendré que responder en palabras que no me denuncien en seguida como una criminal, una lunática o una mentirosa patológica. Mi mejor táctica podría ser actuar como la mayoría de los pacientes: presentando una larga lista de síntomas no específicos y dejar que el médico busque él solo la verdadera enfermedad. Por lo menos, así tendré tiempo de observar y medir a ese milagrero psíquico antes de lanzarme a una confesión directa. Además, si él es, como sugiere Gianni, un notorio mujeriego, podríamos tener una sesión interesante: ¡dos médicos, cada uno haciendo el diagnóstico de las enfermedades sexuales del otro!

A las nueve de la mañana estoy instalada en el hotel, bañada, vestida y lista para el día del juicio... que me gustaría pasar lo más pronto posible. Llamo al gerente. Le digo que quiero permanecer de incógnito durante mi estada: tendré que ser conocida por mi **nom de guerre**, "Frau Hirschfeld". También quiero que él, si tiene la amabilidad, llame por teléfono al doctor Carl Gustav Jung en su casa en Küsnacht y pida una entrevista para mí bajo mi falso nombre. El me identificará solamente como una huésped, recién llegada de París y recomendada por un distinguido médico de esa ciudad, el doctor di Malvasia.

El gerente se siente dichoso de complacerme. Entiende las idiosincrasias de los ricos, y yo tengo que ser rica para pagar mi actual alojamiento: una gran suite con vista al lago, que hoy está de color gris pizarra y aceitoso bajo un cielo de tormenta. El gerente también me informa discretamente sobre la especialidad de Herr Doktor Jung. El era, hasta recientemente, director clínico del Burgholzli, la enorme clínica cantonal para enfermos mentales que yo veré en mi camino a Küsnacht. También fue catedrático en la universidad, pero se retiró recientemente. Se ha convertido en una figura muy conocida, si bien algo polémica, en el nuevo movimiento psicoanalítico.

—Pero por supuesto —esto lo dice en deferencia a mi sensibilidad— es un hombre de elevada reputación e indudable talento. El nivel de la medicina suiza está entre los más altos del mundo... si la señora me disculpa, regresaré en seguida...

Pasan veinte minutos antes que regrese. La comunicación con el doctor Jung ha resultado más bien difícil. Primero habló con la esposa, después con una tal Fräulein Wolff, que parece ser una especie de asistente especial. Por fin, después de mucha demora, pudo hablar con el mismo gran hombre. Al principio se mostró bastante brusco, obviamente renuente a ocuparse de una nueva paciente caída del cielo. Al final, sin embargo —el gerente se encoge levemente de hombros— la cuestión fue resuelta por una discreta sugerencia de que la señora podría pagarle muy bien la molestia que se tomara.

El Herr Doktor me recibiría a las once. El gerente se había tomado la libertad de contratar un automóvil con chofer para que me llevase a Küsnacht, esperase y me trajese de regreso al hotel. El lugar no está lejos, un viaje de quince minutos, no más. Le agradezco efusivamente. El se muestra igualmente efusivo en su respuesta... "¡Cualquier cosa que usted necesite, señora, cualquiera!..." Después, me deja sola, con una hora para matar antes del momento del juicio final.

Paso el tiempo en un juego de disfraces, buscando el traje con el que me presentaré. La imagen debe ser suave, veraniega, femenina: encaje o muselina fruncida, sombrero duquesa, una sombrilla floreada. Que el doctor Jung descubra él solo la variedad de caracteres que se ocultan bajo esa ropa.

El maquillaje tiene que ser suave y sutil, nada de líneas

147

duras, nada de labios muy pintados. ¡Ya está!... Tengo que confesar que me sorprende gratamente lo que veo en el espejo. Hay un toque de juventud, un débil recuerdo de inocencia, que no había notado en mucho tiempo.

Reviso el contenido de mi bolso: un pañuelo de encaje, perfume, carmín de labios, un compacto, un peine, tarjetas de visita, un sobre lleno de francos suizos para que, suceda lo que suceda, el doctor Jung se sienta adecuadamente recompensado... y, por supuesto, mi pasaporte al olvido, la botellita azul sellada con lacre rojo... Hora de partir. Hora de decir una plegaria... si supiera aunque fuera una muy pequeña.

Mi suite está en el primer piso. Bajo ceremoniosamente la escalera. En el vestíbulo, las cabezas se vuelven. Hasta los impasibles suizos notan la presencia de la Dama Desconocida que acaba de hacer su entrada. El portero me saluda y me deja en manos del chofer, quien me instala con regio esplendor en el asiento trasero de un vasto Hispano-Suiza. Cuando partimos, soy consciente de cierta ironía. Aquí estoy yo, una asesina, viajando majestuosamente como una reina, mientras que María Antonieta fue a la guillotina en una carreta. El único problema es que he perdido el ánimo de disfrutarlo de corazón.

La casa del doctor Jung es una residencia agradable pero corriente, erigida a la orilla del lago. Es una casa alta y cuadrada de dos pisos cuyos contornos son interrumpidos por una torre circular, cuya base forma la entrada y cuyo piso superior mira hacia el lago a un lado y la campiña de la base de las montañas al otro. El terreno no es muy grande. Se llega a la casa desde el camino por un sendero largo y recto flanqueado de árboles frutales: perales, cerezos, manzanos. Hay macizos de flores siguiendo los bordes del césped y una huerta junto a la cerca más alejada. Cuando me aproximo a la puerta principal, mi vista es atraída por una inscripción en caracteres góticos grabada en el marco superior. Está en latín. "**Vocatus atque non vocatus, deus aderit**... Se lo llame o no se lo llame, el dios estará presente."

Me parece recordar que una frase similar, en griego, estaba grabada sobre el santuario del oráculo, en Delfos.

Toco la campanilla. Después de una larga pausa, la puerta es abierta por una mujer alta, guapa, de alrededor de treinta años, como máximo. Es amable pero está un poco agitada. Se disculpa por haberme hecho esperar.

—Acabo de enviar a los niños a un picnic con la niñera; es el día libre del ama de llaves, de modo que yo soy la criada para todo trabajo... —Me sonríe y todo su rostro se ilumina. —No soy muy buena para eso. Entre, por favor. Soy Emma Jung. Usted debe ser la nueva paciente, Frau... ¡Vaya! ¡Se me ha olvidado!

—Frau Hirschfeld. ¡Y por favor! Estoy muy agradecida de que el doctor haya accedido a recibirme tan imprevistamente.

Me hace pasar a una pequeña sala de espera y me deja sola, con la promesa de que el doctor estará listo en pocos minutos. Tengo la idea de que probablemente está encinta. Su cara tiene esa curiosa apariencia de máscara y hay círculos profundos, oscuros debajo de sus ojos. Parece una mujer que está procreando demasiado de prisa, con sus primeros hijos todavía colgándosele de las faldas.

Tomo una revista de la pila que hay sobre la mesa. Es la edición de 1912 del **Anuario de Investigación Psicoanalítica y Psicopatológica**. Contiene un largo ensayo del doctor Jung, titulado: "Mutaciones y símbolos de la libido". Apenas he leído dos páginas de densa prosa cuando Emma Jung regresa para llevarme a la presencia de su marido. Cuando me pongo de pie, me siento un poco mareada. Aspiro profundamente, aliso mi falda, me yergo como un soldado para la inspección y sigo a Emma Jung escalera arriba. Cuando llegamos al rellano frente al estudio del doctor, sé que he llegado al punto sin retorno.

JUNG

Esta mañana tenemos tiempo de **Föhn**, caluroso, sin viento, húmedo, el aire presionando sobre el valle como una gruesa manta gris. Los niños están inquietos. Emma tiene por la mañana unas náuseas peores que lo habitual. Toni está de mal humor, con dolores menstruales. Yo estoy harto de todo el mundo, hasta de mí mismo.

Insisto en que la niñera se lleve a los niños a un picnic. Emma protesta que puede llover y que no quiere que los niños sean sorprendidos por una tormenta de truenos. Le digo que haré que el viejo Ludwig Simmel los lleve a pasear en su pequeño carruaje arrastrado por un pony; si llegara a llover, podrán protegerse debajo de la cubierta de lona. Pero a toda costa deben marcharse de la casa; de otro modo, todos nos volveremos locos.

Emma se somete de mala gana. Camino medio kilómetro por la carretera para hacer los arreglos con Simmel. El, como todos, sufre por el **Föhn** y no quiere salir. Le ofrezco el doble de lo que cobra normalmente. Acepta malhumorado. Regreso a la casa de peor humor que antes.

Estoy a mitad de camino hacia la puerta principal cuando me detengo de repente. Siento como si hubiera llegado a una pared de acero. No veo nada, pero siento la obstrucción en la punta de mis dedos. Es como el **testudo** de los antiguos romanos, una barrera de escudos imbricados detrás de la cual avanzaban las legiones. Siento que también las legiones están allí. Sé que en este momento me son hostiles. Pertenecen al nivel más profundo de mi inconsciente; pero ahora están en libertad como una maléfica influencia, para atormentarme. Su poder es enorme.

Trato de dar un paso para penetrar la pared invisible.

151

No puedo. Me vuelvo y camino hacia la puerta de la cerca delantera. Antes que haya hecho tres pasos, me detengo otra vez. Estoy rodeado por un anillo sólido de hostilidad. Me quedo absolutamente quieto. Levanto la voz en un gran grito de socorro: "¡Elías! ¡Elías!" Un momento después puedo sentir que la pared está derritiéndose y que las criaturas detrás de ella se retiran a la oscuridad de donde salieron.

Vuelvo a la casa sudando y temblando como un afiebrado. Le digo a Emma que prepare un almuerzo y a la niñera que tenga listos a los niños para partir dentro de media hora. Emma me sigue al estudio donde Toni está abriendo el correo de la mañana. Me dice que durante mi breve ausencia ha habido una llamada telefónica del gerente del "Baur au Lac". Una de sus huéspedes, una tal Frau Hirschfeld, quiere verme esta mañana. La recomienda un médico de moda de París. Le digo a Emma que lo que menos necesito hoy en el mundo es una paciente nueva. Emma se muestra inesperadamente empecinada. Me dice, lisa y llanamente:

—Creo que estás cometiendo un error, Carl. Dios sabe que no nos encontramos en tan buena posición como para que puedas permitirte rechazar pacientes. Tú mismo has dicho muchas veces que te gustaría tener contacto con los grandes hoteles de turistas. Bien, aquí está tu oportunidad.

Es el momento que Toni elige para afirmar su autoridad como analista mía. Dice, en tono terminante:

—No creo que deberías ver ningún paciente por unos pocos días. Estamos haciendo tan excelentes progresos con el análisis del sueño que preferiría que no te distrajeras.

Esto ya es demasiado. Me vuelvo furioso hacia ella.

— ¡Calla, Toni! ¡Yo tomaré mis decisiones!

—Como usted desee, doctor. Por supuesto.

Vuelve a ocuparse del correo, usando el abridor de cartas como una daga y los sobres como mi carne viviente. No estoy dispuesto a aceptar esta demostración de mal carácter delante de Emma. Le digo a Toni, secamente:

—Por favor, llama al "Baur au Lac" y dile al gerente que deseo hablar con él. —Después, doy mis oblicuas disculpas a Emma. —Tienes razón, por supuesto. Veré a esa mujer, quienquiera que sea. Como dices, el "Baur au Lac" es una buena conexión.

—Gracias, Carl.

Me dedica una pequeña sonrisa de gratitud y se marcha. Inmediatamente, Toni me dice:

—¡Dios mío! ¡Eres una bestia! Yo solo trataba de proteger tu intimidad y tú me tratas como a una empleadilla cualquiera.

—Te lo tuviste merecido. Nunca, nunca interfieras en una situación entre mi esposa y yo.

—Nunca interfieras... —Casi se ahoga de cólera. — ¡Jesús querido! Yo soy tu ramera, tu criada, tu amante... y me dices que no interfiera. Nunca, nunca entenderé cómo trabaja tu mente.

Hago ademán de tomar el teléfono. Ella me arrebata el auricular y hace la llamada. Cuando responde el gerente, yo accedo a ver a Frau Hirschfeld a las once. El nombre del doctor de París que la recomendó, Malvasia, Malvoisier, algo así, nada significa para mí. Sin embargo, como dice Emma, todo es dinero... ¡y Dios sabe que lo necesitamos! Le digo a Toni:

—Me gustaría que estuvieras presente en esta consulta.

—Como guste, doctor.

—¿Vamos a seguir todo el día con esta pelea?

—No hay ninguna pelea, mi querido doctor. Tú me has enseñado cuál es mi lugar. Ten la seguridad de que en adelante no me saldré de él.

—¡Bien! Entonces trae a mi escritorio tu cuaderno de anotaciones. Quiero dejar anotado algo inmediatamente.

Empiezo a dictar la experiencia que acabo de tener en el jardín: veo que la cólera de Toni cede al despertarse la curiosidad profesional. Analiza instantáneamente mi descripción del testudo, la pared de escudos. Señala, muy acertadamente, que el escudo no es un arma sino una defensa. ¿Podría ser que las legiones invisibles hubieran estado tratando de protegerse de mí? Intenta explicar este extraño pensamiento.

—A menudo te has descrito a ti mismo como torturado o habitado por un demonio. Otras veces te has descrito como una persona "numinosa", una persona en la

153

que reside un poder sin que ella se dé cuenta, o sin que sea capaz de controlarlo... —Se interrumpe, como buscando las palabras, y después, con un ardor extraño e inesperado, continúa: —¿Nunca se te ocurrió que tú podrías ser la influencia hostil y que esos espíritus, emanaciones, personificaciones, como quieras llamarlos, tienen miedo de ti? —Me dirige una sonrisa torcida, tentativa. —No estoy tratando de ser desagradable, créeme. Sé que hoy estoy intratable. Tengo mi período y me siento como el demonio. Pero tú eres quien ha estado poniendo a prueba la paciencia de todos. ¡Los niños tienen que salir de picnic! ¡El viejo Simmel cobra demasiado! ¡Cuida tus modales, Toni! ¡Sí, quiero; no, no quiero! ¡No me sorprende que asustes hasta a los fantasmas en el jardín!

Reímos a pesar nuestro. Nos besamos y hacemos las paces. Bebemos una copa subrepticia de coñac para brindar por nuestra reconciliación. Enciendo mi pipa y hablamos otra vez del fenómeno. De pronto, como salida de ninguna parte, recuerdo una cita de **Fausto** de Goethe que describe exactamente la constelación de personajes o influencias que experimenté. "Camina, está en el aire..."

Aquí hay una clave del enigma que todavía no he podido resolver. Es el enigma del tiempo: pasado, presente, futuro, ahora, entonces. Estoy sacando a la luz recuerdos, símbolos, mitos, arquetipos, cuyas raíces están sepultas en las nieblas de la prehistoria. No obstante, también son míos. Yo les doy otra forma. Los doto con un numen y los transmito... ¿O no? ¿Tal vez ellos han tomado posesión de mí, como el viento toma posesión del junco hueco y hace su propia música con un instrumento pasivo? Sé que esto no es ciencia. No tiene método, ni lógica, ni secuencia de causa y efecto. Es más bien un acto de creación espontánea. Fra Angélico sueña el paraíso y helo aquí, pintado al fresco en el techo abovedado. Dante sueña el infierno y las palabras resuenan dolientes a través de los siglos... **"Nessun maggior' dolore che ricordarsi del tempo felice, nella miseria."**

Yo también estoy buscando palabras para expresar la naturaleza del acto propio de un dios cuando Emma anuncia que Frau Hirschfeld ha llegado. Instantáneamente, se apodera de mí un terror irracional. No quiero ver a esta mujer. Nada bueno saldrá del encuentro. Dos minutos después, ella entra en mi estudio e inmediatamente toma posesión del lugar, como una reina que entrara en el dominio de un vasallo.

Tiene toda la belleza de la madurez. Está elegantemente vestida. Posee una espléndida seguridad de gestos y movimientos. Domina mi retiro de estudioso como una gran actriz domina un teatro de provincia. Siento el impacto de una fuerte voluntad y de un espíritu apasionado.

Mi temor irracional cede para convertirse en respeto y en seguida en una lujuria muy viva. Espero que ni Toni ni Emma lo descubran en mi cara... Me doy cuenta de que todos mis deseos han sido por mujeres más jóvenes y por las emocionalmente dependientes de mí. Me pregunto cómo sería enamorarse de alguien que sabe llamar a las cosas por su nombre. Entonces, me pregunto: si ella sabe llamar a las cosas por su nombre, ¿por qué demonios acude a mí?... ¡Dios te ayude, Carl Jung, suizo hipócrita y meloso! ¡Estás cabeza abajo por esta mujer y no ves la hora de empezar a asediarla!

MAGDA

Este Carl Jung es un hombre apuesto. Es alto, de vientre plano, de constitución fuerte, erguido como un soldado. Lleva el pelo muy corto y sus ojos brillan con inteligencia. Su apretón de manos es firme y seco. Me recuerda vagamente a papá de joven... algo en la mirada, quizá, una insinuación de travesura, la forma de soslayo en que mira a la gente, como un buen traficante de caballos que estudia a una potranca prometedora.

La muchacha es interesante; no bonita, pero con una clase de encanto gitano, de duendecillo. Está llena de celo profesional, se muestra muy posesiva, muy la ayudante del gran hombre:

—¿Me da su sombrero y su sombrilla, señora? Por favor, siéntese allí, junto al escritorio del doctor. Necesitamos obtener unos pocos datos personales antes de iniciar la sesión...

¿Iniciamos? Lo siento mucho, mi linda muchacha, ¡pero te aseguro que una de las dos se marchará dentro de cinco minutos! Jung se esfuerza por hacer que me sienta cómoda. Le entrego la carta de presentación de Gianni. El la lee y me la devuelve. Sonríe y hace una broma pedante.

—Etimológicamente no está del todo correcta. Uno adopta un seudónimo, no un anónimo... Bien, Hirschfeld servirá tanto como cualquier otro apellido... ¡por el momento! El nombre es menos importante que la persona, pero necesitamos tener ciertos datos sobre ella. La señorita Wolff tomará nota. Yo haré las preguntas.

Se sienta sobre el borde de su escritorio y balancea sus largas piernas. La señorita Wolff, cuaderno de notas en mano, ocupa su silla delante de mí. Tengo la idea de que esto es una especie de ritual para establecerla como personaje en el escenario. Sigo decidida a que ella no permanezca mucho tiempo allí. Jung inicia el interrogatorio:

— ¿Qué edad tiene, Frau Hirschfeld?

—Cuarenta y cinco.

— ¿Soltera o casada?

—Viuda.

— ¿Hace cuánto tiempo?

—Quince años.

— ¿Tiene hijos?

—Una hija.

— ¿Y qué edad tiene ella?

—Diecinueve.

— ¿Cual es su nacionalidad?

— ¿Es eso importante?

—Puede que sí, puede que no.

—Entonces, digamos que soy europea.

— ¿Cuál es su lengua materna?

—Hablo con la misma fluidez el inglés, el francés, el italiano, el alemán y el húngaro.

— ¿En qué ocupa su tiempo?

—Solía ejercer la medicina. La dejé después de la muerte de mi marido. Desde entonces he dirigido una propiedad rural, donde crío caballos y perros.

— ¿Dónde hizo sus estudios médicos?

—En Italia y Austria, con algo de trabajo de posgrado en Londres.

— ¿Puede hacerme un resumen de su salud en términos médicos?

—De niña tuve paperas, sarampión, varicela y resfriados comunes. En la vida adulta no he tenido enfermedades graves ni operaciones quirúrgicas. No tengo problemas respiratorios, cardiovasculares o urinarios. Aunque tengo cuarenta y cinco años, mis períodos siguen siendo regulares y aún no he experimentado ningún síntoma de menopausia. Hago ejercicio con regularidad. Mi tono muscular es excelente.

— ¿Y la actividad sexual?

—No tengo amante permanente, pero sí adecuadas satisfacciones.

— ¿Con qué frecuencia?

158

—Muy adecuada, doctor. Gracias.

—Bien... —Me dirige una sonrisa amplia, feliz. —Usted goza de una salud excelente, tiene una vida sexual muy adecuada. ¿Cuál es su problema?

Y allí está, lisa y llana como un panqueque, la pregunta que yo temía. Todavía no estoy preparada para responder. Le digo, con estudiada formalidad:

—Con el mayor respeto, doctor, y con toda deferencia para la señorita Wolff, deseo hablar con usted a solas.

El no se niega directamente. Es evidente que tiene que salvar la cara de su joven colega, que es, me parece, no tan gazmoña como aparenta. Primero, me dice:

—La señorita Wolff es mi colega y mi asistente de confianza. Su opinión es sumamente valiosa para el diagnóstico.

—Estoy segura de ello. No obstante...

—¡Por favor! —Levanta una mano en ademán de censura. —Por favor, déjeme terminar. Respeto su deseo de privacidad; pero usted, como médica de consulta, comprenderá las precauciones que hay que tomar con una nueva paciente. Algunos pacientes míos pueden ponerse muy violentos. Uno me amenazó con un revólver cargado. Entre mis pacientes mujeres, hay quienes abrigan ideas equivocadas y difunden falsos rumores acerca de que son objeto de deseos eróticos o intentos de violación.

Le aseguré, con mi sonrisa más humilde, que yo no soy violenta ni propensa a engañarme. El acepta mi declaración con buen humor. Le dice a la señorita Wolff que nos deje solos. Volverá a necesitarla dentro de dos horas, que es, me explica, el límite máximo de resistencia de un paciente y un analista en una sola sesión. Cuando la señorita Wolff se retira, yo comento que ella parece una joven muy competente y que es muy hermosa. Evidentemente, él se siente halagado indirectamente.

—Es sumamente brillante, una fina poeta y una analista sobresaliente.

—Y evidentemente, está consagrada a usted.

—Como nosotros a ella. En este trabajo se necesitan colegas leales y discretos.

Le reconozco el mérito de su declaración: ninguna concesión, un saludo a la ausente, una lacónica y breve homilía sobre la confianza profesional. Me preparo para una nueva ronda de preguntas. En cambio, él me dedica una sonrisa alentadora y un consejo gentil.

—Sé cómo se siente. Es como que le pidan que se desnude en medio de la Bahnhofstrasse. Permítame explicarle cómo trabajamos. Es muy diferente del diagnóstico físico, donde los parámetros del cuerpo y sus estructuras y funciones internas determinan la lógica de nuestras investigaciones... Así que a menos que haya disfunción en el mismo cerebro, los analistas siempre nos manejamos con intangibles, con rompecabezas gigantes cuyas piezas están todas dispersas, en el pasado y en el presente. Nos interesan tanto los sueños como las realidades... los crímenes que nunca se cometen como los que son perpetrados en una especie de extraña inocencia. Usted debe comprender que el analista no es un juez. Es, más bien, un detective como ese inglés famoso, el señor Sherlock Holmes. También espera poder curar, porque mucho de nuestra salud mental depende de nuestra comprensión de nosotros mismos y de ponernos de acuerdo con lo que comprendemos y aceptarlo... De modo que tiene que recordar dos cosas: usted nada tiene que temer de mí, y nada de lo que pueda decirme me sorprenderá. Yo lo he oído todo. Lo he soñado todo, porque lo bueno y lo malo que nos perdemos en nuestras vidas diarias, lo compensamos en los sueños...

Es como si me hubiera arrojado un salvavidas en medio de un mar agitado. Me aferro desesperadamente a él. Le digo, con ansiedad:

—Esa es una de las cosas que me trajo a usted. Estoy teniendo una pesadilla recurrente que me perturba mucho y siempre me deja exhausta y deprimida.

—Cuénteme. Tomaré notas mientras usted habla.

Ahora que he comenzado, hablar es un alivio. Me sorprendo reviviendo todos los detalles del sueño, la salvaje cacería, la soledad vasta y agostada del desierto, el pequeño cadáver ensangrentado del zorro, yo misma desnuda y rasurada, encerrada en la bola de cristal, rodando y rodando bajo los ojos burlones del sol.

Jung escucha en silencio. Se muestra estudiadamente neutral. Sus ojos observan cada expresión de mi cara, cada

gesto. Parece tomar notas en una especie de taquigrafía.
Cuando he terminado, pregunta:

—¿Alguna vez le contó ese sueño a alguien más?

—No. ¿Por qué lo pregunta?

—Lo relata tan vívidamente. Usted es una narradora
natural. Ahora me gustaría hacerle algunas preguntas. Trate
de responder espontáneamente. No construya nada solo
para complacerme. Si no puede responder, dígalo. Si no
quiere responder, dígalo también. ¿Entendido?

Entendido... El me está dando las reglas de este juego
nuevo y diciéndome que las entiende mejor que yo. La
primera pregunta es una sorpresa.

—¿Cuál era el sexo del zorro?

—Femenino. —Me asombra oírme responder con tanta
seguridad.

—¿Puede decirme los nombres de alguna de las
personas que estaban con usted en la cacería?

—No.

—¿Quién mató al zorro?

—No lo sé. Supongo que fueron los perros.

—¿Por qué la derribó su caballo?

—Eso tampoco lo sé.

—¿A qué clase de mujeres les afeitan la cabeza?

—A las monjas, a las criminales, a las que necesitan
una operación de cerebro.

—¿Cuál de ellas es usted en el sueño?

—Bueno, nunca quise ser monja y nunca tuve una
operación de cerebro. Supongo que eso deja a la criminal.
La bola de cristal es, ciertamente, una prisión.

—¿Qué la hace decir eso?

—Es así como la siento... Y después del sueño, siempre
me siento culpable.

—¿Se siente culpable durante el mismo?

—En realidad, no. Me siento ridícula, como si un
fisgón estuviera espiándome en el baño.

—¿Y el sol es el fisgón?

—Sí.

—Cuénteme cómo se despierta.

—¿Cómo...? Oh, acurrucada, en posición fetal. Tengo que
hacer un esfuerzo para enderezarme y enfrentar el nuevo día.

Hace unas pocas anotaciones y después me dedica una sonrisa de aprobación.

—Lo está haciendo muy bien. Manténgase relajada. Simplemente, deje que salga todo. Es un placer tratar con una mujer inteligente... y hermosa.

Le agradezco el cumplido. Sé que me está lisonjeando; pero me alegro de ello. Me pregunto cuánto podrá seguir esta pequeña pavana. Entonces, otra vez empiezan las preguntas.

—¿Tiene algunas convicciones religiosas? ¿Pertenece a alguna secta o confesión?

Es la pregunta de Gianni otra vez. Ahora respondo en forma diferente.

—No. Papá era un racionalista anticuado que me enseñó que la vida empieza y termina aquí y que tenemos que aprovecharla lo mejor que podamos.

—¿Y usted sigue creyendo eso?

—Absolutamente.

—¿Cuál era la profesión de su padre?

—Era cirujano, un cirujano muy bueno. Solía decir: "los he cortado vivos y los he disecado muertos, y nunca encontré rastros de Dios o de un alma." Yo amaba mucho a papá. Supongo que, simplemente, adopté sus convicciones y hábitos mentales.

—¿Su madre era creyente?

—No lo sé. Me abandonó cuando yo era una criatura de brazos.

—¿La abandonó?

—Nos abandonó a ambos. Fui amamantada por una nodriza. Lily y papá me criaron.

—¿Y su madre?

—Nunca la volvimos a ver. Papá nunca hablaba de ella. Muy recientemente descubrí por accidente que ella murió siendo una duquesa, en Inglaterra. —Me doy cuenta de que he cometido una torpeza y que he dicho más de lo que era mi intención. Trato infructuosamente de reparar el daño. —¿Comprende que hay buenos motivos para que yo desee permanecer anónima... o con seudónimo?

Jung sonríe y asiente con la cabeza, pero ahora percibo que se ha vuelto cauteloso. ¡Quizá él cree que una duquesa en la familia es demasiado esnobismo! Me pregunta:

—Usted mencionó a Lily. ¿Quién es ella?

—Era la compañera de mi madre cuando ella vino a Europa para que naciera yo. Se enamoró de papá y se quedó para cuidar de mí. Ella fue toda la mujer que yo necesitaba... ¡madre, hermana, amiga!

—Pero su padre y ella no se casaron.

—No. El quiso desesperadamente casarse con mi madre... pero después de aquello... ¡no! Perdió todo interés en el matrimonio.

—Puesto que estamos en el tema de la familia, cuénteme acerca de su marido, de su hija... cualquier cosa que recuerde.

—Bueno, me casé a los veinticinco años, uno después de haber terminado mi formación médica. Mi marido era austríaco, heredero de una gran propiedad y de un título menor. Tenía poco más de treinta años. Yo fui su segunda esposa. La primera había muerto muy repentinamente, sin darle ningún hijo. El era un hombre maravilloso y yo estaba desesperadamente enamorada de él. Vivíamos en su propiedad y ejercíamos la medicina en las aldeas de los alrededores. Quedé embarazada el primer año y tuve una hija. Esperábamos un hijo para que heredara el título, pero no nos importó. Ambos éramos jóvenes. Habría otros hijos... No resultó así... Cuando mi hija estaba próxima a cumplir cuatro años, mi marido enfermó de cáncer. La invasión fue rápida. Pronto hubo metástasis en todas partes. Ambos sabíamos que no había esperanza. Su único deseo era morir en casa, conmigo, en nuestro hogar. Mi único deseo era hacer que muriese lo más fácilmente posible. Contraté una enfermera, pero yo misma me hice cargo de la supervisión médica... Como médico, usted comprenderá mi tratamiento.

—Todavía tiene que decirme cuál fue.

—Dosis crecientes de sedantes para mantener controlado el dolor.

—También para deprimir los sistemas cardiovascular y respiratorio y causar así una muerte anticipada.

—Sí.

—¿Y su marido murió en paz?

—Tan en paz y rápidamente como fue posible sin despertar sospechas y provocar investigaciones... Pero fueron semanas largas, malas... y cuando la decadencia física y los síntomas se volvieron demasiado terribles, tuve que mantener a mi hija alejada de la habitación del enfermo... Fue entonces que empezó el problema.

—¿Qué problema?

—Después de un tiempo, noté que ella parecía tener miedo de mí. Traté y traté de descubrir la causa. Fue la enfermera quien me explicó finalmente la razón. Ella oía a su padre quejarse y gritar. Me veía saliendo de la habitación con instrumentos para esterilizar y paños ensangrentados para ser quemados. En su mente, se fijó la idea de que yo era una especie de bruja que trataba de matar a su padre.

—Lo cual, en cierto modo, era así.

—Correcto... Pero la niña no tenía forma de saberlo.

—Los niños no tienen que saber las cosas. Las absorben como esponjas. ¿Alguna vez trató de explicarle las cosas a su hija? ¿No el tratamiento, sino los problemas de la enfermedad de su padre?

—A menudo lo hice, pero nunca parecí llegar hasta ella. Mi hija se retiraba más dentro de sí misma... Lo terrible fue que me sorprendí abrigando resentimientos hacia la pequeña. Ella era como una acusadora constante, y al final de un día largo y amargo con un moribundo, su presencia me era insoportable... Hubo momentos, momentos aterrorizadores, en que casi deseé matarla... Sabía que yo podía hacerlo, también. Así que, finalmente, hablé con una hermana de mi marido, quien tenía una familia numerosa. Ella se ofreció voluntariamente a recibir a la niña hasta que todo terminara.

—¿Y cómo resultó eso?

—Ella era muy feliz... excepto cuando yo iba a visitarla. Entonces había escenas terribles de histerismo... Aun después de la muerte de mi marido, no hubo forma de persuadirla a que regresara a casa. De modo que pareció más conveniente dejarla que siguiera sintiéndose miembro de una familia grande, feliz.

—¿Alguna vez ha lamentado esa decisión?

Por primera vez me encuentro ante una pregunta cuya respuesta tengo que meditar. No me siento tentada a mentir. Es, simplemente, que en el pasado siempre me negué a enfrentar la cuestión. Por fin, puedo expresarlo en palabras.

—¿Lamentarla? No. Creo que fue la mejor solución para las dos. Yo soy una mujer muy apasionada; pero creo que no tengo ningún verdadero talento para la maternidad.

Zurich

Apenas llevamos veinte minutos de sesión y ya me siento profundamente turbado por lo que he escuchado. La cosa más impresionante —no, la más atemorizadora— de esta mujer es su total lucidez, su aprehensión totalmente racional de lo que ella es y de la historia que está desplegando ante mí. No me dejo engañar por sus respuestas acerca del sueño, que es la proyección más clara posible de una culpa enorme sobre un asunto que todavía hay que revelar.

Está tan segura del sexo del zorro como yo estaba seguro del sexo del semental en mi sueño de caos. La bola de cristal es, claramente, un útero y también una prisión. Ella despierta en posición fetal, no preparada para enfrentar un amanecer hostil. No se le ha ocurrido, o está ocultando que lo sabe, que los niños nacen con muy poco pelo. También ha mencionado muy sumariamente a la madre que la abandonó, y a su propia hija a la que abandonó a su vez.

Se describe como muy apasionada. Yo la percibo como una personalidad muy explosiva, capaz en un momento de un autocontrol singular y al momento siguiente de un estallido de energía devastador. Es como un cartucho de dinamita, inerte y aparentemente inofensivo en la mano, pero capaz de demoler todo un edificio. En mi propia situación inestable, me siento amenazado por ella; pero la amenaza es ambivalente. Por una parte, hay una poderosa atracción sexual; por la otra, siento una hostilidad latente, tan fuerte como la de los arquetipos invisibles en el jardín. Sus deseos de muerte se corresponden en forma siniestra con los míos. Ella admite haber apresurado el fallecimiento de su marido, aunque por razones humanitarias. Admite los momentos de resentimiento asesino contra su propia hija. Con toda certeza hay otras relaciones de amor y odio detrás de los símbolos del sueño.

Por lo tanto, no deseo extender este análisis un momento más del necesario. Habiéndolo iniciado, no puedo, éticamente, terminarlo de modo brutal y peligroso. Por lo menos, debo poder recomendarla para tratamiento a algún otro. Para esto, necesito ver hasta dónde se extiende su lucidez, con qué rapidez su razón nos llevará a la raíz de su problema. Para aflojar la tensión que ya se ha formado, sugiero que demos una breve caminata por la orilla del lago mientras continuamos nuestra conversación.

En el camino tenemos que pasar por la cocina. Mi paciente se me adelanta hacia el jardín, mientras me detengo a pedirle a Emma que nos envíe café al estudio. Mi mano ya está en la perilla de la puerta cuando oigo las voces levantadas y coléricas de Emma y Toni. Me quedo muy quieto y escucho vergonzosamente el altercado. Es Emma quien parece tener el control de la discusión.

—¿No comprendes que tenemos en nuestras manos a un hombre muy enfermo?

—Claro que sí. Paso con él más tiempo que tú... ocho horas al día en ese estudio, a veces más.

—Si él empeorase, ¿crees que podrías manejarte con él?

—¿Por qué me preguntas a mí? Tú eres su esposa.

—¡Y tú su querida!

—Yo lo amo.

—Yo también lo amo, así que, por lo menos, tratemos de ser sinceras. Tú no eres la primera rival que tengo. Probablemente no serás la última.

—¡No adoptes conmigo esa actitud arrogante y condescendiente!

—Estoy pidiéndote que me ayudes.

—¡Dios mío! ¡Eres una mujer extraordinaria!

—Mira, tengo cuatro hijos y espero el quinto. Los accesos de cólera de Carl nos aterrorizan a todos. Los más pequeños no entienden el problema de su padre. El es ciego al de ellos. Yo tengo que protegerlos y mantener unida a la familia mientras pueda. No puedo luchar contigo. No estoy segura de querer hacerlo. Veo que Carl te maneja como hace con todos los demás. Lo único que pido es que ustedes dos jueguen afuera... ¡no en mi casa! ¿Entendido?

—¿Por qué a él lo toleras?

—¿Y tú?

—Yo lo amo.

—Yo también... Y esa es la única razón por la que te tolero a ti, querida.

—Esto no puede seguir así.

—¡Mientras él lo desee, seguirá!

He escuchado lo suficiente. Estoy avergonzado y entristecido, y soy lo bastante tonto como para encontrar algo de consuelo en el hecho de que dos mujeres me amen lo suficiente para pelearse por mí. Este es, en todo caso, un momento inadecuado para pedir café. Me alejo sigilosamente y voy a reunirme con mi paciente junto a la casa de botes, donde ella está inspeccionando el pueblo de juguete que estoy construyendo con piedras de la orilla del lago. Uso la aldea como un texto para lo que tengo que decirle.

—La empecé como una terapia. Yo, como la mayoría de las personas de edad mediana, estoy pasando por una crisis psíquica. Me he sometido a análisis con la señorita Wolff, a quien usted conoció. Todo análisis significa un viaje hacia atrás para detectar los letreros indicadores que hemos pasado por alto... Este es un modelo de la aldea donde nací. El hombre que ve delante de usted fue formado aquí, no solamente por sus padres, por todo y todos los que lo rodeaban, sino por todos los que estuvieron antes: los hombres que construyeron la iglesia, los artesanos que labraron las piedras, las mujeres que hornearon el pan y se transmitieron los remedios populares para las enfermedades de la gente. Todos somos espejos de un pasado que hemos olvidado, pero que está profundamente sepultado en nuestro subconsciente. Nuestros sueños recuerdan esa larga y antigua herencia... ¿Ve esa calle, la que lleva a la iglesia?

—Sí. ¿Qué pasa con ella?

—Un día, vi al diablo caminando por esa calle.

Ella ríe. La risa tiene un sonido franco, inocente.

—Usted bromea.

—No, hablo en serio. Lo que vi fue un sacerdote católico con sotana negra y sombrero negro, el cual se parecía a un par de cuernos... Pero para mi pequeña mente suiza luterana, él era el diablo. Pasaron años antes que pudiera entrar a una iglesia católica sin un estremecimiento de terror...

—¡Qué extraño!

—Y sin embargo, no tan extraño... Lo mismo le sucedió a su pequeña hija, cuando empezó a identificarla a usted con una bruja. Yo todavía lucho con el recuerdo de mi madre, quien la mayor parte del tiempo era una campesina tierna y parlanchina, pero que tenía en su carácter un extraño costado gitano que solía aterrorizarme.

Ella se inclina, recoge una piedra alargada y la deposita sobre el dintel de la puerta de un cottage inconcluso. En voz pequeña, queda, dice:

—Sé lo que usted está tratando de hacer. Ayuda saber que otras personas tienen problemas como los nuestros. Pero tiene que entender que he vivido una vida muy extraña... y que he conocido a algunos personajes raros. Me resulta extremadamente difícil confiar en la gente, aun en nuestra profesión médica. La semana pasada, en París, mis propios banqueros, los hombres que administran mi fortuna, trataron de empujarme a una situación comprometedora con un hombre muy rico al que querían tener como cliente.

—¿Y usted cree que yo soy capaz de algo así?

—Todos lo somos, doctor Jung. Todos lo somos.

—¿Qué aceptaría usted como prueba de que puede confiar en mí?

—¿Qué puede usted ofrecer?

Lo dice en forma chabacana, como una campesina regateando en el mercado; pero siento que lo dice en serio. Reflexiono un momento. Me pregunto por qué demonios tengo que hacer esto. Ella es una mujer adulta, evidentemente cuerda. ¿Por qué debo ponerme en peligro para su curación? Por una vez estoy dispuesto a ser sincero: porque la deseo, porque quiero ponerla en deuda conmigo. De modo que propongo un acuerdo.

—Si usted está dispuesta a confiarme sus secretos, yo estoy dispuesto a revelar dos piezas de información sobre mí, una muy personal, la otra profesional. Cualquiera de las dos podría causarme mucho daño si fuera difundida. En esa forma, cada uno de nosotros será dueño de la seguridad del otro. Igual amenaza, igual fidelidad. Parece una propuesta muy razonable.

—Lo es. ¿Pero por qué le importa tanto? Yo no me cortaría un dedo para persuadir a uno de mis pacientes a que se deje hacer una apendicectomía.

Ahora me irrito por su argumentación y replico con violencia:

—Quizá porque yo tengo una opinión diferente de mis pacientes.

— ¿Cómo me ve a mí, doctor?

—Ese es precisamente el caso, Frau Hirschfeld. ¡No es usted! Somos todos nosotros: no vivimos solos. Vivimos juntos. Dependemos unos de los otros. En el momento que lo olvidamos, estamos perdidos... como partículas ígneas arrojadas fuera del sistema solar para que se apaguen y pierda para siempre en la oscuridad exterior del espacio. Cuando vino a mi casa, ¿notó una inscripción sobre la puerta?

Me sorprende al citar textualmente la inscripción.

—"Vocatus atque non vocatus, deus aderit..." —La recita también en su sentido original: —Lo llamen o no lo llamen, el dios estará presente... Me pregunto qué significa eso para usted, doctor.

—Significa el reverso de lo que usted dice creer: que la vida humana es un viaje sin objeto a ninguna parte. Yo ya no soy un cristiano ortodoxo. Ni siquiera puedo darle un significado a la palabra Dios; pero sé que estoy buscando a tientas una verdad sobre lo que es El y lo que somos nosotros. Sé que por más equivocaciones que haya cometido en mi vida, y Dios sabe que he cometido muchas, no puedo renunciar a la búsqueda de un significado. Usted es alguien a quien he encontrado en el camino de peregrinaje. Aunque más no fuera por esa razón, usted es importante para mí. ¡No puedo pasar de largo a su lado y dejarla que muera en una zanja!

Mi propia vehemencia me sorprende. Me sorprendo todavía más cuando ella me toma la mano como una criatura y dice, dócilmente:

171

—Lo siento. Creo lo que usted me está diciendo. ¡Quiero confiar en usted, de veras! Acepto su propuesta.

Una vez más señalo la aldea, el cottage sobre el que ella acaba de poner una piedra como dintel. Le digo:

—He aquí la primera información, que no le he contado a ninguna otra persona en mi vida. Ese cottage era la casa de un hombre, amigo de la familia, a quien yo de muchacho estimé y di mi confianza. Un día, él me violó. Fue una experiencia que supuró mucho tiempo en mi mente y coloreó muchas relaciones en mi vida adulta. —Ella abre la boca para hablar; la hago callar instantáneamente. — ¡Por favor! No quiero discutir eso. El segundo hecho es que en algún lugar de este país hay una mujer en libertad, de quien yo sé positivamente que es una asesina. Estaba internada en el Burgholzli por una enfermedad depresiva aguda. El pronóstico era negativo. Después de mucho trabajo, logré identificar la causa de la enfermedad. Profundamente desgraciada por un casamiento desdichado, la mujer había asesinado a uno de sus hijos. El hecho de que haya podido compartir ese conocimiento la hizo adelantar un largo camino hacia una curación total. Yo alteré los registros, suprimí la evidencia acusadora y la di de alta. Mi firma está en el documento; de modo que, técnicamente, soy culpable de un acto criminal. Nuevamente, no deseo discutir los detalles... Ahora yo le he dado mi seguridad. ¿Está dispuesta a confiar en mí?

—Primero, tiene que explicar qué quiere de mí.

Me siento desanimado. Yo me he comprometido; pero ella todavía trata de evitar todo contacto. La tomo con rudeza de los brazos y la obligo a que me mire a la cara.

— ¡Muy bien! ¡Se lo diré! Usted tiene que tomarme de la mano y llevarme al país desierto de sus sueños; dentro de la bola de cristal donde usted está acurrucada, rasurada, no como una monja sino como una criminal, con todas sus partes privadas expuestas. Tiene que mostrarme lo que ve el ojo rojo del sol, lo que vio su hijita y lo que la hizo huir. Quiero saber el secreto que la trajo hasta mi puerta y que ahora la está impulsando otra vez a destruirse a sí misma.

Ella se libera y se aparta de mí. Es un acto de amargo

172

rechazo. Menea vigorosamente la cabeza de lado a lado. Me escupe las palabras.

— ¡No! ¡No! ¡No! Todavía no es un pacto equitativo.

Ahora estoy furioso y no escatimo palabras.

— ¿De qué tiene miedo, mujer? ¿De historias sucias? Conozco todas las palabras del libro. Conozco hombres y mujeres que comen mierda para alcanzar sus orgasmos. ¿Asesinato? También sé de eso. He sido atacado con un cuchillo de cocina por un paciente. ¿De qué otra cosa puede usted no querer hablar? ¿Violación? ¿Mutilación? ¿Incesto?... ¡Su vida está en peligro, señora! ¡No permita que unas pocas palabras duras le impidan salvarla!

Su reacción es extraña. En vez de mostrarse, como yo esperaba, impulsada a la sumisión o la histeria, de pronto se vuelve heladamente calma. Su tono es casi de compasión por mi estupidez.

—Todavía no comprende, ¿verdad, doctor?

— ¿Comprender qué, señora?

—No son las preguntas lo que temo; es la respuesta que usted pueda darme al final. Si esa respuesta no es la adecuada, yo estoy acabada.

Busca en su bolso de mano y saca una botellita azul sellada con lacre. Me la tiende. Tengo que dar un paso para tomarla de su mano. El rótulo es de una farmacia de París. Está escrito con una letra cuidadosamente clara: **Acido Prúsico. Veneno. No ingerir.** La mujer me observa mientras leo. Está esperando de mí una reacción violenta. No sabe que yo he representado antes esta escena. Tampoco sabe que no me opongo al suicidio cuando la vida se vuelve intolerable. Me encojo de hombros y le devuelvo la botellita.

—No es lo que yo elegiría para poner fin a mi vida. Sin embargo, es su vida, señora. No trate de chantajearme con eso.

—Todavía no comprende. Yo no estoy chantajeándolo. Estoy afirmando un hecho. Usted es el que carga el revólver. Yo soy la que juego a la ruleta rusa. Si usted me falla, yo quedo fuera del juego. Hago un mutis penoso, rápido y definitivo... Todo lo que usted pierde, mi estimado doctor, es una paciente a la que en primer lugar usted no quería.

— ¡No es verdad, señora! Le he ofrecido la única

seguridad que tengo: lo último de mi deteriorada reputación. ¡En cuanto a la curación, usted sabe muy bien que no hay garantías! Su padre fue cirujano. El nunca sabía lo que iba a encontrar cuando abría a algún pobre diablo sobre la mesa de operaciones. Es matar o curar para todos nosotros. ¿Un convenio no equitativo? Sí, pero no es el único que se nos ofrece... ¡a cualquiera de nosotros! ¡Si a usted no le gusta, tanto peor! ¡Cierre las cortinas y duérmase para siempre!

Giro sobre mis talones y la dejo. No miro hacia atrás. Ella puede seguirme o no, como prefiera. Me acerco en puntillas a la cocina y otra vez escucho subrepticiamente. La discusión ha terminado. Mis dos mujeres parecen entregadas a una discusión totalmente pacífica sobre cómo preparar torta de manzanas. Asomo la cabeza y pregunto mansamente si pueden llevarme café al estudio.

MAGDA

Estoy fascinada con este hombre. Siento sus debilidades. Obviamente, es un mujeriego y su concupiscencia es tan transparente como la de un muchacho campesino. Tiene una lengua ruda y mal carácter. Creo que si alguien, varón o mujer, lo presionara demasiado, él devolvería el golpe. Yo estaba incitándolo deliberadamente, porque el gerente del "Bar au Lac" sugirió que fue solamente la perspectiva de una abundante paga lo que lo indujo a recibirme.

Probablemente es venal. La medicina es una profesión que se maneja con magia cara; esta medicina de la mente es una novedad costosa, pero no dudo de la sinceridad de este hombre. Cuando habló de la búsqueda y del camino de peregrinaje, no fue solo retórica. Lo dice en serio. Le importa... y está furioso porque cree que yo estoy tratando de hacer trampas en nuestro pacto.

¿Y ahora, qué? ¿Sigo el juego, o tomo mi sombrero y mi sombrilla y me voy? Jung no cederá. O le cuento mi historia o me enseñará la puerta de salida. ¿Conclusión? Me trago mi orgullo, pongo otra piedra en la aldea de juguete, sigo al maestro hasta su estudio ¡y tiendo ambas manos para las empulgueras!

—De modo que... —anuncia él, mientras moja un bizcocho en su café —volvemos a las cosas que la perturban, las cosas que la llevan a buscar ayuda. Primero, está la pesadilla recurrente. Volveremos a eso. ¿Cuáles son los otros problemas?

Hago la zambullida, no la grande desde el trampolín

alto, sino la pequeña en la parte poco profunda de la piscina.

—Tengo problemas en mi propiedad, una especie de revuelta campesina. Mi gente cree que soy una bruja. Mi caballerizo mayor me dice que a menos que me aleje durante mucho tiempo, todo el personal se marchará. Si trato de administrar el lugar con forasteros, incendiarán las instalaciones.

—¿Su caballerizo dice la verdad?

—Sí.

—¿Por qué su gente la cree una bruja?

Le cuento del caballo y el perro y los rosales. El me apunta con su lápiz y dice, terminantemente:

—Cuénteme lo demás.

—¿Qué quiere decir con lo demás?

—¡Por favor, no juguemos! ¿Por qué llevó al semental cerca de las yeguas?

—Por curiosidad, supongo.

—¡Al demonio con lo que supone! Usted cría animales. ¿De qué iba a sentir curiosidad? Usted sabe lo que sucede cuando un semental huele yeguas. ¿Usted estaba en celo?

—¡No sea vulgar, doctor!

—¡Entonces, no me mienta! ¿Qué época del mes era para usted?

—¡Muy bien, yo también estaba en celo!

—Y sabía que montando al semental llegaría al clímax. ¿Sí o no?

—¡Dios, usted tiene una mente sucia!

—Puede volverse más sucia aún. ¿Había sucedido antes, verdad?

—Sí.

—Y siempre hubo crueldad. Usted tenía que lastimar a alguien, destrozar algo.

—No... no siempre. En el pasado, sucedía solo raramente. Ahora me temo que está sucediendo con frecuencia. En una época, no sucedía para nada. Tiene que creerme.

—Le creo; pero eso no cierra la cuestión. Volveremos sobre ello otra vez. —Ahora se muestra gentil. El es como yo. Cuando la gente se somete, se vuelve calmo y agradable. Hace dos o tres anotaciones y dice: —Cuénteme de esa época, cuando nunca sucedían esas cosas desagradables.

Moja otro bizcocho en el café. Río y le digo que Lily solía hacer lo mismo. Ella lo llamaba "sopar". El pregunta si Lily era parte de los buenos tiempos.

—Oh, sí. Era la parte más grande y la mejor... después de papá, por supuesto. ¡Es curioso! Uno de mis primeros recuerdos es de cuando Lily me hacía saltar sobre su rodilla y entonaba la rima infantil inglesa:

Ride a cockhorse to Banbury Cross
To see a fine lady upon a white horse...

Solía sentirme toda transida y estremecida de placer por el movimiento, el perfume de Lily y el roce susurrante de sus ropas contra su piel. Es extraño cómo cosas así quedan con una y la excitan.

Me pregunto si él sabe que ahora estoy excitada, y si lo sabe, ¿por qué no responde un poco? Parece un semental bastante vigoroso. Le pregunto:

— ¿Tiene recuerdos sexuales?

—Todo el mundo los tiene; pero en este momento, estoy interesado en usted. Cuénteme más sobre usted y Lily.

—Bueno, cuando fuimos a vivir en Silbersee... —La palabra sale antes que me percate de que le he dado otra pista sobre mi identidad. Espero que él la haya pasado por alto y me apresuro a continuar. —Teníamos una pequeña operación de cría de caballos... caballos de silla y de tiro para los cazadores y granjeros locales. Papá insistió en que tanto Lily como yo aprendiésemos a montar. Después que tuvimos la confianza suficiente, salíamos a caballo con papá para visitar a la gente de alta condición social de los alrededores. Si papá no estaba en casa, Lily y yo salíamos juntas de visita.

Su siguiente pregunta me toma desprevenida.

— ¿Su padre hablaba alguna vez de su madre?

—Nunca. Yo le pregunté sobre ella solamente una vez. El me miró en la forma más extraña y dijo: "Alégrate de que ella se haya marchado. Ella nunca me amó, nunca te amó a ti. Era la Reina de la Nieve, que tenía un trozo de hielo en lugar de un corazón. Pero nosotros no la necesitamos,

177

¿verdad? Yo soy tu príncipe, tú eres mi princesa; y Lily cuidará de los dos para siempre, amén. ¡Ahora, prométeme que nunca hablarás otra vez de la Reina de la Nieve. ¡Nunca, nunca, nunca!" Por supuesto, yo lo prometí.

—¿Y usted nunca pensaba en ella?

—A veces. Una vez recuerdo que vi una imagen de la Reina de la Nieve en un libro de cuentos de hadas. Me sorprendió que fuera tan hermosa. Me sentí tentada de llevárselo a papá y enseñárselo, pero Lily dijo que no debía hacerlo. Yo temí que si él se enfadaba demasiado se marcharía y nunca regresaría a casa. El estaba ausente mucho tiempo, ese era un temor muy real para mí.

De pronto, siento timidez. Estoy haciendo una actuación de solista. Así se lo digo a Jung. El ríe y agita una mano.

—Eso es lo mejor que puede suceder. Cuénteme más de su vida... ¿dónde era?... ¿Silbersee?

Empiezo, al principio con vacilación, después con vivo entusiasmo, a contarle de mi infancia en el castillo, con Lily y yo viviendo nuestra existencia encantada, mientras papá iba y venía como un gallardo caballero de los tiempos dorados. Le cuento de los regresos de papá a casa y de la feliz intimidad sensual que compartíamos. Compruebo, sorprendida, que me siento feliz de compartir el recuerdo con mi nuevo amigo, el doctor Jung.

—Una mañana, cuando yo todavía era pequeña, entré en el dormitorio de papá y lo encontré haciendo el amor con Lily. Ella estaba encima de él, a horcajadas, montándolo como un jockey. Cuando papá me vio, rió, me llamó e hizo que participara en el juego. Yo me senté sobre su pecho. Lily me rodeó con sus brazos y cantó, **"Ride a cockhorse"**, mientras los tres saltábamos y reíamos como si fuera nada más que otro juego infantil... ¿Eso le choca, doctor?

—No. ¿Debería chocarme?

—Bueno, algunas personas podrían encontrarlo extraño.

—¿Usted lo encuentra extraño?

—No. Fue puro placer. Y se volvió mejor a medida que yo fui creciendo. Yo tenía lo mejor de dos mundos... vida en una gran propiedad, la siembra y la cosecha, el corte de madera, el acoplamiento y el nacimiento de animales, y horas encantadoras, cálidas, en nuestro paraíso privado del castillo. Lily y papá me preparaban para la pubertad. Lily me enseñaba cosas de mujeres. Papá me mostraba sus libros de medicina, me enseñaba cómo los bebés eran concebidos y traídos al mundo y como debían las mujeres conducir sus vidas sexuales. Yo lo adoraba. Habría hecho cualquier cosa por complacerlo. Quería ser como él de ser posible. Por eso decidí ser médica.

— ¿Cómo se llamaba su padre?

— ¡Oh, no, doctor! ¡Eso no es justo!

El me sonríe con picardía.

—Una pequeña prueba. ¿Por qué es tan importante su apellido? Me está contando cosas mucho más íntimas.

—Porque de esta forma puedo contarlas como cuentos de hadas. Si no tengo un apellido, esas cosas no me pertenecen, ¿verdad?

—Comprendo. Por favor, cuénteme más cuentos de hadas.

—Fue un desgarramiento terrible cuando tuve que ir a un internado y aprender a ser una señorita de calidad. Lo más duro fue guardar silencio sobre las cosas que había aprendido de Lily y mi padre. Me sentía mucho más madura y sabia que todas las niñitas tontas que reían estúpidamente en el dormitorio después que se apagaban las luces. También, a veces me sentía sola.

— ¿Pero obviamente al final se adaptó?

—Por supuesto. Aprendí a capitalizar mis conocimientos secretos. Me convertí en una líder, no en una seguidora. Empecé a hacer relaciones fuera del colegio. La forma en que lo hice fue anotándome en lo que se llamaba "cursos optativos". Los mismos eran dictados por profesores particulares en sus casas o estudios. Por ejemplo, no bien dejé de ser una novata, persuadí a papá a que me permitiera inscribirme en una academia avanzada de equitación cerca del colegio. La academia estaba dirigida por un ex capitán de caballería y sus dos hijos. Uno era un poco tonto; pero el otro, Rudi, era muy apuesto y en la silla de montar parecía un príncipe. El lo sabía, también, y yo todo el tiempo le hacía bromas sobre su arrogancia. Sabía que me deseaba, porque cada vez que hablábamos yo podía ver su erección que ponía tensos sus ceñidos pantalones de montar... Un día me desafió a que montara un gran semental negro que la academia acababa de comprar para reproductor. Era una hermosa bestia, pero de mal carácter, realmente maligno. Apenas yo estuve sobre la silla cuando el animal se encabritó y ensayó todas las tretas para derribarme. Yo me sostuve, decidida a dominarlo o a morir en el intento. Lo incité y lo espoleé y lo hice dar vueltas y más vueltas al galope hasta el momento que supe que lo había dominado. Mi excitación fue tan grande que llegué al orgasmo... un estallido salvaje de placer que me excita cada vez que lo recuerdo. Aun ahora, mi estimado doctor.

El no muerde el anzuelo. Tiene los ojos fijos en su cuaderno de anotaciones. Sin dejar de escribir, pregunta:

—¿Y qué sucedió después?

—Detuve el semental, me apeé y le arrojé las riendas a Rudi. Yo estaba mojada y olía a sexo. Rudi me miró fijamente y dijo: "¡Cristo! ¡Ojalá me montaras a mí en esa forma!" Yo reí y dije: "¿Por qué no?" Subimos al henil e hicimos el amor... Pero después del semental, Rudi fue una gran decepción. No tenía el poder de contenerse.

Lo digo como un chiste. El no reacciona. Escribe otra anotación y hace otra pregunta:

—¿Qué edad tenía usted cuando sucedió eso?

—Oh, diecisiete... Un poco más, quizá.

—Pero, evidentemente, no fue su primera experiencia sexual.

—¡Oh, claro que no! Yo había hecho todos los experimentos habituales... no, no es esa la palabra adecuada, no fueron experimentos. Yo había aprendido a estimularme sola hasta el clímax. Tenía una relación lesbiana bastante satisfactoria con una muchacha del colegio... y varios episodios con estudiantes varones de Ginebra y sus alrededores. Ninguno era importante. Yo sabía más que ellos. La mayoría eran demasiado ansiosos y demasiado inexpertos. Papá solía decir que un buen amante necesita tanto entrenamiento como un atleta.

—¿Su padre era un buen amante?

—¡El mejor! ¡Sin duda el mejor! Tenía todo lo que a una mujer...

Me interrumpo, horrorizada por lo que le he dicho. Siento que el rubor sube como una marea por mis pechos y mis mejillas. No puedo mirar a Jung a los ojos. Sepulto mi cara entre mis manos. Un momento después, lo oigo decir, como desde una gran distancia:

—Está bien. Llore si lo desea. Voy a servir un poco de coñac.

Al pasar, pone una mano sobre mi cabeza como si estuviera impartiendo una bendición. Me siento absurdamente agradecida por el gesto. Por lo menos, demuestra que yo no soy una leprosa.

JUNG

Debo confesar que siento una singular satisfacción. La narración de la mujer —tan vívida y a veces tan llena de gozo— acerca de su infancia y de sus relaciones con su padre, me convencen de que yo estoy en lo cierto y Freud se equivoca totalmente acerca del tabú del incesto. Puedo decir, sin vanidad, que tengo en este asunto mucha más experiencia que él.

Freud es un hombre de ciudad, nacido y criado en una ciudad. Yo soy un campesino. En Suiza, hay muchas pequeñas comunidades de montaña donde las relaciones incestuosas en varios grados de consanguinidad son bastante comunes. Las más comunes son entre padre e hija en una familia grande, entre hermano y hermana, entre primos cercanos. A menos que exista violencia, o una destrucción total de vínculos entre marido y esposa, las relaciones incestuosas son a menudo duraderas y felices. Provocan poca hostilidad en la comunidad pequeña y cerrada, que las acepta como el margen levemente anormal de las costumbres locales.

Hay, sin embargo, involucradas cuestiones más profundas, y es sobre esto que he disentido con Freud y sus seguidores. El incesto tiene siempre un aspecto mítico, sagrado. Los reyes del antiguo Egipto se casaban con sus hermanas. Muchos mitos de regeneración son de carácter incestuoso.

El relato de esta mujer tiene todas esas características. Ella vive en un mundo cerrado, un paraíso de placeres infantiles. Su padre es un príncipe; ella es una princesa. ¡Como amante, él era siempre el mejor! Hasta la madre perdida es una hermosa doncella, dueña y confidente de la corte. Sólo más tarde, cuando la realidad invade este Edén, esa relación triangular se deteriorará inevitablemente. Si puedo creer en la historia que me están contando, la misma actitud mítica prevalece con el padre. El nunca lleva mujeres al hogar. Ningún extraño invade las habitaciones superiores. El jardín encantado permanece inviolado. El hechizo se romperá si se abre la puerta y entran extraños del mundo exterior.

Es aquí cuando empieza el problema... y todavía estamos lejos de una definición de lo que puede ser el problema. Los relatos de la infancia y la niñez son claros, vívidos y coherentes. Los otros, con excepción del sueño, todavía están en esbozo. Ella quiere terminar lo antes posible con ellos. "Sí, fui cruel con el semental y el perro... Sí, la experiencia me excitó sexualmente... Yo amaba a mi marido. Lo eché de menos cuando murió... Mi hija creyó que yo era una bruja. La perdí... ¡Triste, triste, triste!... Y si usted no me salva, si no me da la paz y la justificación después de todo el problema que estoy atravesando... me mataré con ácido prúsico..." Ella es médica. Sabe que hay formas más fáciles, si no más rápidas, de morir que el envenenamiento con cianuro; pero la botellita azul con el rótulo de veneno es una amenaza dramática dirigida a mí.

Conozco esa escena de teatro, también. Recuerdo la muchacha del Burgholzli —también un caso de incesto, pero que había sido violada— que se había retirado a un mundo de mito y fantasía totales. Vivía en la luna. Encontró un demonio alado que se convirtió en un hombre hermoso. ¡Todas las transformaciones mágicas de fealdad en belleza! Por fin, fue curada y devuelta a la vida normal. El día que firmé su certificado de alta de tratamiento ambulatorio, se me presentó con un revólver cargado. Si yo le había fallado, dijo, ella iba a matarme... Bueno, esta no puede matarme con una botellita de ácido prúsico. Sin embargo, puede decidir montar una escena convincente de suicidio en el umbral de la puerta de mi casa. Espero que sea demasiado racional para eso; pero nunca se puede estar seguro.

Mientras bebemos nuestro coñac —estoy interesado en ver cómo asimila una dosis moderada de alcohol— me esfuerzo por convencerla de que la experiencia de incesto es relativamente común y que no debe sentirse humillada por eso. Su reacción es de auténtica sorpresa.

—¿Humillada? ¿Por eso? ¡Jamás!... Yo estaba preparada para ello, ¿no comprende? Mi padre era el único hombre que podía dar sentido a un universo fantástico. A él nada le chocaba. Nada era imperdonable, excepto la hipocresía.

—Pero él nunca perdonó la deserción de su madre.

—Eso es verdad...

—Y usted tenía que estar segura de no disgustarlo jamás... de otro modo, usted también hubiera podido ser arrojada para siempre del Edén.

—Nunca lo pensé de esa forma. —No rechaza este pensamiento. Lo examina, con una curiosa expresión de tristeza.

—Sin embargo, podría ser así. Le he dicho que las idas y venidas de papá eran siempre bastante caprichosas. Pero sí, si él estaba ausente más de lo que yo esperaba, me volvía inquieta y llorosa. Solía preguntarme si le había sucedido algo, o si alguna otra bruja se lo había llevado.

—¿Alguna vez él la castigó, la amenazó?

—¡Nunca! —Lo dice con mucho énfasis. —Era tarea de Lily enseñarme disciplina. Papá solo disfrutaba de mí. Yo disfrutaba de él. Mientras él estaba allí, mi mundo era un jardín del Edén. Todo era posible. Nada estaba prohibido. Yo era la afortunada Eva que dirigía el lugar.

—Seamos ahora específicos. ¿Cuándo tuvo su padre la primera relación sexual completa con usted?

—El día que cumplí diecisiete años. Me dijo que era un regalo especial.

—Cuénteme de ello... todo lo que pueda recordar.

Una vez más su relato fluye libre y sencillamente. Su placer al recordar es evidente. Está decepcionada porque yo no parezco compartirlo. Igualmente vívida —y esto, me parece, es un punto muy significativo— es su descripción de su ira y desencanto cuando la enviaron nuevamente al colegio después de este rito de pasaje. Yo se lo expreso en términos de nuestra metáfora original.

—¿De modo que, cuando esta vez regresó al colegio, fue como ser arrojada del Edén?

—Sí, así lo sentí. Yo era una planta de invernadero, transplantada de repente a un clima frío. Por primera vez, me vi a mí misma como una rareza. Lo que más resentimiento me produjo fue que no había tenido ninguna preparación para la experiencia.

—¿Y cómo se las arregló?

—Se lo dije... tomé el control de la situación. —Deja la copa de coñac y se quita uno de sus anillos. Es un anillo de sello. La piedra es jade, jade imperial, y tiene grabado un escudo. Me dice: —Este es el escudo de armas de papá. La divisa es un puño armado con cota de mallas que sostiene una maza. El lema, que es muy difícil de leer, es "**Nemo me impune lacessit...** Nadie me provoca impunemente." A medida que yo crecía, papá solía recordármelo de tanto en tanto. Decía: "No tienes que usar el garrote. La mayor parte del tiempo, solo tienes que blandirlo y adoptar una expresión fiera, y así conseguirás lo que quieras."

—Pero usted ha hecho más que blandirlo, ¿sí?

—A veces.

—Ha quebrantado sementales. Ha tratado con brutalidad a un perro. Ha cortado rosales con un hacha. ¿Qué le ha hecho a las personas? —Le devuelvo el anillo y espero mientras ella vuelve a ponérselo en el dedo. —Ahora está fuera del paraíso. En su mundo es invierno. Es evidente que se siente amenazada. ¿Qué hace, por ejemplo, con los amantes que la han contrariado?

Este es por cierto un punto sensible. Su rostro se ensombrece. Toma la copa de coñac. Tiendo mi mano y tomo la copa. Sonrío, y digo:

—No necesita esto para responder a una simple pregunta.

Ella replica instantáneamente:

—No es una pregunta simple. Son un montón de preguntas diferentes todas mezcladas.

—Tiene razón. Le pido disculpas. Seamos simples, entonces. Usted ha tratado brutalmente a animales. ¿Ha tratado brutalmente a personas?

—Sí. —Es un monosílabo cortante, reticente. En seguida, añade: —Y si quiere que le cuente sobre eso voy a necesitar esa copa.

Vuelvo a llenar la copa y se la entrego. Pregunto, tan despreocupadamente como puedo:

—¿Tiene dependencia del alcohol? ¡Por favor! Es una pregunta clínica, que estoy seguro que usted comprenderá.

Me dirige una sonrisa torcida y levanta la copa a manera de saludo antes de beber.

—Pregunta clínica, respuesta clínica. Me gusta el alcohol. No soy dependiente de él. Tampoco soy adicta a la nicotina, el opio, la morfina o cualquier otra droga. Las he probado a todas. He aprendido a no confiar en ninguna. Eso también se lo debo a papá. El solía decir: "Prueba todo. No dependas de nada excepto de ti misma. El alcohol destruye las células del cerebro, la sífilis hace desastres en el organismo, y las drogas depresoras no son buenas para tu vida sexual." ¿Está conforme con la respuesta, doctor?

—Sobre este tema, sí. Ahora responda mi primera pregunta.

—¿Si he tratado brutalmente a personas? Sí, lo hice. También he adquirido cierto gusto por ese juego. Estoy asustada, realmente tengo miedo de que un día pueda llegar demasiado lejos y terminar con un cadáver en mi cama... La mayor parte del tiempo, estoy absolutamente controlada, como estoy aquí con usted, pero a veces me descontrolo y de veras quiero hacerle daño a la gente. Usted pregunta por qué he venido a verlo. Tuve que abandonar cierta ciudad europea a causa de un incidente sadomasoquista. El hombre, participante voluntario, sepa usted, quedó seriamente herido y además tuvo un ataque cardíaco. Debí marcharme a toda prisa. Ahora eso me asustó... fue como... como...

—¿Como quebrantar al semental, como golpear al perro hasta casi matarlo?

—Exactamente así.

—Y en cada caso usted experimentó un orgasmo.

—Sí.

—¿Cómo se siente respecto de esos incidentes?

—Me siento un monstruo, porque son excesivos. Me siento amenazada, porque podría tener a la policía siguiéndome los pasos.

—¿Hace esa clase de cosas por dinero?

—No, lo hago por placer. Si alguien paga después, soy yo.

—Son juegos muy peligrosos.

—Lo sé.

—¿Se siente culpable por ellos?

—No. Me gustaría ser diferente... normal, si usted lo prefiere. ¿Pero culpable? Supongo que la verdad es que no sé lo que esa palabra significa. No estoy segura de haber experimentado la culpa alguna vez. ¡Vea! Sé lo que quiero decir; pero tengo que encontrar las palabras exactas. Esto es terriblemente importante para mí. ¿Podría salir unos minutos al jardín? ¡No, usted no debe venir! Necesito estar sola.

Accedo. Se marcha, sola. Gracias a Dios, todavía está lúcida, todavía está racional. Esto también es una experiencia que me gustaría comunicar a Freud y algunos de sus dogmáticos colegas. En una clínica como el Burgholzli, uno trata siempre con víctimas reales. En la práctica privada, una gran cantidad de pacientes son personas de edad mediana, cuyos soportes psíquicos —religión, vida familiar, logros en la carrera profesional o, sencillamente, la pauta de mitos con la que han vivido tanto tiempo— se han derrumbado bajo sus pies. Son como alpinistas sorprendidos por una tormenta de nieve en el Jungfrau. Han perdido todo sentido de orientación. Tantean desesperados buscando apoyos para las manos y los pies. Se aferran como lapas al acantilado del cual una ráfaga súbita puede arrancarlos para arrojarlos al vacío. Rezan para que venga el guía y los saque de la helada cara de roca antes que se mueran.

Esta mujer es una de esos. Es cuerda como yo... ¡Probablemente mucho más cuerda, según Emma y Toni! La sesión que ahora estamos realizando no es análisis. Yo, simplemente, estoy extrayendo una confesión. Queda por verse si será una confesión completa. ¡Sólo Dios sabe qué sucederá cuando ella pida la absolución! Mientras ella sigue caminando en el jardín, recobrando su compostura, yo registro rápidamente el contenido de su bolso. Es una precaución que practico desde hace años con las pacientes mujeres. Algunas llevan revólveres; algunas llevan cuchillos; y me he encontrado con limas de uñas muy mortíferas.

Los únicos objetos importantes son una botellita azul de ácido prúsico y media docena de tarjetas de visita metidas en el bolsillo interior. En el ángulo superior izquierdo de cada tarjeta hay un escudo de armas grabado: un yelmo de caballero coronando un escudo, sobre el cual está el emblema de un puño armado que sostiene una maza con púas. El lema dice: "**Nemo me impune lacessit.**" El nombre impreso en la tarjeta es "Magda Liliane Kardoss von Gamsfeld".

Ahora sé, aunque no puedo revelarlo, quién es mi paciente. En idioma húngaro, del que conozco un poco por mis contactos con Ferenczi, Kardoss significa puño. En dialecto austríaco, **Gams** significa gamo, ante. En alemán **Hirsch** significa venado, ciervo. Su seudónimo está basado en un simple cambio de nombres, fácil de descifrar. Subconscientemente, también, ella está dejando caer una cantidad de pistas para que yo las siga: las armas de su padre, el nombre de su propiedad, Silbersee, el hecho —¿o es una ficción?— de que su madre era duquesa inglesa. Esto es alentador. Ella quiere que yo siga la pista de papelitos, quiere llevarme hasta la verdad. ¡Pero entonces, como dice Hamlet, qué sueños podrán venir! ¡Ah, ahí está el obstáculo!

Pongo todo nuevamente dentro del bolso, tomo de mis estantes un ejemplar de **Símbolos y mitología de los pueblos antiguos** de Friedrich Creuzer y me dispongo a leer hasta que ella haya terminado su meditación y —Dios lo quiera— esté preparada para decirme por qué le gusta hacerle daño a las personas y por qué no tiene ningún concepto de la culpa.

MAGDA

Esta vez hago mi caminata bajo los árboles frutales del jardín delantero. Las manzanas y peras están madurando. Hay un aroma de rosas y madreselvas y el zumbido de abejas soñolientas en el aire inmóvil. Mi cabeza zumba como una colmena, con una multitud de pensamientos para los cuales no puedo encontrar palabras. Ahora comprendo qué paso grande es confiar a otra persona la propia intimidad.

Por alguna razón, por lo menos para mí, la privacidad física ya apenas importa; pero desde que mi infancia terminó con mi virtual destierro a la Academia Internacional para Señoritas, he guardado mi vida interior tan celosamente como los secretos de la **Signoria**. Para mí se convirtió en algo así como una obsesión el hecho de que solamente yo debía conocer toda la lógica de mis asuntos. Ciertamente, el éxito de mis aventuras dependía del secreto. Ahora, este Carl Jung está disecándome como a un cadáver sobre una mesa de mármol y yo estoy imposibilitada de quejarme.

Apenas he dado mi primera vuelta por el prado de césped cuando sale Emma Jung, con cesta, guantes y podadera, para cortar rosas para la casa. Me saluda en forma agradable y pregunta:

— ¿Cómo van las cosas?

—No lo sé. De pronto empecé a sentirme confundida. Salí aquí para recobrar mi compostura.

—Eso es bueno. La primera sesión siempre es una ordalía. No debe dejar que Carl la presione demasiado.

—Hasta ahora ha sido muy considerado... aunque creo que lo he enfurecido un par de veces.

Ella se encoge levemente de hombros, en un gesto de **resignación**.

—El es así. Hay que acostumbrarse, nada más. Yo le digo que eso no da resultado con todos los pacientes. Yo también soy analista. Carl me entrenó y me carteo mucho con Freud. Trabajo mayormente con mujeres. Desde que llegaron los niños, por supuesto, me dedico más a las tareas de la casa.

Me siento inmediatamente atraída hacia ella. Es abierta, cálida, modesta. Le ofrezco tenerle la cesta mientras ella corta los pimpollos. Parece contenta con mi compañía... Le explico que he ejercido la medicina y que me interesa saber cómo funciona el procedimiento analítico. Me sorprende la simplicidad de su respuesta.

—Para mis pacientes, yo comparo la formación de un carácter con tejer un vestido. ¿Usted sabe qué sucede cuando una se equivoca? Todo el diseño queda arruinado. Entonces hay que elegir: se puede terminar la prenda, pero siempre quedará fea y estropeada; o se puede deshacer lo tejido hasta la primera equivocación y empezar de nuevo. Es un trabajo tedioso. El paciente está asustado y a veces se vuelve hostil. El analista tiene que poner paciencia, honestidad y coraje... Ahora, recuerde que yo he tratado casos bastante sencillos. Carl se ocupa de casos mucho más difíciles de los que yo osaría encarar. A veces adopta un enfoque muy severo. Yo le digo que eso es como picar perejil con un hacha de carnicero. El suelta un resoplido y me dice que me ocupe de mis propios asuntos. Es un hombre brillante. —Me dirige una pequeña sonrisa tolerante, de mujer a mujer, y añade, como si acabara de ocurrírsele: —A veces es difícil vivir con él, pero está lleno de preocupación por sus pacientes. ¿Puedo preguntarle quién la recomendó a usted?

Resulta que conoce a Giancarlo di Malvasia, que se sentó junto a él en un almuerzo durante la conferencia de Weimar, quedó encantada por la elegancia y el ingenio de él, pero que nada pudo hacer contra todo su esnobismo florentino. Le cuento que yo he tenido la misma experiencia. Reímos juntas. Ella corta un botón de rosa amarilla y me lo ofrece.

—Armoniza con su vestido... que, debo decir, es hermoso. Usted tiene muy buen gusto.

—Gracias.

— ¿Me permitiría que le dé un consejo?

— ¡Por favor! Le estaré agradecida.

—He comprobado que hay dos puntos peligrosos en todo análisis, especialmente para una mujer. El primero es cuando se produce la transferencia.

Esta es una palabra nueva para mí. Pregunto qué significa. Ella explica:

—Es un proceso, inconsciente al principio, por el cual el paciente se identifica tan íntimamente con el analista como para volverse completamente, y a veces morbosamente, dependiente de él. A veces, también el analista cae en la misma trampa. El, o ella, se vuelve profundamente apegado al paciente, quien es tan dependiente como una criatura... En realidad, se parece mucho a enamorarse. Por cierto, Freud es muy preciso sobre ello. El me dijo una vez, "la curación se efectúa por el amor"... Sea como fuere, el siguiente punto de peligro llega cuando el paciente es llevado a ver claramente el defecto o el incidente que ha causado la neurosis. Eso es siempre un golpe terrible, porque nunca es del todo lo que uno espera... y hay que enfrentarlo sola. No puede volverse al guía que la llevó al momento de revelación... ¡Perdóneme! Sé que usted es una mujer fuerte e inteligente. Lo superará perfectamente. Yo solo estoy tratando de prepararla un poco.

También me está haciendo una advertencia: no pise el césped. Normalmente, me irrito cuando una mujer hace eso. Es como un desafío a duelo, e instantáneamente me pongo en guardia. Pero no esta vez, no con esta mujer. Ella me parece sensata, gentil y bien intencionada. Trato de decírselo. Rechaza el cumplido.

— ¡No! Es solamente que he visto muchas víctimas en esta profesión. Está llena de personas inteligentes y dedicadas; pero tratan con un material sumamente inflamable: la psiquis humana. No todos saben cómo manejarla. En nuestro grupo hemos tenido dos suicidios y muchos casos cercanos a la postración. El mismo Carl está ahora bajo una gran tensión. Todos lo estamos en esta casa.

Claramente, está invitando a una respuesta. Gentilmente, pregunto:

—¿Qué está tratando de decirme, Frau Jung?

—En el momento que la conocí, sentí que usted era una mujer muy especial. Instantáneamente me sentí atraída. En otras circunstancias, le habría pedido que fuera mi amiga. Ahora le digo, simplemente, que tenga cuidado. Tenga cuidado de usted misma; tenga cuidado de mi Carl. Temo que ustedes puedan ser peligrosos uno para el otro... —Toma la cesta de mi brazo y me da un suave empujón en dirección a la casa. —Ahora, usted debería entrar. ¡Está pagando cada minuto de tiempo!

Todavía tengo el botón de rosa. Me pregunto si debería hacer una entrada llevándolo entre los dientes y castañeteando los dedos como una gitana. Jung está leyendo. Cierra el libro y con un gesto me indica que me siente.

—¿Descansada y otra vez preparada? ¡Continuemos! Estaba diciéndome que no entiende la culpa. ¿Alguna vez se siente decepcionada consigo misma?

—A menudo.

—¿Qué hace, entonces?

—Lo relego al fondo de mi mente y sigo con la·tarea de vivir. A veces, cuando lo recuerdo, me maldigo a mí misma por estúpida.

—Eso es culpa; ya sea usted, o la mujer de la casa vecina, o el mismo Dios quien juzgue el acto.

—Sigo creyendo que hay más que eso... y me pregunto por qué no lo he sentido. ¡Usted me está tratando con condescendencia y arrogancia, doctor! ¡No lo haga, por favor! Yo le pago para que me ayude. —Saco el sobre lleno de francos y lo agito delante de su cara. — ¡Mire! Aquí está su paga. ¿La quiere ahora o después?

Sé que es un insulto, pero creo que es el momento de devolver golpe por golpe. El se muestra serio y combativo. Golpea con la mano la superficie del escritorio.

—El dinero no compra mis servicios, Frau Hirschfeld.

—Y usted no trate de intimidarme para ganar mi confianza, doctor.

Me mira fijamente, en silencio, un largo momento; después ríe, se levanta, me toma las manos y se las lleva a los labios. No hay ninguna sugerencia de galantería en el gesto. Me resulta simple, conmovedor.

—Lo siento. Estas son tretas del oficio. Con un paciente nuevo, uno ensaya todo el repertorio buscando el enfoque adecuado. ¿Podemos volver a empezar?

—Sí. Sé que necesito ayuda; pero no soy la idiota de la aldea.

—Podría estar más a salvo si lo fuera. A los idiotas no los ejecutan por asesinato. Y eso es lo que podría suceder si usted continuara con esos ejercicios peligrosos. Dígame qué pasó que la asustó tanto.

Hago una sucinta descripción del incidente con mi coronel en la casa de citas de la condesa Bette. No queda satisfecho. Quiere más.

—Necesito saber qué sucede dentro de su cabeza antes y después de episodios semejantes. Tómese su tiempo. Trate de tomar distancia y ver las cosas con ojo clínico.

No es fácil; pero logro expresárselo en palabras.

—Primero, siempre ocurre cuando estoy aburrida, sola, deprimida, cuando me siento asqueada de mí misma y del mundo. Empiezo a elaborar fantasías sobre actos sexuales. Todos ellos, excepto cuando intervienen mujeres, contienen violencia, ¡y yo soy la agresora! Las fantasías se vuelven obsesivas hasta que debo hacer, absolutamente, lo que estoy soñando. Por eso uso las casas de citas. Hay muchas personas ricas, aficionadas como yo, que pagan por las comodidades pero no por la pareja. Por supuesto, si no hay aficionados disponibles, alquilo un profesional. Cuando el juego empieza, yo me encuentro en un estado de gran excitación, que rápidamente se vuelve un frenesí, y de pronto se convierte en una furia ciega. En ese instante, sería capaz de hacer pedazos al otro. No lo amo. Lo odio. Si él es fuerte y lucha conmigo, peleamos hasta llegar al clímax. Si es débil y sumiso, lo golpeo sin piedad hasta que llego al orgasmo. Hasta ese momento, me encuentro totalmente descontrolada. Después, me siento agotada, afectuosa, agradecida, la mejor de las compañías. Me baño, me visto con mis ropas mejores y salgo a cenar.

—¿Con su compañero?

—¡Jamás! Ese es un mundo cerrado. Si nos encontramos por la calle, es como si fuéramos desconocidos.

—¿O enemigos?

—A veces, quizá. El chantaje no es desconocido.

Queda callado un momento, me estudia por sobre las puntas de sus dedos unidos. Después, ensaya un nuevo camino.

—Algo me intriga acerca de su historia.

—¿Qué, en especial?

—Primero, usted tiene toda esta infancia encantada, este mágico y hermoso despertar a la feminidad. Después viene un vacío, que tendrá que llenar para mí: sus años de soltera, cuando estudiaba en la universidad. A continuación tenemos un matrimonio maravilloso, tumultuosamente feliz, que termina, desgraciadamente, con la muerte prematura de su marido y la separación de su única hija... Es una pena; pero cuando murió su marido usted tenía treinta años, era rica y hermosa. Yo hubiera apostado a favor de un pronto nuevo matrimonio para usted. Estadísticamente y psicológicamente, esa es la pauta... En cambio, usted se lanza a una vida sexual sórdida y promiscua, de carácter sadomasoquista y tan desdorosa que atrae la atención de la policía. ¿Puede decirme por qué? ¿Qué la hizo emprender ese largo caminar por el lado malo de la ciudad?

Eso, le digo, es una historia larga y enredada. Tendrá que ser muy paciente conmigo. Me pregunta si puede fumar. Cuando su pipa enciende bien, la usa como un puntero para señalarme. Secamente, me ordena:

—¡Adelante! ¡Adelante! ¡Está malgastando mi tiempo y su dinero!

Replico instantáneamente:

—¡No me hable de ese modo! Me trata como un carnicero. Déjeme un poco de dignidad.

El menea la cabeza con cansada resignación. Es evidente que no cree que soy la idiota de la aldea.

—¡La dignidad, señora, es un abrigo muy liviano en un invierno duro! ¡Por favor, continúe!

JUNG

Por fin, creo que la he lanzado a la parte crucial de la
historia, la que debería llevarnos al cementerio donde están
sepultados los cadáveres. Uso las palabras en sentido meta-
fórico; pero tengo la incómoda sensación de que la metáfora
está muy cerca de la verdad.

No estoy muy familiarizado con la vida mundana.
Cuando era joven, en París, mi pobreza, mi crianza puritana
y el temor a las infecciones me mantuvieron tolerablemente
casto. En mis mejores años he logrado algunas diversiones
fuera de la monogamia; pero nunca tuve dinero suficiente
para entregarme a las diversiones o perversiones de los ricos,
¡que, en todo caso, no están ampliamente disponibles en
Zurich! Sin embargo, conozco lo suficiente del mundo
dorado para entender que protege muy bien su intimidad, y
que Magda Liliane Kardoss von Gamsfeld puede estar exa-
gerando sus arriesgadas locuras para ocultar un asunto
mucho más grave.

Hay otra posibilidad que no debo desechar: ella está
sufriendo, como yo, de una fragmentación progresiva de la
personalidad, de modo que parece que todas las bestias del
subconsciente están libres para amenazarla. En este caso,
es muy posible que lo que estoy oyendo sea un elaborado
cuento de hadas.

Todavía no hemos empezado a analizar su sueño.
Espero que lo que ella está a punto de contarme iluminará
algunos de sus significados. Cuando empieza su narración,
noto un evidente cambio de estilo. Ella ya no está reviviendo
los sensuales placeres de la infancia y tratando de convertirme en un partícipe substituto. Ahora es una adulta joven,
que comparte su deleite por los viajes y el descubrimiento
intelectual.

197

—Papá me dio Padua como los príncipes antiguos daban territorios y dominios a sus hijos. Me hizo saber que el regalo era un don precioso, una participación en su propia juventud. El había estudiado medicina en "Il Bo", cuando Padua era todavía una ciudad Habsburgo, donde la policía austríaca patrullaba los callejones y los espías de Metternich se mezclaban con los conspiradores del **Risorgimento** en el café Pedrocchi. Debido a que era joven y húngaro, papá no estimaba a los austríacos, checos, eslovacos o croatas y daba todas sus simpatías a la causa italiana. Como se enamoraba constantemente de mujeres italianas, casadas o solteras, se convirtió en un asiduo y experto conspirador. Tenía un fondo de historias de aventuras con azarosos escapes de maridos celosos y agentes del emperador... Llegamos, nosotros tres, inmediatamente después de **Ferragosto**, para buscar un departamento y completar las formalidades de mi permiso de residencia y mi admisión en la universidad. Papá nos instaló en el mejor hotel, contrató un cochero para que nos atendiera todos los días y se dispuso a enseñarme mi nueva heredad: Venecia, Vicenza, las colinas de los alrededores, todos los esplendores veraniegos de la planicie lombarda... y Padua misma, la ciudad de San Antonio el Milagroso, de Livio y Petrarca, Boccaccio y Tasso, y los nombres más grandes de la historia de la medicina. Papá se jactaba de poder caminar por la ciudad con los ojos vendados y recitar todas sus glorias como una letanía: "Giotto y Mantegna pintaron aquí. Erasmo dio clases de filosofía, Vesalio enseñó anatomía, Fracastoro propuso la primera teoría válida del contagio, Morgagni describió la tuberculosis renal y las lesiones hemipléjicas, Leonardo da Vinci hizo dibujos anatómicos para textos de Mercantonio della Torre."

Se interrumpe, avergonzada de su propia elocuencia. La aliento a que continúe.

—¡Prosiga, por favor! Usted está despertando a un mundo más amplio. La experiencia es importante y excitante... ¿De modo que se enamora de Padua?

—De la ciudad... y nuevamente de papá. La habitación de mi corazón que había estado cerrada desde el día en que él me obligó a volver al colegio, se abrió otra vez.

—¿Y otra vez fueron amantes?

—No. Yo tenía ahora un nuevo rol. Era el hijo con quien él podía compartir las experiencias de su juventud.

—¿Y usted disfrutó de eso?

—Por supuesto. Parecía completar las cosas entre nosotros.

—¿Fue su padre quien le indicó ese rol, o usted lo adoptó instintivamente?

Piensa en eso un momento y después admite, con reticencia:

—Yo diría que papá me lo indicó; no con todas las palabras, él nunca hacía eso, pero sí en forma indirecta.

—¿Cómo, exactamente?

—Bueno, primero estuvo la cuestión de como yo, una mujer, encajaría en la vida sin restricciones de la escuela de medicina. No se trataba de que las estudiantes mujeres fueran desconocidas en Padua. En la cima de la escalera principal, está la estatua de una mujer: Lucrezia Cornaro, hija de una familia noble, que defendió su tesis de doctora en letras en el gran salón. ¡Pero la escuela de medicina era otra cosa! De modo que papá me sonrió, en esa forma curiosa con que solía hacerlo, y dijo: "¡Personalmente, sugiero un aspecto masculino, a la George Sand! Esta es la era de los dandis. Te verás muy atractiva con pantalones. Te creerán una tipa rara, por supuesto, pero después de un mes serás parte del decorado, y no tendrás manos que te levanten la falda en momentos inconvenientes. En realidad, conozco a la mujer que puede atenderte. Es jefa del guardarropa en el teatro La Fenice de Venecia. ¡Diseña ropa para la Duse!" De modo que fue así como estrené mi primer traje con pantalones, para comprender cuánto había deseado papá un hijo... y qué complicado era el amor que él sentía por mí.

—¿Se sentía cómoda con ropas masculinas?

—No eran ropas masculinas. Eran varoniles en el corte. Eso es todo. Pero sí, me sentía cómoda; todavía me siento cómoda, pero ahora, por supuesto, estoy a la moda.

—¿Disfrutaba de ese disfraz?

—No era un disfraz. Era, ¿cómo diré?, una expresión de una actitud. Yo quería trabajar en términos de igualdad con los estudiantes varones. Quería ser todo lo hijo que pudiera para papá... ¿eso suena extraño?

Ojalá pudiera decirle que para mí, Carl Gustav Jung, no suena para nada extraño sino turbadoramente familiar. Ella, que me enfrenta en este momento, es mi Salomé viva: hija, amante, protectora, también hijo, quizá. ¿Es eso lo que significa la serpiente de mi sueño? Pido más detalles a mi paciente.

—¿En qué otras formas su padre le indicó el rol de hijo varón?

Esta vez ella suelta una pequeña carcajada de embarazo.

—Nuevamente fue en forma indirecta. Estaba preocupado, dijo, por mi seguridad física. Los estudiantes de Padua eran, tradicionalmente, rudos y alborotadores. En los viejos tiempos tenían una agradable costumbre que llamaban "chi va li". Literalmente, "¿quién anda ahí?". Era un desafío a cualquier desconocido que pasaba frente a las vinerías o los burdeles cerca de "**Il Bo**". Los que pasaban tenían que pagar una especie de impuesto o eran golpeados por los estudiantes borrachos... De modo que papá decidió que yo tenía que aprender a protegerme. Me llevó a una **salle d'armes** dirigida por un piamontés llamado Maestro Arnaldo, quien me enseñó elementos de esgrima y a disparar una pistola.

"Después papá me compró una espada y una pequeña pistola de bolsillo a la que llamaba **derringer**. Nunca usé la espada; Lily la tenía para su protección en el apartamento. La pistola me fue de utilidad en unas pocas ocasiones, ¡una vez, con un inglés muy borracho en un paseo en bote por el Brenta!

"Aparte de eso, papá me proporcionó ciertos privilegios masculinos: una tarjeta de socia del **Club della Caccia**, donde Lily y yo siempre podíamos alquilar un caballo, una entrada a un salón de juego de Venecia, que era también un lugar de encuentro para amantes o para corazones solitarios, y un cómodo arreglo de crédito con la oficina local del Banco Padovano. En cuanto a otros entretenimientos, papá me dijo: "Tendrás que conseguirlos tú. Si eres lo bastante estúpida para quedar preñada, ven directamente a casa a verme. ¡Por lo menos, tendrás un trabajo limpio y ningún reproche!"

"Un trabajo limpio y ningún reproche". Me apodero de la frase y trato de obligarla a que la examine conmigo.

—Eso no le pareció una muestra de terrible sangre fría de un padre para con la hija... ¡o hasta con un hijo! ¿El no le enseñó nada de moralidad?

Piensa unos segundos en la pregunta y después responde, con un encogimiento de hombros:

—Algo, supongo; pero fue todo muy simple y pragmático. No mientas, porque al final tendrás un tropiezo. ¿Por qué robar? Tienes más de lo que puedes usar, y además perderías amigos y terminarías en la cárcel. En cuanto al sexo, es un juego hasta que quieras casarte y tener hijos; pero si juegas en el lodo, te ensuciarás... Eso fue más o menos lo que me enseñó.

—¿Todavía la satisface?

—No; pero es todo lo que tengo. No tengo ningún sentimiento religioso. Aparentemente, usted sí. Es por eso que Gianni me lo recomendó.

—¿Gianni? —El nombre se me escapa por un instante. Después, recuerdo: —¡Oh, sí! Nuestro colega italiano. ¿Cuál es su apellido?

—Di Malvasia. Su esposa lo recuerda bien. Cenaron juntos en Weimar. El es católico. También es homosexual y dejó que su familia lo arrastrara al matrimonio. Es muy desdichado; pero afirma que su religión lo ha ayudado a aceptar la situación. ¿Usted cree que eso es posible?

—Con toda seguridad, es posible.

—Querría que me explique cómo. Gianni lo intentó, pero sentí que era un testigo bastante parcial. Para él, lo importante era que una confesara sus pecados a un sacerdote y tuviera la seguridad de que sería perdonada por Dios. Es muy consolador, ¿pero cómo puede alguien creer una cosa así?

Hemos tocado antes este asunto, pero fugaz y superficialmente. Ahora ella me lo plantea otra vez. No estoy seguro de si quiere crear una distracción, o si está buscando sinceramente esclarecimiento. En cualquier caso, debo ofrecerle una respuesta razonable. Empiezo en tono ligero.

—Veamos lo bien que la instruyeron en Padua. Definamos los términos. ¿Qué es la religión? Respóndame con sencillez, tal como usted la entiende.

Piensa un momento y después, con más de un asomo de picardía en su sonrisa, acepta el desafío.

—Muy bien, doctor. **Incominciamo...** ¡empecemos! **Religio**: sustantivo latino. Significado genérico: un lazo, un deber, una obligación a reverenciar. Religión: un sistema de creencia y culto. Ejemplos: cristianismo, animismo, islamismo. ¿Suficiente?

—Lo está haciendo muy bien, mi querida colega.

—¿Entonces usted me dará una definición en retribución?

—Si puedo.

—¿Qué es insania?

—Nuevamente una palabra derivada del latín. **Sanus**, sano. **Insanus**, insano. Significado genérico: de mente no sana, mentalmente enfermo. Sin embargo, en el lenguaje común, la palabra es usada libremente para cubrir toda una variedad de síntomas, de la histeria simple a estados delirantes fijos y demencia violenta. ¿Puedo inquirir por el objeto de la pregunta?

—Pongamos juntas las dos definiciones: religión e insania. Tomemos un ejemplo concreto para poner a prueba nuestra lógica. Gianni di Malvasia cree en Dios, en la Iglesia Católica Apostólica Romana, en la confesión auricular... ¡todo el libro! Usted cree en un dios. No sabe quién o qué es él; pero graba su creencia en el dintel de su puerta. "Llamado o no llamado, el dios estará presente." ¿Yo? Yo no creo en nada de eso, no creo en Dios, ni en la iglesia, ni en nada que no pueda ver, oler, oír y tocar. Ahora bien, todos nosotros no podemos estar sanos. Uno de nosotros, por lo menos, tiene que ser insano por definición: víctima de un estado delirante fijo. ¿Quién de los tres? ¿Gianni, yo o usted?

—La respuesta, querida colega, es sencilla. Ninguno de nosotros es insano. Las definiciones son inadecuadas y la lógica es defectuosa.

Las palabras apenas han salido de mi boca cuando me doy cuenta de que he cometido una equivocación espantosa. He dejado que me haga caer en la trampa de una discusión académica para la cual no estoy bien preparado. Si permito que continúe en estos términos escolásticos, ambos terminaremos golpeándonos las cabezas contra una pared de ladrillo, y ella será la que seguirá riendo. Parece que por una vez tengo que hacer un acto de humildad. Debo admitir mi propia ignorancia. Sin embargo, todavía soy lo bastante vanidoso para disfrazarla de sabiduría. Saco mi bloc de anotaciones y un grueso lápiz negro. Hago que se ponga de pie y se ubique detrás de mi silla. Cuando se inclina sobre mi hombro, me envuelve su perfume y la cercanía de su cuerpo me excita. Trazo un semicírculo. Después, dibujo tres pequeñas figuras: un hombre, una mujer y un niño, de pie sobre la línea recta del diámetro. Explico la ilustración:

—Este es el concepto más simple y primitivo que tiene el hombre de sí mismo y de su habitat. Vive en una tierra plana bajo un cielo abovedado. La tierra está llena de criaturas, grandes y pequeñas. El cielo tiene el sol durante el día, la luna y las estrellas durante la noche, y unas nubes siempre cambiantes de las que salen relámpagos, truenos y lluvia. Entre la tierra y el cielo, el viento sopla, suave o violento, según la estación. El hombre y su compañera, la mujer, son animales que sueñan, animales que hacen preguntas. ¿Quién vive más allá de las nubes? Si caminamos lo suficiente, ¿caeremos por el borde de la tierra? ¿Quién nos hizo? ¿Qué sucede cuando morimos? ¿Qué hace los truenos y los relámpagos?... El hombre y la mujer no tienen respuestas, de modo que las inventan. Construyen cuentos de hadas, mitos que transmiten a sus hijos. Sobre los mitos, sus hijos construyen religiones, sistemas de creencias; construyen rituales, constituyen autoridades. Hacen imágenes de sus dioses, erigen templos para adorarlos y simbolizar su presencia en los asuntos humanos... Y todo encaja perfectamente, todo funciona, hasta que el sistema es desgastado o superado por los acontecimientos. Si el rey se vuelve tirano, su pueblo se rebela y lo mata. Si la peste azota la tierra y el dios es ciego a todas la ofrendas puestas a sus pies, es derribado de su pedestal, su templo es arrasado y la desconcertada tribu busca un nuevo protector...

De pronto se me acerca mucho. Sus manos tocan mis mejillas y después cubren mis ojos. Sus labios rozan mi oreja cuando ella susurra:

—Usted es un hombre muy inteligente, doctor Jung. Me pregunto si cree la mitad de todo eso.

Un momento después está nuevamente en su silla, recatada como una colegiala que espera elogios o reprobación. Decido no ofrecer nada de eso. Termino mi pequeña homilía, aunque un poco menos retóricamente de como la comencé.

—Y ese es el estado en que usted se encuentra ahora. La ética del Edén no funciona en el gran mundo. Las aves canoras han desaparecido; ahora hay solamente buitres y carroña y cuervos... Papá ya no está, y los otros hombres que usted conoce no toman su lugar. ¡En cuanto a esto último, yo tampoco!

Instantáneamente se pone furiosa. Casi espero que salte de su silla y me golpee. Noto con clínica preocupación la rapidez con que ocurre el cambio, lo mucho que tiene que luchar para controlarse. Sonrío y trato de aplacarla.

—¡No se encolerice, por favor! No estoy burlándome de usted. Me gusta ser acariciado, especialmente por una mujer hermosa. Pero no era yo quien estaba jugando al escondite; usted estaba reviviendo una escena: días felices con papá en Padua.

—¡No fueron todos felices! ¡Créamelo! Al final, Lily y yo nos alegramos cuando se marchó.

—¿Por qué?

—Por primera vez en mi vida lo vi ebrio y violento. Fue un choque para mí. Lo que me chocó más fue que Lily podía manejarlo y yo no. El no quiso que yo me le acercara; amenazó con matarme si lo tocaba.

—¿No cree que deberíamos hablar de eso?

Me dirige una sonrisa pálida, insegura, y señala mi dibujo.

—No es una historia bonita como la suya.

No me atrevo a decirle ahora que mi historia es un cuento de hadas, un mito. Nunca ocurrió. El hombre es un animal feroz y peligroso, desagradable en su cólera, brutal en su lujuria, desesperado en la muerte. La única cosa que permite alentar esperanzas es el espíritu angélico que a veces se asoma a sus ojos salvajes, que le enseña, muy raramente, cierta gentileza a su mano mortífera.

204

MAGDA

Tengo que admirar a este hombre. Pese a todas sus debilidades — ¡y no hubo ninguna duda acerca de su respuesta cuando me le acerqué y lo acaricié!— es benévolo y hábil. Aceptó mi pedido de anonimato, aunque yo ya le he contado más de lo que era mi intención. ¡Pero no importa! Admiro su sutileza. Me conduce como a un caballo mañoso, ora halagándome, ora azuzándome con el látigo, para hacerme enfrentar mi primer obstáculo: mi extraña y confusa relación con papá. Ahora estoy lista para dar el salto. Siento que él me alienta entre sus rodillas, afloja las riendas, espera el momento en que yo lo necesitaré para el último impulso sobre la valla... Bueno, si logra que supere esta, las otras no parecerán tan formidables. ¡De modo que allá vamos, querido doctor! ¡Allá vamos!

—Estábamos instaladas en el apartamento, el que tenía el Tiepolo en el techo y cuartos de baños tan grandes como las termas de Caracalla. Lily estaba dando instrucciones a los sirvientes. Yo discutía con el decorador sobre la armonía de las cortinas con los cubrecamas. Papá había estado inquieto durante días... "¡Como un perro en celo!", dijo Lily. "¡No me sorprendería llegar una noche y encontrarlo aullándole a la luna!" Entonces, durante el desayuno, él anunció que había cumplido sus obligaciones para con nosotras y que ahora se proponía divertirse. Si lo necesitábamos — ¡Dios no lo permitiera!— podríamos encontrarlo en el "Daniele". Si no estaba allí, su viejo amigo Morosini sabría dónde ubicarlo. "¡Morosini, pamplinas!" dijo Lily con un resoplido de desdén. "Ha encontrado una nueva mujer... ¡Oh, bueno, por lo menos, tendremos paz por un tiempo!" Yo también me alegré de no tenerlo en la casa. Estaba ahíta de historia de Padua; Harvey y Dante Alighieri y las "Naciones" y "Lenguas" que formaban la población extranjera de la universidad. Había comprado todos mis libros de texto. Ahora quería adaptarme al apartamento que sería para Lily y para mí un hogar durante los próximos cinco años. Era mi primera experiencia como dueña de casa y la disfrutaba; pero papá trataba al lugar como a una casa de postas, donde las sirvientas eran o virtuosas o aburridas...

Me interrumpo, porque Jung no parece estar escuchando lo que estoy diciendo. Escribe continuamente en su cuaderno de notas. Me siento irritada porque estoy tratando con esfuerzo de hacer la historia interesante. El levanta la vista, ceñudo, y pregunta por qué me he detenido.

—Porque me parece que estoy aburriéndolo.

—¡Tonterías! —Se muestra brusco e irritable. —Usted no es una actriz. Yo no soy el público. Esta es una entrevista clínica. ¡Continúe, por Dios!

Tengo que recobrar mi compostura. Esta vez, le doy la historia sin ningún adorno.

—Tres días después papá vino a casa. Era casi medianoche. Lily y yo estábamos en camisón, leyendo en el **salone**. Oímos golpes en la puerta de entrada y la voz de papá que gritaba cosas obscenas. Pasó entre nosotras y subió tambaleándose la escalera hacia su habitación. Lily y yo lo seguimos. Cuando él nos vio, de pie en el vano de la puerta, nos arrojó la maleta y nos dijo que nos marcháramos. Yo fui hacia él. El pareció no saber quién era yo. Cuando estiré el brazo para tocarlo, me abofeteó muy fuerte, tan fuerte que me tambaleé y casi me caí. Después empezó a insultarme con todas las palabras gruesas que le vinieron a la boca... En el instante siguiente, vi que Lily corría, persiguiéndolo por la habitación. Tenía la falda de su camisón subida más arriba de las rodillas, y llevaba zapatillas turcas bordadas con punteras de metal. Recuerdo que pensé que semejaba una gallina furiosa defendiendo a sus polluelos. Dijo una palabra, "¡bastardo!", y después pateó con mucha fuerza a papá en la entrepierna. El tuvo arcadas, se dobló de dolor y cayó retorciéndose al suelo. Lily me hizo salir de la habitación, cerró la puerta con llave y lo dejó encerrado. Me llevó a su cuarto, me hizo acostar, me sirvió un coñac, me dio una dosis de hidrato de cloral y se quedó conmigo hasta que me dormí. No desperté hasta el mediodía siguiente.

—¿Y ese es el final de la historia?

—Esa es mi parte de la historia. Lo siguiente es de Lily, de modo que viene de segunda mano. Mientras yo dormía, ella volvió con papá. El estaba tendido en el piso, roncando sobre su propio vómito. Lily lo desnudó, lo lavó, lo arrastró hasta la cama y después limpió la habitación y se deshizo de todas las ropas sucias. Lo dejó que durmiera hasta las nueve y entonces lo despertó, le sirvió el desayuno, le contó lo que él me había hecho, oyó lo que le había sucedido a él, y lo mandó a visitar al barbero y a los baños turcos. Después de eso, aparentemente, papá alquiló un caballo y salió a cabalgar por la **campagna** hacia las colinas. Cuando volvió a casa, poco antes de la puesta del sol, me tomó en brazos y lloró como una criatura. Me rogó que lo perdonase. Lo perdoné, por supuesto. Yo nunca podía negarle nada. Pero después de eso, nada fue como antes. Dos días después se marchó a Silbersee. Las dos nos alegramos de su partida.

Jung ladea la cabeza como una cotorra curiosa y pregunta:

—¿Puedo saber la razón de esa dramática borrachera?

—Parece que papá había llevado a su nueva querida al teatro La Fenice para una representación de **Don Giovanni**. Allí, en el palco de enfrente, estaba mi madre, su esposo inglés y un joven que era evidentemente el hijo de ambos. Papá dejó a su compañera en el palco, regresó al "Daniele", empacó su maleta y, en compañía del gondolero que lo llevó a Mestre, se embarcó en una borrachera de cuarenta y ocho horas que, por algún milagro, lo trajo a nuestro umbral. Cuando me vio, creyó que yo era mi madre, pues aparentemente me le asemejo mucho, y me arrojó todos los insultos que había acumulado durante veinte años... ¡De modo que ya ve, fue realmente muy sencillo, y terriblemente triste!

—Mi querida mujer —me regaña Jung con gentileza—. Creo que no es ni la mitad de simple de lo que a usted le gustaría que fuese. Nunca perdonó completamente a su padre por lo de aquella noche, ¿verdad?

—No.

—¿Qué fue exactamente lo que no pudo olvidar o perdonar?

Las palabras se atascan como una espina de pescado en mi garganta. Me ahogaré antes de poder pronunciarlas. Jung me presiona:

—¡Dígalo, mujer! ¡Dígalo, por Dios!

—El estaba hablándole a mi madre, no a mí.

—¡Eso ya lo sé! ¡Continúe!

—Pero estaba hablando de mí. Había una... una clase horrible de triunfo en su voz. Dijo: "¡Tú te marchaste; pero yo tengo a Magda! ¡Ella es tu hija, pero en el juego es mejor de lo que tú serás jamás! Será la mejor ramera del oficio cuando yo haya terminado con ella. ¡Tu hija! ¡Tu maldita y hermosa hija! Quizá la aparearemos con ese potrillito que estaba contigo en el palco, ¿eh?

Ahora estoy llorando. No puedo parar. Odio estar así. ¿Por qué me ha obligado a humillarme de este modo? ¿Por qué no dice nada? Siento como si estuviera nuevamente dentro de la bola de cristal, rodando y rodando en el desierto vacío. Ahora, gracias a Dios, él ha venido a mí. Se pone en cuclillas, separa mis puños y pone entre ellos un pañuelo. Después me levanta el mentón de modo que tengo que mirarlo a los ojos. Son ojos bondadosos, llenos de compasión. Me dirige una sonrisa leve y curiosa, besa las puntas de mis dedos y transfiere el beso a mis labios.

—¡Buena muchacha! Es duro, lo sé; pero ahora podremos empezar a hallarle un sentido juntos. Séquese los ojos. Levántese y camine unos minutos.

Me ayuda a ponerme de pie, me sostiene hasta que recupero mi estabilidad y después me lleva hasta su biblioteca para mostrarme su colección de obras de alquimia. Es una estratagema sencilla; pero da resultado. Empiezo a calmarme. El se sienta ante su escritorio, toma notas, y mientras yo sigo caminando, empieza a hablar casi despreocupadamente de papá y de mí.

—Para usted, por supuesto, es un choque terrible. El cuento de hadas se ha invertido. Su príncipe se ha convertido en un escuerzo. Las palabras de amor se han vuelto obscenidades; los gestos de amor se han convertido en actos de violencia. Usted ya no es el objeto del afecto de su papá.

Es el instrumento de su venganza de la mujer que lo abandonó. Todo es muy feo, más aún porque su sentido común le dice a usted que esa fealdad ha estado incubándose durante años en la mente de él. Usted se siente sucia, humillada, corrupta. Eva es arrojada del Edén. Trata de cubrir su vergüenza con hojas de higuera... y empieza a odiar al hombre que la avergonzó. Nunca ha estado totalmente segura de él. Aunque era un príncipe, ella supo durante largo tiempo que era corrompido, egoísta, pervertido. Ahora se siente totalmente desilusionada. ¿Hacia dónde se vuelve? ¿Hacia Lily? Ella, pobre mujer, está atrapada entre las piedras de molino, a la vez conspiradora y víctima. No, nuestra desilusionada princesa se vuelve hacia su madre, la Reina de la Nieve con el corazón de hielo. La madre tuvo razón al abandonar a este monstruo. La crueldad de la madre estuvo totalmente justificada porque la hizo invencible e invulnerable... ¿tiene sentido lo que le estoy diciendo?

Sí, tiene sentido: pero ojalá fuera tan simple como suena. Me dice que debo reflexionar sobre lo que ha dicho. Debo preguntarme si lo que él ha descrito encaja con toda mi conducta. Yo también debo empezar a tomar una parte activa en el análisis. Mira su reloj. Me dice que han terminado mis dos horas. Hemos adelantado mucho. En nuestra siguiente entrevista, retomaremos la historia en el punto donde la dejamos. ¿Mañana, quizá, a la misma hora? Fräulein Wolff concertará la cita. ¿Mañana? La palabra me produce un pánico ciego. Cruzo apresuradamente la habitación. Le ruego con desesperación.

—Si me marcho ahora, sé que no tendré el coraje de volver. ¿No comprende? Es como un gran salto en las carreras de obstáculos. Una vez que se ha empezado, hay que continuar. Si una vacila aunque sea un poquito, el caballo retrocede y una está perdida. ¡Por favor, continuemos!

A él la idea no le gusta nada. Yo ya estoy dando señales de agotamiento. Para él también es difícil. Esto no es como un diagnóstico físico. Los indicadores a menudo están disimulados en alguna frase o gesto sencillo. Si el analista no está alerta, puede pasarlos por alto. Insisto con vehemencia. Por fin, llegamos a un acuerdo de compromiso. Yo regresaré al hotel, tomaré el almuerzo y a las tres regresaré. Trabajaremos como máximo hasta las cinco y media. Sin embargo, hay una condición. Para entonces, yo debo completar lo que él llama mi biografía, el esbozo de mis trabajos y días. El análisis vendrá después; pero debo estar resuelta a poner hoy todos los hechos a su disposición.

Una vez hecho nuestro pacto, él no parece apresurado por despedirme. Me observa con una sonrisa mientras yo compongo mi maquillaje ante el espejo. Pone sus manos sobre mis hombros y hace que me vuelva y lo mire a la cara. Me dice:

—Estoy muy satisfecho con usted. Le hice pasar un momento duro esta mañana; pero usted lo superó muy bien... Disfrute su almuerzo. Oh, a propósito, ahora que nos conocemos, no tiene necesidad de vestirse con tanta formalidad. Póngase algo más cómodo. La ayudará a relajarse.

Tengo un súbito impulso de besarlo, pero me contengo. No quiero ser una de las tontas de quienes me habló Frau Jung, las que se cuelgan como criaturas de su analista. En la puerta, le ofrezco mi mano y le agradezco su ayuda. El ríe y me cita el antiguo proverbio: "El médico lastimado es el que cura mejor."

Cuando me acompaña hasta la entrada, entre los manzanos y los rosales florecidos, percibo su autoridad, siento su fuerza física. Es un hombre grande, vigoroso y enérgico. Me pregunto cómo será en la cama, y quién de nosotros dirigiría la sinfonía.

JUNG

La veo alejarse en ese enorme automóvil, y desearía poder permitirme uno la mitad de grande. Su opulencia me irrita. Es una afrenta a mi modesta situación. Hasta ahora, esta mujer nunca tuvo que pensar en el precio de nada. Me sentí hondamente ofendido cuando agitó bajo mi nariz el sobre lleno de billetes; después, inmediatamente, comprendí que era un gesto de desesperación. Su arrogancia, la brutalidad que dice practicar, contrastan extrañamente con la imagen de la muchacha sistemáticamente vejada por un padre promiscuo y una niñera cómplice.

La imagen de la hembra dominante, la **mater terribilis**, es endémica en la mitología masculina. Es repugnante para la mayoría de los varones, pero enormemente seductora para otros. Personalmente, yo no encuentro placer en ella. Me conmueve más el espectáculo de la inocencia, ultrajada y explotada... lo cual es, quizá, lo que me hace una presa tan fácil para las mujeres dependientes, y hace de esta Magda Kardoss von Gamsfeld un estudio tan fascinante en tipología.

Paseo un rato, solo, en el jardín, mientras trato de elaborar un resumen clínico. Primero y principal, ella es muy racional. Ante cualquier tribunal legal sería tenida por cuerda y responsable de sus actos. Dados sus antecedentes y educación, cualquier pedido de atenuantes en un caso criminal sería rechazado... ¿Por qué he comenzado aquí, con una suposición de criminalidad? Sé que es algo potencial en su caso. No tengo evidencias de que sea real. El coronel de Berlín fue un compañero voluntario, como son presumiblemente todos sus otros compañeros de cama. La crueldad con sus animales nunca fue motivo de acusaciones.

No obstante, el contenido de su sueño y sus preguntas sobre el perdón, su temor a perder el coraje y huir, todo sugiere una culpa enorme y subconsciente.

Empero, ella tiene muy poco sentido moral. En cuestiones sexuales, es promiscua con ambos sexos. En sus episodios de ninfomanía, busca la catarsis por la crueldad, pero está más preocupada por la intervención policial que por el daño causado a su propia vida psíquica. Las raíces de su enfermedad son lo suficientemente claras: excesiva estimulación sexual durante su vida prepuberal y puberal, la prolongada relación incestuosa con su padre, quien era, él mismo, obviamente un psicótico, la situación ambivalente con Lily, la madre substituta.

Una vez más me impresiona fuertemente la similitud de nuestros caracteres y nuestros síntomas. El **animus**, el principio masculino, es fuerte en ella, como el **anima**, el principio femenino, es fuerte en mí. En ambos hay violencia. Hay momentos en que estoy tentado de administrarles una buena paliza a la antigua a algunos de los acólitos de Freud. Yo también soy obsesivo, cada vez lo soy más. Estoy sujeto a cóleras repentinas y a bruscas caídas en la depresión. Me tortura una culpa que no siempre puedo definir, y también impulsos y experiencias sexuales ambivalentes.

Hasta nuestros sueños concuerdan extrañamente. Ambos estamos aprisionados en un mundo transparente, ella dentro de un globo de vidrio, yo detrás de la ventanilla de un vagón de ferrocarril. Ambos vemos al semental en un contexto de muerte y desastre. No se me escapa que, aun cuando ella me rogaba que continuásemos la sesión, usó una metáfora equina: la "carrera de obstáculos", la prueba de fuerza para los aficionados al salto.

De modo que hay entre nosotros la posibilidad de comunicación sin palabras, de interacción instintiva, que puede ser tanto fructífera como peligrosa. Lo bueno es que ambos hemos sido educados en la misma disciplina: en medicina; ella mejor que yo, que tuve que conformarme con Basilea, mientras ella se zambulló inmediatamente en la corriente principal de la tradición en Padua, donde las artes, las letras y la medicina florecen todas juntas. Quizá, algún día, si tengo éxito con ella, podamos compartir un campo de estudio... ¡por lo menos, ella es más madura que la muchacha de Spielrein, quien realmente se convirtió casi en un desastre para mí!

Lo cual me recuerda que debo hacerle dos preguntas. ¿Por qué abandonó la medicina? ¿Qué hará ahora que no puede regresar más a sus propiedades en Austria?

Normalmente, Toni y yo tomamos a mediodía un bocado en mi estudio, a fin de que no sean interrumpidos el ritmo de mi trabajo y la intimidad de nuestra comunión. Hoy, debido a que los niños están ausentes, Emma sugiere que almorcemos los tres juntos. No tengo forma de negarme decentemente; pero estas ocasiones triangulares siempre están cargadas de tensión, pues cada mujer trata de afirmar sus derechos sobre mi persona y mi atención.

Ahora estoy atrapado en un nuevo dilema. Como regla, no hablo con Emma de mis pacientes privados. No es justo para ella; no es justo para ellos. Zurich es una ciudad pequeña, y la esposa del doctor debe estar por encima de toda sospecha de murmuración. Con Toni es diferente. Ella es mi alumna, mi colega, mi archivista. Debe estar enterada de todo lo que pasa. En el almuerzo, sin embargo, las dos mujeres se muestran curiosas sobre mi nuevo caso. Por eso, para conservar la paz, tengo que ser un poco más comunicativo. Ambas quedan sorprendidas — ¡con sospechas, sería una palabra más exacta!— cuando les digo que Magda Hirschfeld regresará después de almorzar. Emma comenta secamente:

—Nunca supe que hicieras eso antes, Carl. Siempre has dicho que dos horas es el límite de una sesión efectiva.

—Lo sé; pero este es un caso desusado. Ella se ha abierto muy rápidamente. Con la misma rapidez, podría perder coraje y sumirse nuevamente en el silencio. Le he dado tiempo adicional con la condición de que completemos esta tarde el estudio biográfico.

—¿Te ha dicho ya su nombre verdadero?

La pregunta es de Toni. Podría matarla por haberla hecho. Respondo que no me lo ha dicho todavía, pero que no es un asunto importante.

—¿No es un poco arriesgado? Si sucede algo imprevisto

quedarás como un tonto por ignorar el nombre de tu paciente.

—En realidad, no. —Me siento irritado por esta referencia oblicua a mis indiscreciones del pasado, pero trato de no demostrarlo. —Tengo una nota de su médico de París que me ruega que le permita mantenerse en el anonimato. En extrema necesidad, el gerente del "Baur au Lac" tendrá un registro de sus documentos de identidad. Además, el hecho de que yo haya accedido a su primera solicitud me ha ayudado a obtener otra información más relevante.

—Es muy hermosa. —La admiración de Emma no es del tono inocente. — ¡Y esas ropas deben haber costado una fortuna!

—Es una viuda rica... y alegre. —Toni es una imitadora excelente y copia a la perfección el acento de mi paciente. —No tengo amante permanente, pero me entretengo en forma adecuada... ¡Apostaría que sí! ¡Diría que es una devoradora de hombres!

En el momento que dice esas palabras, sucede algo extraordinario. Es como si me hubiera dado un ataque de catalepsia. Quedo aturdido, rígido. Ya no estoy en mi propia mesa. Estoy de nuevo en la cueva subterránea, mirando el gran dios falo ciego, mientras la voz de mi madre me dice: "¡Míralo! ¡Ese es el devorador de hombres!"

Parece que pasa una eternidad hasta que la visión se disuelve y estoy de nuevo en la realidad. Empero, ninguna de las mujeres notó nada extraño, porque Emma, a su manera calma y juiciosa, está diciendo:

—¿Una devoradora de hombres? A mí no me causó esa impresión. Hablé con ella en el jardín. Es muy inteligente y totalmente encantadora. Pero eso nada significa, supongo. Estoy segura de que hay devoradoras de hombres inteligentes y encantadoras... ¿Tú que opinas, Carl?

No voy a dejarme empujar hasta esa pequeña trampa, ¡ni por todo el té de la China! Le digo:

—Todavía no me he formado muchas opiniones. He establecido que hay una aguda fijación paterna, con obsesiones sexuales relacionadas. Espero poder aclarar más esas cosas esta tarde.

Las dos mujeres entienden la advertencia; pero Toni

está dispuesta a arriesgar más que Emma. En tono solícito, pregunta:

— ¿Quieres que escriba tus notas antes que ella regrese? Solo me llevará una hora.

Y eso la pondría exactamente donde yo no quiero tenerla, en el medio de una relación que apenas he empezado a cultivar. ¡Gracias, querida mía, pero no! Tú ya tienes suficientes privilegios. ¡Necesito un poco de terreno privado para caminar! Le digo que prefiero dejar esa tarea para después de haber terminado la sesión. Puede tomarse la tarde libre y yo le llevaré las notas esta noche a su casa. Acepta de buena gana. Ello significa que podremos pasar una o dos horas en la cama. Emma finge ignorar esta pequeña y transparente estratagema y lleva nuevamente la conversación al tema de mi paciente.

—Estaré muy interesada en ver cómo resulta este caso.

— ¿Cómo resulta? No estoy seguro de lo que quieres decir.

—Bueno, ella está en cierta edad... en plena floración, podría decirse. La mayoría de tus problemas en situaciones de transferencia han surgido con mujeres mucho más jóvenes.

No hay reproche en su tono. Sus ojos están libres de malicia, inocentes. Trato de parecer sensato y profesional como si no hubiera sentido la hoja dentro de la funda de terciopelo.

—No espero dificultades. Ella es muy racional sobre su problema. Es médica. Si en este momento tengo un temor, es que, antes que enfrentar un derrumbe progresivo, ella podría suicidarse. El impulso a la destrucción, que es evidente en sus relaciones sexuales, podría descargarse finalmente en autodestrucción.

He dicho más de lo que quería sobre la paciente, pero eso nos ayuda a superar el mal momento. Toni se toma de la idea y pregunta:

— ¿Cómo se manifiesta ese impulso destructivo?

—Ninfomanía periódica obsesiva, que culmina en episodios sadomasoquistas.

—Se lo dije... —Toni no puede resistirse al pequeño triunfo. — ¡Una devoradora de hombres!

—No veo que sea necesariamente así. —La réplica fría de Emma me sorprende. Normalmente, es reticente en una discusión y prefiere guardar silencio antes que precipitar una polémica. —Quizá, en realidad, los hombres no le gustan, y por eso cada episodio debe terminar destructivamente. También hay hombres así. Se morirían si se los tildara de homo-eróticos, pero sus relaciones con mujeres siempre están teñidas de crueldad. ¿No estás de acuerdo, Carl?

No puedo hacer otra cosa que asentir, y escapar lo más rápidamente posible. Ahora me doy cuenta, con un curioso temblor de miedo en mis entrañas, que Emma me ha tomado al pie de la letra. Me dejará que siga mi propio camino de incertidumbre, ignorará mis vaguedades y concentrará su vida alrededor de los niños; pero lo hará sin ilusiones, y se reservará el derecho de hacer lo que le plazca y decir lo que le plazca en su propia casa...

Antes que Toni se vaya a su casa, tenemos un breve, desdichado interludio en mi estudio. Ella está hirviendo de ira y no le importa si yo también salgo escaldado.

—Te pregunto, Carl, ¿cuánto tiempo puede continuar esto? Tuve una sesión con ella, esta mañana, en la cocina. Me dijo que creía que tú podrías estar perdiendo la razón... ¿y qué iba a hacer yo al respecto? Está dispuesta a renunciar a todo excepto a ser la esposa del doctor Jung. ¿Qué clase de matrimonio es ese? ¿Por qué tú y yo tenemos que escondernos como si fuésemos criminales, solo porque nos amamos?... ¡Y esa escena en el almuerzo! Dios mío, estaba cortándonos en rebanadas, como manzanas para un strudel, y tú te quedaste allí, asintiendo, consintiendo, como si... ¡como si estuvieran discutiendo los encabezados de los periódicos de esta mañana! ¡Bueno, ya he tenido bastante, te lo aseguro, Carl! Saltaré sobre la luna por ti. Haré mis maletas y huiré contigo cuando tú quieras. ¡Pero no me quedaré aquí, soportando esta tortura! ¡Tampoco permitiré que la soportes tú!

Está sorda a todos mis argumentos. No se deja convencer. Al final, dejo que se vaya. Cuando llegue la noche, estará arrepentida y hambrienta de amor. No la culpo por ponerse furiosa. Tampoco culpo a Emma. Yo soy el culpable. Soy como el mono glotón con el puño atrapado en el tarro de dulces. Quiero todo lo que puedo aferrar. ¡No tendré ninguno hasta que acepte tomar uno a la vez!

A decir verdad, hay días, como hoy, en que me siento aburrido de todas estas mujeres bien criadas y de sus listas de exigencias. Ansío estar lejos de esta ciudad sofocante, en un lugar salvaje donde no tenga que discutir y definir, sino solamente bailar con los tambores salvajes, y aparearme sobre el polvo bajo los arbustos, y no preocuparme por nada después...

Un pensamiento, a manera de post data: me pregunto qué sucedería si expusiera la idea ante Magda Liliane Kardoss von Gamsfeld. Adivino lo que ella diría: "¡Estupendo! ¡Ensillemos los caballos y pongámonos en marcha!"... Lo triste es que no he aprendido a montar a caballo. ¡Sin embargo, con una buena maestra, podría aprender muy rápidamente!

MAGDA

Cuando salí de la casa de Jung me sentí como una criatura que saliera de la escuela. Quise gritar, cantar, bailar, rodar sobre la hierba. Antes de estar a mitad de camino del hotel, se produjo la reacción. Me hundí en una negra melancolía. El aire se cargó de amenazas. Las montañas parecieron abalanzarse y sepultarme. Cuando crucé el vestíbulo del "Baur au Lac", fue como si me despojaran de mi piel. Cada mirada, cada susurro, fue un dolor intolerable.

Sola en mi habitación me dominaron el pánico y la confusión. Mi cabeza parecía llena de ratones diminutos que chillaban y corrían de un lado a otro. Quise gritar. Pero seguí de pie, en medio de la habitación, atontada y rígida, tratando de recobrar el control de mí misma. Cuando por fin lo logré, estaba temblando de pies a cabeza, bañada en sudor como un paciente con fiebre.

Me quité la ropa, me di un baño caliente, me puse un kimono japonés, pedí que me enviaran a la habitación café y emparedados ingleses, me tendí en la cama y consideré mi situación. Ahora no había duda: yo era mucho más frágil de lo que había creído. Recordé cómo el profesor Lello, de Padua, solía describir la marcha de ciertas infecciones neumónicas: "El cambio de estado subagudo a agudo y crítico es a menudo súbito y dramático. El paciente no está preparado para ello. Hasta un médico experimentado puede ser tomado por sorpresa."

Yo misma había notado muchas veces que los pacientes que se resistían o postergaban el tratamiento médico durante largo tiempo, empeoraban muy rápidamente cuando se ponían en manos de un doctor. Su voluntad de resistir parecía abandonarlos súbitamente cuando se entregaban a un profesional del arte de curar. Ahora, a mí me estaba sucediendo lo mismo. Mi breve separación de Jung —no más de una hora para almorzar— me había lanzado a un terror paralizante, como si, en un mar tempestuoso, me hubieran arrebatado de las manos del salvador. Cuando el camarero me trajo el almuerzo, lo retuve lo más que pude con charla insubstancial. Era un anciano locuaz y se alegró de ello. Cualquier cosa era mejor que los chillidos y carreras de los ratones dentro de mi cabeza.

Cuando el hombre se fue, comí y bebí con cuidado deliberado, corté los emparedados en formas geométricas, hice durar largo tiempo cada bocado, traté de comparar el sabor de ese café con todos los otros cafés que había bebido en mis años de viajes. Finalmente, cuando me pareció que me encontraba estable otra vez, plantada con razonable firmeza en el plano de la simple realidad, empecé a pensar en Carl Gustav Jung.

Todavía no sé hasta dónde puedo confiar en él, cuánto puedo apoyarme en su fortaleza y criterio. Me conmovió su comentario de que el médico lastimado es el que cura mejor. Eso me recordó otra vez al profesor Lello, quien solía pronunciar, en sus clases inaugurales a los estudiantes, un discurso sobre el juramento hipocrático. Era un hombre de una sencillez singular, y cuando llegaba a la frase: "**Primum non nocere**... Primero no dañar", decía: "Cuando enfermen, cuando se corten un dedo o se les caiga un martillo sobre los dedos de los pies, recuerden la experiencia. Les enseñará a no causar jamás dolor innecesario a quienes ya sufren."

De esta profesión de fe y ética yo soy, por supuesto, una renegada y traidora. Causo dolor para obtener placer. Es por eso que necesito de Jung más que compasión y comprensión. Es por eso que me enfurecí cuando él desechó la cuestión de la culpa tan despreocupadamente. Es por eso que su charla sobre ficciones religiosas, mitos y cuentos de hadas, me dejaron con una pregunta inquietante: si él teme a la certidumbre, hace una profesión de duda, porque en el fondo está tan confundido como cualquiera de sus pacientes.

Recuerdo las palabras serenas pero doloridas de Emma Jung: "En nuestro grupo hemos tenido dos suicidios y muchos casos próximos a la locura. El mismo Carl se encuentra ahora sometido a una gran tensión. Todos lo estamos..." Si adivino correctamente, él está tratando de manejar la tensión exactamente como yo: por medio del desahogo sexual. Me pregunto si él entiende, como yo, que a medida que pasa el tiempo uno necesita más y obtiene menos... y paga más. Un francés, como es habitual, lo describió mejor, con una pluma mojada en ácido: "L'amour coûte cher aus vieillards... El amor cuesta caro a los viejos." ¿Y a las viejas? Todavía no soy vieja, pero pago más, mucho más que la mayoría, por insatisfacciones muy especiales.

Pero todavía estoy eludiendo la cuestión de Jung y yo misma. Cuando haya desplegado delante de él toda mi historia, como un juego de cartas de tarot, ¿qué sucederá? Sé exactamente lo que soy y me odio a mí misma. Sé, por lo menos en parte, por qué soy así; y Jung, sin duda, puede ayudarme a comprender el resto. La verdadera cuestión es qué puede enseñarme él, qué puede prometerme para cambiarme y hacer que el mañana sea más soportable.

No es una cuestión muy desusada. Se le presenta todos los días a un médico. ¿Qué se le dice al paciente, hombre o mujer, en quien uno acaba de diagnosticar una enfermedad fatal? El profesor Lello solía decir, crípticamente: "El paciente se lo dirá; siempre que ustedes sean lo bastante perspicaces para entender lo que él les está diciendo." Pero estoy diciéndole a Jung demasiadas cosas contradictorias, ¿cómo puede él estar seguro de lo que quiero decirle? ¿Cómo puedo estar segura yo misma? Mi temor es que, como en el pasado, me encontraré en un momento suspendido, en pleno invierno, con nada más que un sí o un no entre vivir y morir.

Esta fue la primera amonestación brutal de Jung: "Su vida es suya, señora; no trate de chantajearme con eso." La advertencia de Emma Jung fue más humana pero no menos definida: que el momento de la revelación será un choque terrible y que tendré que enfrentarlo sola. De pronto, el significado de esa palabra nueva, "transferencia", está muy claro para mí, tan claro como mi apetito sexual por Carl Jung. Haré cualquier cosa, realmente cualquier cosa, para atarlo a mí de tal forma que en el momento final no me abandone.

¿De modo que a él le gustaría un cambio de ropa? ¡Bien! ¿Algo informal? La **tenue de matelot** que Poiret diseñó para mí: pantalones de shantung azul, blusa rayada de algodón, sandalias, un pañuelo en la cabeza. Es más Côte d'Azur que Zurich, más yachting que **Kaffeeklatsch** en el "Baur au Lac"; pero — ¡al demonio con ello!— lo que el hombre pida, eso tendrá.

En cuanto a la biografía, estará tan cerca de la verdad como pueda llevarme mi memoria. He descubierto algo. La confesión sexual es fácil con este hombre. Bajo su formalidad profesional, acecha un campesino libidinoso que disfruta de un cuento sucio y que sabe que las mujeres también disfrutan. Pero cuando sigamos hablando y empiece a explorar la cara oscura de la luna, ¿qué sucederá? El está lleno de amaneramientos de clase media, y sospecho que también de prejuicios de clase media. El campesino fanfarrón y libidinoso viste y habla como un **petit-maître**. Si no me equivoco, lleva un matrimonio de tres lados; pero lo lleva como un burgués, no como un bohemio.

Por supuesto, puede ser que no pueda permitirse nada mejor. Gianni di Malvasia afirmó positivamente que el análisis es una profesión donde no se prospera con rapidez. Me pregunto qué sucedería si arrojara yo una bolsa de monedas de oro sobre su escritorio y dijera: "¡Vamos, amigo mío! Hagamos juntos una investigación realmente interesante." Mi primera conjetura es que él tomaría el oro, juntaría los talones y abandonaría la casa sin detenerse a empacar ni una camisa. Mi segunda conjetura es que yo despertaría una noche y lo encontraría de bruces, desnudo, ante una capilla a la vera del camino, esperando que el dios sordo le hable... Mi tercera conjetura es que probablemente yo sería lo suficientemente tonta como para desnudarme y reunirme con él.

Hora de partir. Las cabezas se vuelven otra vez cuando cruzo el vestíbulo con mi traje de Poiret. Oigo una voz inglesa, de muy aguda coloratura, que dice: "¡Dios mío! ¡Qué mujer extraordinaria!" Estoy tentada de volverme y decirle a esa mujer que ella no sabe ni la mitad... ¡y si su marido alguna vez quiere deshacerse de ella, yo puedo ofrecerle la prescripción adecuada!

JUNG

Según nuestras sobrias normas suizas, ella está vestida como una trotacalles francesa. Para mi gusto, está bellamente ataviada. Los pantalones acentúan sus largas piernas de bailarina y su fina cintura. La blusa hace resaltar la plenitud de sus pechos, que no son demasiado grandes ni demasiado pequeños. El pañuelo en la cabeza sujeta su cabello y muestra la fina estructura ósea de su cara, de facciones limpiamente cortadas como un camafeo antiguo. Le hago un cumplido. Lo acepta con una sonrisa. Después, inmediatamente, nos ponemos a trabajar. Le pido que esboce para mí su vida de estudiante en Padua, que describa en detalle cualquier incidente o encuentro que haya tenido importancia en su vida posterior. Sin vacilar, se lanza a la narración.

—Lo que papá me había hecho fue un choque terrible. Tuvo, sin embargo, el mismo efecto que mandarme de vuelta al colegio para que me graduase. Yo estaba decidida a triunfar, a establecer mis propias credenciales en el mundo nuevo de la vida universitaria. Usted debe comprender que Padua era un lugar orgulloso, donde se congregaban estudiantes de todas las lenguas y naciones. Los ingleses y los escoceses se habían establecido hacía tiempo como una "Nazione", un grupo nacional con derechos especiales y una honrosa tradición. Thomas Linacre, médico de Enrique VII de Inglaterra, y Edward Wootton, médico de Enrique VIII, estudiaron allí. Las escuelas de medicina de Leyden y Edimburgo, de Filadelfia, Columbia y Harvard, tuvieron todas sus raíces en Padua. Nos enseñaron eso desde el principio. Nos enseñaron a ser orgullosos — ¡arrogantes si era necesario!, con los de afuera. Nuestro título profesional era el mejor considerado de Europa, si usted me disculpa, doctor Jung.

La disculpo. Me alegra verla tan excitada por un recuerdo tan puro de la juventud. Me pregunto, cínicamente, cuánto podrá durar esto.

—Aun ahora soy buena estudiante. Si emprendo algo, tengo que hacerlo bien o no hacerlo. El estilo de enseñanza de Padua dejaba una gran reponsabilidad al estudiante, y los exámenes, tanto orales como escritos, eran rigurosos. De modo que, durante la semana, yo llevaba una vida muy regular: clases durante el día, una o dos horas en la cafetería, después a casa y a Lily para bañarme, cambiarme, cenar o hacer mis anotaciones del día. No buscaba intimidades con los estudiantes. Me sentía demasiado vulnerable, tenía demasiados secretos. Me contentaba, por lo menos al principio, con ser la exótica aristócrata, no familiarizada con la vida estudiantil, dependiente, ¡oh, tan dependiente! de la caballerosidad de sus acompañantes. Sin embargo, aprendí muy rápidamente que los varones italianos están incurablemente malcriados desde que tienen diez años de edad y que cualquier mujer que se case con uno necesita la tolerancia de la paciente Griselda... Los profesores titulares eran los mejores del mundo. Los adjuntos, estaban mal pagados y eran de calidad variable. Algunos no se negaban a aceptar un sobre lleno de dinero en época de exámenes, a cambio de una buena nota y de una buena raccomandazione. A mí se me sugirió que podría tener que pagar en especies. Mi respuesta en todos esos casos era que si tenía que ofertar mi cuerpo para aprobar un examen, prefería tratar con el canciller o con un profesor titular.

—¿Pero en general, su vida académica no tuvo acontecimientos notables?

—Sí. Tuve uno o dos romances; pero terminaron en nada. Yo no tenía inclinación a enseñar a los jóvenes las verdades de la vida. Además, había hecho otro descubrimiento: en Italia, las relaciones amorosas son públicas. Nombres, fechas, lugares y costumbres sexuales eran difundidas libremente. ¡Yo no quería tomar parte en esa comedia!

"Los fines de semana eran otra cosa. De viernes a

domingos yo vivía en otro mundo: el Club della Caccia, el salón de juego en Venecia, el teatro, todo el círculo social. Sabe usted, había algo de papá que no descubrí hasta esta época. Su apellido era bueno; su crédito era bueno; y ninguna de sus mujeres tuvo jamás una crítica que hacerle. Así que Lily y yo nos aprovechábamos de eso, por supuesto. Nadie sabía exactamente dónde encajaba yo en la cronología de la vida de papá. Era evidente que había nacido fuera del matrimonio, y así mi presencia en una fiesta siempre era motivo de una hora de murmuraciones. Lily me había instruido bien en diplomacia social. Si quería mantener abierta nuestra entrée, debía ser amable con las matronas en público, permitir que sus hijos me cortejaran respetuosamente, y flirtear con sus maridos en privado.

—¿Por esa época pensó en el matrimonio alguna vez?

—No solo lo pensé. Tuve una propuesta seria.

—¿De quién?

—Del hijo de una familia veneciana muy antigua, muy rica. Creo que uno de sus antepasados había sido dux.

—¿Pero usted no aceptó?

—Acepté. ¿Por qué no? El era apuesto, romántico, rico y tan estúpido que yo estaba segura de que podría manejarlo.

—¿Qué pasó?

—Yo había olvidado la parte del contrato escrita con letra muy pequeña. El era católico. Yo no era nada... era atea, en realidad. El hubiera tenido que obtener permiso de la iglesia para casarse conmigo. Habría sido un asunto casi secreto, furtivo. La ceremonia tendría que haberse realizado detrás del altar mayor, o en la sacristía. Yo habría tenido que recibir de un sacerdote instrucciones necesarias para comprender la moral y las convicciones religiosas de mi marido. Habría tenido que prometer que todos mis hijos serían educados dentro de la fe católica... Era demasiado. Me negué y di las gracias. Su madre se puso tan contenta que me abrazó y me dijo que yo era una muchacha noble, de hermoso carácter. Le escribiría a su obispo y le pediría que rezara una misa por mis intenciones. Como en ese momento mis intenciones eran todas malas, no entendí la utilidad de esa devoción. Sin embargo, la besé en las manos y las mejillas y regresé a Padua.

—¿Con el corazón destrozado?

—Nada de eso. Me sentía ansiosa y dispuesta a las diversiones. A la semana siguiente, en el café Pedrocchi, estaba contando la historia, ¡con dramáticos adornos, por supuesto!, a un grupo de amigos de mi clase de anatomía. Todos eran **spiriti liberati**, librepensadores y anticlericales. Uno de ellos me hizo una apuesta: que yo no me atrevería a confesarme en el Duomo. Pregunté qué ofrecía él por su parte. Ofreció una cena para todos, con un **chitarrista** alquilado para que hiciera música. Acepté. Entonces, los muchachos, ¡todos educados en convento, naturalmente!, se dedicaron a enseñarme el ritual y el Acto de Contrición que yo debía recitar al final. Era lo bastante corto para aprenderlo de memoria en pocos minutos. A continuación, hubo que elegir una lista de pecados. Nos decidimos por fornicación, adulterio y lo que todos convinimos en llamar actos anormales. Esto, según mis amigos, seguramente conduciría a algunos diálogos interesantes con el confesor, que después debería relatar en detalle a mis amigos como parte de la apuesta...

—¿Y usted aceptó el juego?

—Sin vacilar... No, eso no es verdad. Cuando llegó la hora, estaba asustada. Sentía como si estuviera jugando con algo mágico. Sentí la misma cosa cuando... pero esa es otra historia. Déjeme terminar esta...

No veo adónde conduce todo esto; la historia de la propuesta matrimonial y su rechazo fue relatada de una forma petulante, frívola, como un chisme de salón. Quizá no era más que eso, pero ella parecía más interesada en esta nueva anécdota, más ansiosa en su tono, más expresiva en sus gestos. De modo que no hice comentarios y dejé que continuara.

—El sábado por la tarde... ese es el día de confesión para los católicos; limpian sus almas como preparación para el domingo. Los muchachos me acompañaron a la catedral y se arrodillaron conmigo en el reclinatorio cerca del confesionario. Había una fila antes que yo, así que tuve que esperar, más nerviosa a cada momento que pasaba. Lo que empeoró las cosas fue que más adelante, en una capilla lateral, vi una larga fila de peregrinos que pasaban junto a la

226

tumba de San Antonio, la tocaban, la besaban, se apoyaban contra las piedras, como si la magia del Milagroso se transmitiera a sus labios y las puntas de sus dedos. Era bastante impresionante. Esos devotos creían realmente que estaban en comunicación con el santo muerto hacía mucho tiempo, y que podían contar con que él respondería a sus plegarias susurradas. De modo que cuando me llegó el turno de entrar en el confesionario, yo estaba dispuesta a retroceder y pagar la apuesta. Los muchachos no quisieron saber nada. Me empujaron hacia delante, y en el momento siguiente estuve dentro del confesionario.

Ahora sucede una cosa curiosa. Se levanta de su silla y empieza a representar la escena, usándome a mí como a la figura del sacerdote, arrodillada en el suelo a mi lado, con las manos apoyadas en los brazos de mi sillón.

—... el sacerdote estaba sentado donde usted está ahora, solo que detrás de una pequeña rejilla. Tenía la cabeza inclinada, el mentón apoyado en una mano. Yo no podía verle los ojos, pero podía oler lo que había tomado en el almuerzo: ajo y vino tinto. Me arrodillé como ahora. Me persigné y dije, como me habían enseñado los muchachos, "Bendíceme, padre, porque he pecado. Hace un año que no me confieso. Desde entonces he cometido muchas cosas malas." Me pregunta qué clase de cosas. "Oh, he dormido con muchos hombres. El hombre con quien me acuesto ahora es casado. A veces lo hago por dinero y, a menudo, los clientes quieren... bueno, actos extraños." Entonces me llevé la gran sorpresa. Con mucha gentileza, el sacerdote preguntó: "¿No tienes otra forma de ganarte la vida? ¿Es que tienes que prostituirte?" Yo no estaba preparada para esto. Murmuré algo acerca de lo difícil que era encontrar trabajo. El dijo: "Si eres sincera, ve al hospital Mater Misericordiae. Sé que están buscando criadas para la cocina y para limpiar las salas. Es un trabajo duro, pero por lo menos serás independiente..." Después me dio un pequeño sermón acerca de reformar mi vida y confiar en la misericordia de Dios. Me dijo que repitiera el Acto de Contrición, hizo sobre mí la señal de la cruz y me dijo que me fuera en paz y enmendara mi vida. Cuando salí de la iglesia, los muchachos me rodearon, curiosos por lo que había sucedido.

Yo traté de tomarlo a broma, pero la broma se desinfló. Realmente, quería creer que podía suceder: que alguien borrara nuestro pasado con unas pocas palabras mágicas. Una teoría, ¿verdad?

Lo dice con una carcajada, pero está a punto de llorar. Me siento tentado de tomarle la cara con mis manos y besarla en los labios para consolarla, pero no me atrevo. Me he dejado atrapar en esta forma en oportunidades anteriores. Primero, ella quiso que yo fuese papá; ahora quiere que yo haga de padre confesor. Es muy tentador entrar en el juego, pero yo soy la única ancla que ella tiene con la realidad, y no puedo perder mi amarra con esa realidad. La ayudo a levantarse y le digo que vuelva a sentarse. Ella hace un mohín, como una niñita decepcionada, y se queja:

—Mi historia no le ha gustado. ¿La conté mal? De veras sucedió.

Esta actitud de niñita es tan extraña a su persona normal que por un momento temo que ella esté retrocediendo a fin de evitar una realidad desagradable que está más adelante en su narración. Aplico el viejo remedio: una firme reprimenda.

—¡Por Dios, no ensaye esas tretas conmigo! Usted es una mujer madura. Su historia es fascinante, ¡pero no tiene que adornarla como un cuento infantil para sus muñecas!

Tal como yo espero, se pone furiosa conmigo:

—¡Maldito! No me hable de ese modo. ¡No sabe cuánto estoy trabajando para darle lo que quiere!

—¡Precisamente! Está trabajando demasiado. Y yo no quiero nada. Lo que ambos necesitamos es la verdad, y mientras más sencillamente la cuente, mejor. No trate de adivinar cómo reaccionaré yo a esa verdad, o por qué. Eso es asunto mío. ¿Qué sentiría usted si un paciente suyo no se contentara con decirle sus síntomas sino que insistiera en hacer también el diagnóstico?

¡Sí! ¡Sí! Ella comprende; pero yo también tengo que comprender. Nunca le había revelado a nadie tanto de sí misma. Cuando empieza a actuar, es porque así evita el pánico y no porque quiera hacer una exhibición de sí misma. De modo que nuevamente hacemos una tregua. Le recuerdo que mencionó otra historia... algo con un elemento de magia.

—¿Magia? Oh, sí, ahora recuerdo. —Empieza a representar otro papel, la estudiante marisabidilla, poseedora de una gran curiosidad por aprender. Espero respetuosamente.

—¿Alguna vez bebió café **alla Borgia**?

—Que yo sepa, no. ¿Qué es?

—Es café, aguardiente de damascos, crema y canela. Era la bebida ritual en la reunión mensual de la Sociedad Scotus.

De modo que empezamos otro juego. Le digo que nunca oí hablar de la Sociedad Scotus. Ella está feliz con su pequeña victoria.

—Pero conoce al hombre cuyo nombre lleva la sociedad.

—¿De veras?

—Tiene sus obras en su biblioteca.

—¿Sí?

—¡Por supuesto! Es Miguel el Escocés, siglo trece. El tradujo a Aristóteles de la versión arábiga de Averroes y enseñó el texto en Toledo, Salamanca y Padua. Se decía que era un hechicero. Escribió tres obras que han sobrevivido: **De la fisiognomonía, De la generación...**

—¡**De la alquimia**! —Salto para proporcionar la respuesta y así soy absorbido por el juego. —¡Por supuesto! Y Padua siempre fue conocida como un centro de las artes de la alquimia y de la necromancia.

—¡Bravo! —Me aplaude y se apresura a embellecer la historia. ¿Sabía usted que hasta hay una versión de la leyenda de Fausto en la cual un estudiante de Cambridge llamado Ashbourner le vende su alma al diablo a cambio de un doctorado en teología de Padua? ¡Cuando trató de no cumplir el pacto, fue encontrado ahogado en el Cam!

—¿Y cómo tropezó usted con todo eso?

—No tropecé. Lo leí. Lo notable de estudiar en Padua era que una era instruida en las artes liberales además de la medicina física y la cirugía. La Sociedad Scotus fue fundada en época de mi padre. Fingía ser una asociación de estudiosos interesados en los fenómenos ocultos. En realidad, era una cubierta para actividades antihabsburgo y anticlericales. En mi tiempo todavía era anticlerical, pero bastante más frívola. Sus miembros jugaban a la magia negra, el diabolismo, la restauración de ritos y cultos antiguos. Probablemente, usted ha olvidado que en esa época todo esto estaba de moda. ¡Recuerde la conmoción que causó Huysmans con **Là-Bas**!

De pronto advierto que ella no se limita a representar a una marisabidilla. Ha leído mucho. Conoce lo que ha leído en su marco social. Sin embargo, todavía no tengo muy en claro hacia dónde lleva esta historia. Ella continúa.

—Pero yo siempre me sentía incómoda con eso. Era una participante contra mi voluntad. Como no creyente, debo admitir que, de todos modos, todo era charlatanería; y la mayor parte del tiempo era una oportunidad para algo de sexo aceptablemente teatral. Solíamos reunirnos en una casa de campo cerca de Albano, y realizábamos nuestras ceremonias en una capilla abandonada que había en el parque de la mansión. El único papel ante el que yo retrocedía era el de representar la mujer desnuda sobre el altar durante la Misa Negra. Primero, no me gustaba el hombre que hacía de Satanás, y segundo, sentía vagamente que estábamos haciendo algo peligroso. No comprendía que el peligro estaba dentro de mí, no afuera...

Vacila. Yo espero. Si puede continuar sin que yo la estimule, significa que hemos hecho grandes adelantos. Por fin, en una forma indirecta, lo hace.

—Esta mañana usted dijo que mi historia se contradecía... una infancia feliz, un matrimonio feliz y después lo que llamó "una vida sexual promiscua, de carácter sadomasoquista". ¿Recuerda?

Recuerdo. No sabía que ella había tomado tan a pecho la cuestión.

—De modo que yo seguía preguntándome dónde empezó. ¿Cómo empezó? Suena exagerado, pero creo que empezó con la Sociedad Scotus.

—¿Con la Misa Negra?

—No, con otra cosa. ¿Tiene aquí alguna referencia sobre las excavaciones de Pompeya... referencia pictórica, quiero decir?

Seguro que tengo. Mi interés por la arqueología no ha disminuido nunca. Encuentro el volumen. Lo hojeamos. Por fin ella me detiene en las páginas que tratan de la **Villa dei**

Misteri, donde se cree que los frescos representan la celebración del culto de Isis. Una de las pinturas más notables es la de una joven desnuda y arqueada sobre la rodilla de una sacerdotisa, y flagelada por un ayudante. Miro a mi paciente. Está pálida, turbada. Su voz suena insegura.

—¡Eso es! Representamos toda esa ceremonia en una de nuestras sesiones en Albano. Yo... yo fui la que hizo la flagelación. Me... me sorprendió lo mucho que gozamos la víctima y yo. Ella estudiaba escultura en la escuela de Bellas Artes. Fue el comienzo de una relación entre nosotras que duró casi un año... —No traté de repetir la experiencia en ese entonces. Encontramos otros juegos para divertirnos. Pero más tarde, cuando la gran crisis llegó a mi vida, supongo que yo ya estaba preparada. ¡Es extraño, sin embargo, que tuviera que estar relacionado con un acto religioso!

—No tan extraño. —En este momento me siento muy gentil hacia ella. Está trabajando conmigo y no contra mí, como tantos pacientes hacen en las primeras etapas del análisis. Por eso, trato de compartir con ella algunas ideas y algunos comentarios. —La religión, el sexo y el sufrimiento forman, quizá, la trinidad más constante de las experiencias humanas. Piense un momento en ello. La religión, que ya hemos definido juntos, trata del misterio, el misterio de nuestros orígenes, nuestro final, nuestras relaciones con el cosmos, con el misterio del dolor mismo. ¿Cuál es el símbolo que encontramos en todas las iglesias cristianas? El crucifijo: el cuerpo de un hombre torturado, clavado a una cruz de madera... El sexo es un acto a la vez divino y animal. Es el comienzo de la vida. Es, también, la pequeña muerte. La furia de los amantes no está lejos de la furia de la violación y el homicidio. El primer impulso del amante decepcionado es causar dolor al una vez amado... Mire las pinturas de Hieronymus Bosch y verá el principio de placer-dolor retorcido en una visión sexual del infierno.

—Eso, exactamente, es lo que yo he sentido últimamente: como si el infierno fuera un manicomio y yo estuviera encerrada en él.

Es la admisión más simple y conmovedora que ha hecho desde que comenzamos nuestra sesión. Decido continuar un poco más por este camino, poniendo señuelos en la conversación y viendo cómo reacciona a ellos.

—Permítame que le haga una pregunta. Puede parecer insultante. No es esa la intención. Usted ha hablado varias veces, muy serena y abiertamente, de su inclinación sexual por las mujeres. No es algo violento. Usted obtiene una gran satisfacción con ellas. Por otra parte, sus relaciones con hombres son agresivas y violentas. ¿Se siente dividida entre los dos sexos? ¿Se siente en parte mujer y en parte hombre?

—No, no. —Lo dice con énfasis pero con calma. —Yo me percibo como una mujer, en general. Mis gustos no son los de todo el mundo; pero son míos, y yo soy yo.

— ¿Está satisfecha consigo misma?

—Usted sabe que no. Estoy mortalmente asustada.

— ¿De qué?

—De que yo soy un accidente incurable. Usted ha visto nacimientos monstruosos. Todos los hemos visto en la medicina. Para ellos no hay ninguna esperanza. Están más allá de la razón, más allá del amor, hasta más allá del cuidado... yo me siento así.

—Y es por eso que está tanteando entre varias ideas religiosas, porque la admisión en cualquier sociedad religiosa se relaciona con volver a nacer. Descartemos al viejo Adán, aceptemos al nuevo Cristo. Eva, que produjo la caída del hombre, ahora es María, la madre de Dios que llevó al Salvador en su seno.

Hay un largo momento de silencio. Después, se levanta de su silla, viene a mí y me besa en la frente. Le toco la mejilla en señal de agradecimiento y pregunto:

— ¿Por qué fue eso?

—Para agradecerle por ser tan comprensivo. Siento haber sido grosera con usted.

Una campanita de alarma suena dentro de mi cabeza. Le he dicho que comprendo algo pero no todo. Aún nos queda un largo camino que recorrer. Ninguno de los dos podemos permitirnos ser complacientes.

—Por ejemplo, esa escultora con quien usted compartió la escena de flagelación y se embarcó después en una relación amorosa, ¿puede contarme más sobre ella?

—Se llamaba Alma de Angelis. Tenía veinticinco años. Venía del sur, de Capua, si recuerdo bien. Era menuda, morena, con pelo negro largo y brillante, y ojos maravillosos que parecían demasiado grandes para su cara. La escultura, sabe usted, es la más laboriosa de las artes. Se trabaja en madera o bronce, y el esfuerzo físico necesario es enorme. Un recuerdo vívido que tengo de ella son sus manos. Eran manos duras, encallecidas como las de un jornalero. Recuerdo que le pregunté a Alma por qué quería hacer ese trabajo. Me dijo que su padre era tallista en piedra que trabajaba en mármol para hacer monumentos funerarios. Ella era hija única. El quería tener un hijo varón para transmitirle sus conocimientos y verlo hacer algo mejor que tallar ángeles para sepulturas. De modo que reunió dinero suficiente para enviar a Alma a estudiar a Padua. En ese aspecto, ella se parecía mucho a mí; excepto que, como verdadera sureña, temía desesperadamente regresar a su casa y confesar que había perdido su virginidad. Por lo tanto, estaba madura para la clase de relación que tuvimos; y yo le prometí que, antes que regresara a su casa, ¡le haría la tradicional restauración quirúrgica de su doncellez!... Sin embargo, nos separamos mucho antes de eso y perdimos contacto.

—¿Usted fue feliz, mientras duró la relación?

—Creo que sí. Fue una de esas cosas que se dan a saltos y corcovos: mucho drama un día, aburrimiento al día siguiente. Grandes escenas de celos. Muchos reproches y ceños adustos. ¡Muy italiano! En ambas había elementos de cálculo. Ella me introdujo en la vida bohemia de pintores, escultores y artesanos de toda clase. Yo la hice saborear un lujo que nunca había conocido y que nunca hubiera podido permitirse. Lily la llenaba de mimos y, según descubrí más tarde, solía enviarle dinero mucho después que terminó nuestra relación.

—Advierto, si me perdona que se lo diga, que usted parece estar contando todo esto con una indiferencia considerable. En nada se asemeja a las narraciones de su infancia. ¿Por qué?

—Porque siento en forma diferente, muy diferente, acerca de este período. Después de esa escena terrible con papá, decidí que nadie, nunca más, sería capaz de manejarme a través de mis emociones. Así, en un sentido, me convertí en actriz. Podía reír, llorar, hacer el amor, disfrutar en todas las formas concebibles; pero la única que me quitaba la máscara y me convertía en mi verdadero yo, era en casa con Lily. Yo conocía todo sobre ella; ella conocía todo sobre mí; y lo mismo seguíamos amándonos. Si alguna vez yo tenía alguna duda, ¡siempre quedaba disipada por aquella visión de Lily con su camisón arriba de sus rodillas, corriendo para patear a papá en los cojones!

La palabra salió con una fruición tan singular que ambos reímos. Aprovecho este momento de relajación para hacer otra sugerencia.

—¿Se le ocurrió pensar alguna vez que usted estaba tratando de vivir en Padua exactamente la misma vida que había disfrutado en el Schloss Silbersee? Su apartamento seguía siendo un Edén privado donde muy pocos extraños podían entrar. ¿Verdad?

—Sí, por supuesto. Es verdad. —No pone ningún reparo; hasta va más allá. —Sabe usted, los niños que crecen en una familia grande y van a la escuela con sus padres son muy afortunados. Cuando llegan a adultos, son aceptados como parte del grupo. Hasta sus travesuras son abiertas y compartidas; sus aventuras son parte del folklore tribal. Para mí fue totalmente diferente. Yo era la muchacha rara. Sabía desde muy temprano, porque así me lo enseñaron papá y Lily, que todos mis privilegios dependían del secreto. Yo empecé con un secreto culpable; una mamá que se marchó y nunca regresó. Más tarde, por supuesto, tuve muchos; mis relaciones sexuales en casa, mis aventuras en el colegio y toda la vida de invernadero acerca de la cual me sentía cada vez más culpable porque no podía compartirla con nadie.

Tengo en la punta de la lengua palabras para recordarle que en nuestra sesión de la mañana afirmó con vehemencia que nunca había experimentado la culpa, que no podía definir ese sentimiento. Afortunadamente, guardo silencio. Ella vuelve a nuestra discusión anterior sobre la fe y el perdón. Pregunta, lisa y llanamente:

—¿Cree usted que hay alguna posibilidad de solución religiosa para mí?

—Si usted quiere, probablemente sí.

—No entiendo eso.

234

—Permítame que trate de explicarle. Usted puede acercarse a cualquiera de los grupos religiosos del mundo... musulmán, budista, calvinista, católico, luterano, cuáquero, la lista es interminable. Se presenta a un ministro, como venía la gente a mi padre, por ejemplo. Le dice: "Por favor, estoy perdida en la oscuridad. Me han dicho que usted tiene la luz. ¿Quiere compartirla conmigo? Estoy sucia, quiero que me limpien." La respuesta será la misma en todos los casos: "Sí, nosotros tenemos la luz. Estamos dispuestos a compartirla. Siempre hay perdón y una vida nueva para el penitente. ¡Ven! Deja que te instruyamos. Después, cuando estés preparada y dispuesta para la gracia, te recibiremos en la comunidad de los elegidos..."

—¿Pero qué comunidad elijo? ¿Dónde está la correcta? ¿De cuál de ellas es el Dios verdadero?

—Si alguna lo tiene.

—¡Exactamente! Si alguna lo tiene. Pero he visto personas calmas y felices, y totalmente en paz, en convicciones religiosas.

—Me gustaría oír sobre las que más la impresionaron.

—¿Se está riendo de mí?

—¡Dios no lo permita! Pero en esta clase de análisis, los hechos pequeños son muy importantes.

—¡Muy bien! He aquí un ejemplo. Durante todo el tiempo que estuvimos en Padua solíamos recibir visitas de monjes y monjas mendicantes que pedían para varias obras de caridad: hospitales, orfanatorios, refugios para mujeres extraviadas. Los monjes venían solos. Las monjas siempre venían en pareja, una joven, una más vieja. Mis favoritas eran dos clarisas de una casa de expósitos cerca del centro de la ciudad. La mayor era una mujer grande, con una cara redonda y sonriente, que se parecía y hablaba igual a una lavandera de aldea. La más joven eran singularmente hermosa. Su piel era blanca como la leche. Parecía recién salida de una cerámica de Della Robbia.

"Lily y yo siempre invitábamos a las dos a tomar café con torta de manzanas. Ellas estaban contentas de descansar sus pies después de una larga caminata por la ciudad, de modo que llegamos a conocerlas bien. La mayor era exactamente lo que parecía, la hija de un campesino de cerca de

235

Ferrara. La otra era hija de un juez de Siena. Su nombre en la religión era hermana Damiana. Estaba bien educada, hablaba inglés, francés y alemán, y tocaba muy bien el piano.

"Cuando le pregunté qué la había hecho ingresar al convento, me dio una respuesta muy extraña. 'Fui llamada; yo respondí', me dijo. Cuando quise saber cómo había sido llamada, por una voz, una trompeta, o una corneta celestial, ella rió y dijo: 'Es como enamorarse. No hay palabras para describirlo.' Cuando le pregunté si se había enamorado alguna vez, dijo que sí, que hasta había estado prometida en matrimonio, pero que su prometido había muerto un mes antes de la boda.

"Solía llamarme **dottoressa**, y cuando la gran epidemia de tifoidea atacó a Padua, nos pidió a Lily y a mí que ayudásemos a cuidar a los niños del instituto. Todos los estudiantes adelantados habíamos sido reclutados para misiones de salubridad pública; por eso, cuando yo llegaba al orfanatorio, a menudo había estado ocho o diez horas de pie. Pero la devoción de esas mujeres, en especial mi joven amiga, me avergonzaba y me impulsaba a seguir adelante. ¡Ahora que lo pienso, ella fue la única que me hizo sentirme avergonzada sin decir una sola palabra!

—¿Alguna vez compartió confidencias con ella?

—¿Sobre mi propia vida? Jamás. Damiana nunca preguntaba, y lo que yo hubiera podido contarle difícilmente era tema de conversación de convento. Sin embargo, hubo un día extraño, poco antes que la epidemia empezara a ceder. Yo estaba sentada en una cama de uno de los dormitorios, tratando de hacerle beber unas cucharadas de líquido a un frágil pequeñito que yo sabía que iba a morir. Interiormente, hervía de furia por la estupidez e ignorancia que hacían que ocurrieran esa clase de epidemias. Damiana se acercó, me puso su mano sobre la frente y dijo con suavidad: " ¡Qué pensamientos tormentosos! ¡Cuánta cólera! ¡Qué corazón tan hambriento! ¡Cálmese! ¡El amor vendrá a usted a su debido tiempo!" Yo estallé en llanto. Ella me abrazó hasta que me serené. Recuerdo que pensé que no podía sentir sus pechos a través de la basta tela de su hábito...

—¿Se mantuvo en contacto con ella después?

—Ella murió el año antes que yo me marchara de Padua. Tenía tuberculosis pulmonar, pero hubiera podido ser salvada. Desde entonces he odiado esas primitivas órdenes conventuales. Ahora pueden ser mejores. Pero en la Italia de aquellos días se dedicaban a salvar para Cristo a los pobres e ignorantes, y a matar a su propia gente con mala nutrición, exceso de trabajo y una negligencia realmente inhumana.

Es la primera vez que la veo encolerizada por algo que no sea ella misma. Me contento con un comentario en voz baja.

—Es evidente que usted la estimaba mucho.

—La amaba. La amaba en una forma que no conocí antes o después. ¡Gracias a Dios, ella nunca supo qué clase de mujer era yo!

—Quizá lo supo.

—Imposible. Murió demasiado pronto. Supongo que tendría que alegrarme de eso.

Está muy cerca de las lágrimas. Noto el esfuerzo que hace por controlarlas. Por fin logra dirigirme una sonrisa vacilante y pide que cambiemos de tema.

—Muy bien. ¿Qué más puede contarme que haya sido importante en su vida en Padua?

—¿Importante? Es una palabra muy amplia. Importante... déjeme pensar. Bueno, digamos que me convertí en una buena médica. Entendí de qué se trataba la profesión. Era diestra en cirugía y precisa en el diagnóstico. El profesor Lello solía decir que yo tenía todo lo que necesita un buen médico... excepto corazón. Tenía razón. Siempre me acosaba la idea de que la medicina es una profesión dedicada a la futilidad. Al final, todos nuestros pacientes mueren. Sepultan nuestros éxitos y nuestros fracasos en la misma tumba...

Hay algo raro en esta última frase, pero no puedo descifrarlo. Es como oír una campana distante que tiene una rayadura muy pequeña. Hago una de las preguntas que tengo en mi lista:

—¿Por qué abandonó finalmente la medicina?

Me mira levemente sorprendida.

—¡Oh! Creí que se lo había explicado. Atendí a mi marido durante su última enfermedad. Fue el fracaso final, la gota que colmó la copa. Me retiré del juego definitivamente.

Todavía estoy interesado en cómo ella sepultaba éxitos y fracasos en la misma tumba; pero no importa, tomo nota y espero que más tarde eso se aclarará solo. Pregunto si hay más material de utilidad que podamos extraer del período de Padua.

—¿Qué más? ¡Oh, sí! Lily tuvo un amor grande, muy grande. Duró nada más que un año, menos aún, ¡pero fue la cosa más extraordinaria que le sucedió! Un fin de semana, Lily y yo estábamos cabalgando en las colinas cuando llegamos a una pequeña aldea llamada Arquà. Lily, que llevaba una guía Baedeker hasta para dormir, anunció que este era el lugar donde Petrarca había vivido durante los últimos años de su vida y que las firmas de lord Byron y Teresa Guiccioli debían estar en el libro de visitantes.

"Encontramos la casa de Petrarca, encaramada en la cima de una colina, con el gato del poeta, momificado, en una caja de vidrio sobre el dintel. Encontramos la firma de Byron... y también la de Teresa. Caminamos por el pequeño jardín con vista a las colinas y los viñedos. Después, cuando estábamos montando para emprender el regreso, el gran amor de Lily apareció trotando por el camino en un gran caballo bayo...

Obviamente, está disfrutando de esta parte de la historia, de modo que dejo que saboree su dramatismo.

—¡Un hermoso caballo y el más extraordinario de los jinetes! El no era joven. Descubrimos más tarde que tenía bastante más de sesenta años; pero en la silla de montar se mantenía erguido como un príncipe, enhiesto, con su gran cabeza arrogante en alto, como el Gattamelata de Donatello que está fuera del Duomo de Padua. Su cara era delgada, con una barba larga y grandes bigotes caídos. Tenía una gran nariz, ganchuda como el pico de un águila, un par de ojos oscuros y penetrantes y una boca fina que raras veces sonreía y que siempre tenía una sugestión de crueldad. Frenó su caballo y nos saludó en italiano. Lily lo miró un momento boquiabierta y después, en su más puro acento de Lancashire, anunció:

—¡Dios mío! ¡Yo a usted lo conozco!

"El desconocido sonrió, y los ojos oscuros se suavizaron con un brillo propio de un muchacho.

—¿De veras, señora? Por el amor de Dios, dígame quién soy. No querría perecer en la ignorancia.

—Usted es... usted es ese explorador. Richard... lo siento, sir Richard Burton. He visto su fotografía en **The Times**.

El caballero se quitó el sombrero y agradeció en forma extravagante.

—¡Señora, usted ha salvado mi día de un total desastre! Efectivamente, soy ese explorador, actualmente cónsul en Trieste de Su Majestad Británica. Me sorprende lejos de mi puesto de trabajo, de vacaciones, liberado de las cadenas que me atan a mi escritorio y de una esposa a la que amo profundamente pero a quien no puedo soportar más de un mes seguido. No es culpa de ella. Soy un esposo intolerable.

"Después de eso, Lily se presentó y me presentó, casi sin aliento. Hicimos una segunda visita a la casa de Petrarca y a su jardín, nos detuvimos respetuosamente bajo las higueras mientras nuestro nuevo conocido declamaba dos de los **Sonetos a Laura**, y después regresamos con él al club para devolver nuestros caballos y encontrarnos con nuestro cochero. El gesto obvio era invitar a Burton a cenar. El aceptó. Durante la comida, se mostró encantador y divertido, lleno de historias espléndidas sobre sus primeros días en el Sind, su desdichada exploración con Speke y tantas cosas más que cuando se marchó, Lily y yo estábamos flotando sobre todo el mapa.

"En la siguiente visita, solo cuarenta y ocho horas después, sufrió un violento ataque de malaria. Lo acostamos en la habitación de papá. Yo lo examiné. Evidentemente, se trataba de un caso crónico. Su hígado y su bazo estaban muy dilatados. Le prescribí medicamentos; Lily lo cuidó. Cuando estuvo nuevamente en condiciones de viajar, eran amantes. Cuando la regañé, Lily replicó: '¿Qué esperabas? El es un hombre impulsivo. Yo soy una mujer dispuesta. En cuanto a la dama de su esposa, debe haber tenido mucho peores competidoras que yo. El ha hecho todo y lo ha visto todo, ¡y gracias a Dios que yo tenía la experiencia suficiente para satisfacerlo!'

"Después —esto fue tierno y más bien triste— Lily me tomó las manos y las sostuvo contra su pecho, y me rogó: '¡Por favor, cariño! No tratarás de quitármelo, ¿verdad?'

239

Le juré que no haría eso y lo dije con sinceridad. El era demasiado viejo para mí y —sé que esto sonará extraño— me inspiraba temor. Sabía demasiado acerca de todo. Había hecho la peregrinación a La Meca, disfrazado de médico árabe. Había entrado a la ciudad prohibida de Harrar, en Etiopía. Había sido espía de Napier en el Sind, y había escrito un relato escandaloso de prostitución masculina y femenina en Karachi que lo perjudicó por el resto de su carrera. No tenía ninguna moral de que hablar. Había matado hombres. Estaba dedicado a traducir los dos clásicos eróticos del mundo árabe: **Las mil y una noches** y **El jardín perfumado**. Yo siempre tenía la sensación de que él estaba mirando dentro de mi cabeza y que se reía de lo que veía.

"Su actitud hacia Lily era totalmente diferente. El amaba la forma de ser campechana de ella y sus vulgaridades. Cuando se ponía muy alborotador o bebía hasta perder el control, ella podía regañarlo hasta la sumisión. Llegaba a todas horas y se marchaba sin avisar; pero sus bolsillos siempre estaban llenos de regalos curiosos: un brazalete de pelo de elefante, un amuleto de ámbar tallado, un anillo de sello de algún orfebre de los Balcanes.

"Un día llegó justo antes de mediodía. Lily había salido con la criada para comprar frutas y hortalizas. Yo me senté a beber café con él. El me tomó de los hombros e hizo que lo mirara a la cara. Sus ojos oscuros eran hipnóticos. La fuerza de sus manos era como hierro. Habló muy quedamente, casi en un susurro: 'Eres una salvaje, Magda. Yo solía domesticar halcones en la India, de modo que sé lo que necesitas. La única razón por la que no te he tocado es porque estoy demasiado cansado para que me interese. Lily está bien para mí. Ella sabe lo que quiero y cuándo lo quiero, y también cuándo todo lo que necesito es acurrucarme y dormir... El problema es que no estaré aquí mucho tiempo. Tú lo sabes. Estuviste palpando mi hígado durante mi último ataque de malaria. Tengo todas las otras clases de parásitos que he adquirido desde Salt Lake, en Utah, hasta Yidda, en Arabia. Me gustaría dejarle algo a Lily; pero soy un hombre pobre y todo lo que tengo quedará para mi esposa Elizabeth. Ella es una buena mujer, con el corazón de una leona; pero yo siempre he necesitado una sucesión de potrancas y a veces dos o tres potrillos, para variar. De modo que he traído algo que quiero que tú guardes para Lily y se lo des cuando yo me haya marchado. Ella se reirá mucho con mi legado... Y si se lo dejo a Elizabeth, sé que lo quemaría.

"Me entregó un pequeño envoltorio chato, envuelto en lona, cosida con las puntadas que se usan para coser velas. Me rogó: 'No lo abras, por favor. Eso es un privilegio de Lily.' Después me dirigió una larga y atenta mirada. Supe que estaba decidiendo si me besaría o no. Finalmente, meneó la cabeza y me sonrió. 'No, no. Es demasiado temprano para ti y demasiado tarde para mí. Me gustaría ser joven para amarte. Detestaría ser el hombre que te fallara...' Murió tres meses después. Lily quedó con el corazón destrozado. Le llevó largo tiempo recuperarse. Guardó el paquete varias semanas antes de decidirse a abrirlo. Adentro, escrita por la propia mano de Burton, había una traducción de **El jardín perfumado**. Solíamos sentarnos en la cama para leerlo juntas. Más tarde, supe que Elizabeth Arundell Burton fue acusada de quemar esta y una cantidad de otras obras eróticas de Burton. Quizá lo hizo y esta era una copia que él hizo especialmente para Lily. No lo sé. Supongo que Lily todavía la tiene. Me pregunto qué dirá el párroco cuando la encuentre después de la muerte de ella entre sus pertenencias. ¡Tengo entendido que se ha convertido en una anciana remilgada!

Termina la historia con esta extraña nota elegíaca; así, quedo casi seguro de que hemos terminado con Padua. Sugiero un breve intervalo y le ofrezco coñac o un cordial. Ambos nos decidimos por el coñac. A manera de diversión, revisamos juntos mis libros y encontramos más fragmentos de información útil sobre Miguel el Escocés. Descubrimos que Dante lo coloca en el cuarto círculo del infierno, que Boccaccio lo considera entre los más grandes maestros de la necromancia, y que aparece en un fresco de Florencia: un individuo menudo, delgado, con una barba puntiaguda, vestido como un árabe. También me entero de un poco más acerca de mi clienta. Ella sabe muy bien cómo usar material de investigación. Lee latín y griego, ¡pero también hacía eso Mesalina, que era una dama muy libidinosa y peligrosa!

Debo haberme servido una dosis excesiva de coñac. Siento que me sube a la cabeza. Normalmente, me agrada la primera oleada de relajación que viene con una copa de licor; pero no ahora. Estamos acercándonos al momento que los antiguos médicos griegos llamaban la "experiencia del dios". Es un instante de gran peligro en el cual el paciente se someterá a la Presencia y caerá en una furia destructiva. De modo que si está preparada, mi querida señora, volvamos al trabajo y empecemos nuestra consideración de las últimas cosas, su revelación privada, el día del juicio y la disolución, ¡cuando las escamas caigan de sus ojos y usted pueda ver todo con claridad!

MAGDA

Ahora comprendo por qué Jung no quería prolongar nuestra sesión. Son apenas las cuatro de la tarde y ya soy consciente de la fatiga. El licor ayuda al principio. Me hace sentirme relajada, abierta y amigable; pero también afloja mis controles y me hace vulnerable a cualquier presión exterior o al estrés interior. Sé que he estado hablando muy libremente y estoy sorprendida de cuánto material olvidado ha sido revelado por la curiosa inquisición de Jung. No había pensado en la hermana Damiana ni en Alma de Angelis en años. ¡En cuanto al episodio de Lily con sir Richard Burton, creí que lo había relegado al desván hacía varias décadas!

Jung me dice que todavía quiere que yo siga con la cronología de mi vida, pero que no me detenga demasiado en recuerdos vagos o poco importantes. Dice, muy acertadamente, que los hitos habitualmente son visibles desde una gran distancia... Le digo que los dos años después de la universidad fueron muy importantes en mi desarrollo personal, y que es esencial que le dediquemos algo de tiempo.

Digo esto no del todo sinceramente. Yo conozco mi historia; él, no. Necesito tiempo, y una nueva infusión de coraje que me lleve hasta el momento de la verdad y me ayude a superarlo. Creo que Jung comprende. Pese a su cuerpo robusto y a sus muy obvias reacciones a mi presencia femenina, hay en él mucho de femenino. Hay momentos en que cesa de razonar y adivina... y generalmente adivina bien. También puedo sentir cuándo me da rienda suelta y cuándo maniobra para bloquearme. Esto sucede siempre en momentos en que yo estoy tratando de hacerme a mí misma una treta de confianza.

Sin embargo, creo que lo he convencido de que tengo una inteligencia, que leo algo más que revistas de modas y que conozco todas las palabras del diccionario médico. Me pregunta si estoy lista. Le respondo afirmativamente. El abre el diálogo con una simple afirmación.

—Se fue de Padua con un grado en medicina.

—Un grado muy bueno, en realidad.

—¿Qué planes tenía para su carrera futura?

—Todavía eran vagos, porque aún no había terminado mi formación. Papá me había conseguido una plaza como médica interna en el **Allgemeines Krankenhaus**, el Hospital General de Viena. Su colega de usted, Freud, también trabajó allí, si recuerdo bien. Después de eso, quería hacer estudios de posgrado en Edimburgo o Londres; pero papá, por razones obvias, no se mostró muy entusiasmado... ¿Después? Bueno, tenía la vaga idea de que me gustaría organizar mi vida como había hecho papá: conservar Silbersee y ejercer la profesión en Salzburgo e Innsbruck... Pero primero estuvo el gran viaje oceánico que papá me había prometido como recompensa por mi graduación. "Yo estaba preparada para un cambio. Todos lo estábamos. Papá ahora era un cincuentón, todavía perseguía a las muchachas, pero empezaba a preguntarse si no debería encontrar alguna viuda acomodada, con título y fortuna, y sentar cabeza. Lily, que estaba entrando en la edad madura, era más posesiva y en ocasiones regañona. ¿Yo? Yo estaba cansada. El último año había sido brutalmente arduo: largas horas en el hospital, largas noches con mis textos, muy poca diversión... y para coronarlo todo, un ataque de bronquitis en invierno, del que, simplemente, no podía salir... No tenía un amante regular y sentía muy pocas ganas de buscarme uno. Todo lo que quería era superar ese año y ganarme una libertad de la que nunca había gozado.

Jung me mira con una sonrisa traviesa y dice:

—Es extraño lo que me dice. Yo habría pensado que usted era la más libre de las mujeres, con su casa propia, dinero en abundancia, una compañera complaciente y un padre todavía más complaciente.

—Usted no comprende. Lo que yo más quería era ser libre de mi pasado, de todas las cosas que parecían diferenciarme de las demás personas. Esperaba que el viaje que había planeado papá sería un punto final después del cual yo podría iniciar un nuevo capítulo.

—¿Resultó así?

—Sí, así resultó. Aunque no del todo como yo esperaba... El viaje en sí fue una experiencia maravillosa. Nos embarcamos en Rotterdam, en la primera clase del buque insignia de la Royal Dutch Line: camarotes separados para cada uno de los tres, porque como dijo papá, éramos "lo bastante grandes y necesitábamos privacidad." ¡Dios mío, pensé yo! ¡Sólo ahora se le ocurre! Nuestra ruta de ida pasaba por el Canal de Suez hacia Adén, Colombo, Singapur, Surabaja, Saigón, Shangai y Hong Kong. Los pasajeros que viajaban con nosotros eran una mezcla de mercaderes, funcionarios del servicio colonial holandés, comerciantes británicos y sus correspondientes esposas y niños... ¡No se asuste! No le haré hacer toda la gira del Baedeker; pero disfruté intensamente de cada día y cada noche del viaje. Me sentía libre. Me sentía una mujer por derecho propio.

"Hice amistad con el médico del barco, quien después de superar la sorpresa que le produjo toparse con una colega con faldas, se convirtió en un acompañante cómodo aunque algo insistente. Yo estaba, en cambio, mucho más interesada en un hombre que se nos unió en Adén. En el momento que lo vio, Lily me tomó el brazo y dijo: '¡Así debió de ser Dick Burton cuando era joven!' El hombre tenía la misma postura arrogante, el mismo rostro aquilino, los ojos penetrantes y la boca cínica. Pero sus modales eran diez veces mejores que los del rufianesco Dick. Hablaba con suavidad, bebía poco y estaba lleno de cortesías pequeñas, discretas. Se llamaba Avram Kostykian, lo cual hizo que papá lo rechazara con un encogimiento de hombros: '¡Judío armenio! Los encontrarás dondequiera que haya comercio. Si yo fuera tú, no perdería mucho tiempo con él.' No me gustó el tono de papá y así se lo dije. También le dije que yo elegiría mis compañías. El se encogió de hombros y se alejó. Fue la primera vez que advertí qué profundos que eran sus prejuicios. Cuando se lo conté a Lily, ella rió y dijo que yo no sabía ni la mitad. En Austria, ningún judío podía esperar ascensos en el ejército o en la función pública.

Hasta un cirujano militar raramente llegaba más arriba del grado de capitán.

Me sorprendí al ver que Jung se ruborizaba y jugaba nerviosamente con su lápiz. Le pregunto, a quemarropa:

—¿A usted tampoco le gustan los judíos?

—No mucho. —Por lo menos, tiene la gracia de ser franco. También siente la necesidad de explicarse. —Mi colega Freud, por supuesto, es judío; pero hasta con él tropiezo con ciertas limitaciones que son peculiarmente semíticas. La herencia aria, el inconsciente ario, son mucho más ricos en potencial que los judíos. —Me sonríe y se encoge de hombros en gesto de desaprobación. —Probablemente, soy tan lleno de prejuicios como su padre. ¡Ninguno de mis asuntos sentimentales con mujeres judías resultó muy bien!

Trato de no demostrarlo, pero me ha decepcionado. Me pregunto: si él tiene tanto prejuicio contra toda una raza, ¿cómo será cuando conozca mi muy especial categoría?... Además, su confesión de otros asuntos sentimentales suena más como una jactancia de mal gusto que como un desliz de la lengua. Sabe que yo conozco a su esposa. Yo me guardaría esas cosas para mí sola... Y si no han resultado muy bien, ¿hay que endilgarle la culpa a la mujer? Encuentro una satisfacción perversa en extender mi encuentro con Kostykian.

—Era, como papá había adivinado, un comerciante, pero de una clase muy especial. Traficaba en piedras preciosas: rubíes, esmeraldas, zafiros, pero especialmente perlas. Viajaba por todo el Oriente, dondequiera que trabajaran los pescadores de perlas, para comprarles la producción. Cuando advirtió que yo estaba interesada, pasaba horas enseñándome sus tesoros, contándome cuentos de los pescadores y los capitanes que los hacían zambullirse hasta que se desplomaban agotados, y los mercaderes chinos, indios y malayos, que pasaban horas haciendo ofertas por una perla, mientras el "descortezador" trabajaba en ella. ¿Sabe usted lo que es un descortezador?

—Confieso que no, señora, pero estoy seguro de que usted me lo dirá.

Por alguna razón, Jung está ceñudo y un poco

impaciente. Le digo que debería interesarle porque el descortezador hace exactamente lo que él, el analista, está tratando de hacer conmigo.

—Una perla está formada de muchas capas de nácar depositado por la ostra alrededor del irritante original en la concha. A veces, hasta una perla fina tiene defectos en la capa exterior: marcas como pinchazos de alfiler, diminutas indentaciones, que reducen grandemente su valor. Sin embargo, si no son demasiado profundas, pueden eliminarse quitando capas de nácar hasta que se llega a la superficie perfecta, sin marcas... Es un trabajo delicado, minucioso, y una equivocación puede ser muy costosa. De modo que puede imaginarse la escena en un kampong malayo o un junco chino: todos esos rostros impasibles observando, mientras son retiradas capa tras capa de nácar, sin que nadie sepa si toda la perla tendrá que ser desechada o si se revelará una belleza sin precio. Es menester tener mucha serenidad para hacer ofertas a ciegas hasta que es retirada la última capa de nácar.

"Kostykian contó la historia en una forma maravillosa. Tenía la visión de un poeta para lugares y gentes. ¡Y lo mejor de todo, me enseñó a descortezar! Me desafió, diciéndome: 'Usted es cirujana. Tome un escalpelo y una pinza. ¡Mire! ¡Yo le enseñaré!' Me entregó una perla rosada, de casi un centímetro de diámetro. Tenía muchas marcas y probablemente carecía de valor. Me indicó cómo empezar la operación y continuarla con golpes levísimos, pacientes. Después de dos horas, yo tenía una perla rosada perfecta, de medio centímetro de diámetro, aproximadamente. Kostykian me la dio como regalo. Yo la hice montar en un pendiente, pero se extravió en alguna parte después que me casé.

—Una historia muy encantadora. —Jung hace un seco comentario. —¿Pero puede decirme qué tiene que ver con lo que nos interesa?

Su tono me irrita tanto como su actitud despectiva hacia los judíos. Trato de responderle con petulancia.

—Sí, puedo. Kostykian fue un hombre que me dio mucho y nunca me pidió nada. Me llevó a tierra con él. Me hizo conocer los mercados de gemas de Colombo y

Bangkok. Me enseñó a apreciar una piedra: la seda de una esmeralda, la distribución del color en un zafiro, la diferencia entre un rubí de Siam y el rico sangre de paloma de Birmania. Era tan atento, y sin embargo tan falto de pasión, que me pregunté si era como Gianni di Malvasia y prefería el amor de los hombres. La noche antes de separarnos en Singapur, me explicó la razón: 'Soy casado. Tengo una esposa y cuatro hijitos varones en Alejandría. Ellos son el centro de mi vida. Aunque estoy en mi hogar solamente cuatro meses al año, ellos están conmigo todos los días y todas las noches. Llevo una existencia extraña, como usted ve. Conozco gentes extrañas en lugares salvajes. La vida es barata, las mujeres son aún más baratas. A menudo me ofrecen una muchacha, solo por la primera opción sobre una perla grande. Soy hombre de pasiones fuertes. Tengo que controlarme mucho, aun en mi negocio. Las gemas son cosas fantásticas. Uno puede sentir por ellas lo que siente por una mujer. Sé que cuando cometo un desliz, cuando bajo la guardia, estoy perdido. Me volveré como una peonza, girando de puerto en puerto, sin llegar a ninguna parte... ¡Tú, Magda mía, eres la tentación más fuerte y más dulce que he tenido jamás!... Ahora démonos un beso de buenas noches, y adiós. ¡Habré desembarcado antes que despiertes por la mañana!

"Cuando regresé a mi cabina encontré un envoltorio sobre la almohada. Adentro había un zafiro pequeño pero muy puro, de un azul profundo, muy brillante. También había una nota. La recuerdo palabra por palabra. 'El peso es de dos quilates. Hay una pequeña inclusión en el ápice, pero haría falta ser un experto para detectarla. Nada es perfecto en este mundo. Por primera vez en mi vida, me arrepiento de algo que no hice. Gracias por el gran placer de tu compañía. Avram.'

—Me pregunto —Jung enlaza sus manos, forma como una torre de iglesia con las puntas de los dedos y me mira sobre ella— me pregunto por qué cuenta esa historia con tanta satisfacción.

—Porque después de todos mis otros asuntos amorosos, de papá y Lily en adelante, siempre me sentí usada, privada de cierta libertad especial que hubiera tenido que ser mía por derecho. Nunca estuve segura de dónde estaba esa libertad... ¡hasta una paga de prostituta sobre la repisa de la chimenea hubiera quizá ayudado! Pero con Avram Kostykian, el judío armenio, todo fue un acto libre entre amigos. Cuando se lo dije así a papá, él se limitó a gruñir y decir, de mala gana: 'Bueno, siempre es un error generalizar.' Lily me dio un puntapié subrepticio por debajo de la mesa y un lacónico recordatorio: 'No digas que te lo dije yo. ¡Es el colmo de los malos modales!'

—Quizá esa sea la respuesta a su problema. —Jung se apoya en el respaldo de su sillón y ríe traviesamente. —¡Consígase un judío casado y virtuoso que le traiga zafiros y no quiera acostarse con usted!

—¡No crea que no lo he pensado!

Río a pesar mío. Jung insiste con impaciencia.

—¿Hay algo más que quiera contarme acerca del viaje?

Menciono al malayo que se volvió **amok** en Surabaja y fue muerto de un disparo delante de nuestros ojos. Hablo de la similitud entre mis propias crisis violentas y esa carrera demente, asesina, por las calles. Jung toma abundantes notas en este punto y después hace una pregunta inesperada.

—El final para el hombre **amok** es una bala en la cabeza. ¿Está diciendo que para usted también la única solución es la muerte?

—Podría ser. Tengo que enfrentarlo, ¿verdad? Si usted no puede hacer nada por mí...

Golpea la mesa con la palma de la mano y se lanza a una tirada.

—¡Se lo dije al comenzar! ¡No me chantajee con su vida! Yo no se la di. Yo no puedo quitársela. Tampoco soy un milagrero. Yo no expulso a los demonios, ¡aunque conozco a cierto cerdo a quien me gustaría enviárselos! El análisis no es cirugía. No se amputa el órgano enfermo y después se envía al paciente a su casa para que tome té y emparedados. Esto es un esfuerzo mutuo por definir la causa de una psicosis y, de ser posible, eliminarla, o por lo menos hacer soportable para usted vivir con ella. ¡Vivir, entienda! ¡Vivir! Por supuesto, si usted lo desea, puede pensar en la muerte hasta que se muera, como el nativo bajo la maldición del hechicero. ¡Si es eso lo que quiere, yo no puedo ayudarla!

Esta vez su cólera no es fingida. Advierto que él, como yo, empieza a cansarse. No debo seguir provocándolo. Tampoco debo permitir que siga provocándome. Me disculpo. Le digo que comprendo que los dos nos encontramos bajo tensión, que realmente estoy tratando de cooperar. El se apacigua rápidamente y vuelve a sonreírme.

—Por lo menos, ahora sabe que el análisis no es un juego de niños. Cuando se empieza a escarbar dentro del inconsciente, nunca se sabe qué extraños animales saltarán. Trato de resumirlo para mí. ¿El viaje fue o no fue un éxito?

—Fue un éxito total. Vi un mundo que no esperaba, un mundo hermoso, cruel, indiferente, donde la existencia de un individuo no significaba nada. En China, a las niñas recién nacidas las dejaban sobre los montones de basura. En Japón, los padres vendían como prostitutas a sus hijas. En toda Asia, millones morían en inundaciones, hambrunas y epidemias. En la India, los británicos despreciaban a los mestizos que habían engendrado. En Java los holandeses se casaban con ellas... En Siam el rey ordenaba una ejecución en cada reunión de sus ministros. En Borneo, los dyaks cazaban cabezas humanas como trofeos. Esas experiencias me pusieron en mi lugar, mi pequeño, oscuro lugar, y me sentí agradecida.

"Aun así, fue bueno regresar a Silbersee, todavía con tres meses por delante antes de tener que ocupar mi puesto en el **Allgemeines Krankenhaus** de Viena. La propiedad había envejecido como todos nosotros. Al llegar para las vacaciones yo no había notado tanto los cambios; pero ahora era evidente que todo estaba en decadencia. El castillo y las casas de los arrendatarios necesitaban pintura y reparaciones; nuestros muebles necesitaban ser retapizados, los jardines estaban abandonados, las cuentas atrasadas, el personal indolente y ocioso. Papá viajaba tanto que cuando venía a casa solo quería descansar y jugar al caballero terrateniente.

"Por primera vez entendí cuánto hubiera significado un hijo para él en este período de su vida. Por primera vez, también, me di cuenta de que yo era una criatura malcriada y egocéntrica. Sabía que podía dirigir Silbersee. El problema sería conseguir que papá me lo permitiera. Yo no tenía idea de las disposiciones de su testamento. Sabía bien cuáles eran las disposiciones de su mente: que las mujeres estaban hechas para la cama pero no para los negocios. Un ataque frontal a sus prejuicios no me llevaría a ninguna parte.

"Mi oportunidad llegó cuando, un par de semanas después de nuestro regreso él enfermó de neumonía. Fue un ataque muy fuerte, que lo dejó muy débil y más dependiente de lo que yo lo había visto jamás. A veces se mostraba infantil, caprichoso y exigente. Por fin, después de una larga conversación con Lily, decidí hablarle directamente. Mi propia vehemencia me sorprendió. Le dije que nadie podía jugar como él jugaba, atender una numerosa clientela, conservar un pulso firme en la sala de operaciones y administrar una propiedad del tamaño de Silbersee. Yo no podía hacerme cargo de su clientela de médico y ciertamente no iba a orquestar su vida amorosa, pero podía y quería ocuparme de Silbersee, con dos condiciones: ¡que yo supiera que la propiedad sería para mí y que todos supieran que yo era la jefa, la dueña, la **Arbeigeberin**!

"Papá trató de postergar una decisión diciendo 'mañana, algún día, muy pronto'. Le dije terminantemente que si no aceptaba el trato, yo me marcharía y me instalaría en Viena. Quizá no haría una fortuna; pero por lo menos sería independiente y nada me faltaría. Por fin, satisfecho su orgullo masculino, él consintió. Se redactaron documentos que me transferían la propiedad, con una cláusula que impedía que si yo llegara a casarme, mi marido se hiciera dueño de Silbersee. Durante la vida de papá, compartiríamos por igual las ganancias. Después de su muerte, yo le daría una pensión a Lily. Y si papá tenía cualesquiera otros compromisos —con mujeres o hijos de quienes nosotras no estuviésemos enteradas— él los cumpliría con sus fondos personales, que yo sabía que eran importantes. Así, finalmente, me convertí en una terrateniente, con mis pies firmemente plantados sobre mi propia tierra.

—De la que ahora —me recuerda fríamente Jung— usted está exiliada. ¿Ha pensado adónde irá, qué va a hacer?

—Silbersee está en venta. Probablemente me darán

mucho dinero por la propiedad. La guerra parece inevitable en Europa. Los ejércitos están pagando muy bien los caballos de silla y los campos para tenerlos.

—¿Y adónde irá usted entonces?

—En este momento, ni siquiera sé adónde iré cuando me marche de Zurich.

—Quizá podamos inducirla a que se quede en Suiza.

—¡Si usted puede ayudarme, mi querido doctor, de buena gana vendré a vivir a la casa vecina!

—Mi esposa podría poner objeciones a eso; pero estoy seguro de que podríamos encontrar para usted un lugar hermoso sobre la costa del lago.

Es uno de esos diálogos frívolos pero cargados de toda una gama de sugerencias sexuales. Todavía respondo de buena gana; pero después de sus comentarios sobre Kostykian y sobre sus propias relaciones con mujeres judías, me siento recelosa. El añade un comentario inesperado.

—Bromas aparte, si usted va a continuar analizándose conmigo, necesitaremos estar razonablemente cerca uno del otro y establecer una rutina de conferencia y comunicación. Ocasionalmente, compruebo que es útil visitar a un paciente, aunque por costumbre no lo hago. Sin embargo, eso podemos discutirlo después. Para volver a la historia de su vida... usted era el ama de Silbersee, era una médica preparada con una brillante carrera por delante. Había comprendido que, en el esquema cósmico, su pasado nada convencional era de poca importancia. En resumen, todas las probabilidades estaban a su favor. ¿Qué sucedió a continuación?

—Tomé el control de Silbersee, con Lily como fiel ayudante. Recorrí todos los rincones de la propiedad, revisé cada detalle de las cuentas. Ascendí a Hans Hemeling a caballerizo mayor y empecé a vender las yeguas y los sementales viejos que habían sido nuestros reproductores durante demasiado tiempo. A Lily la hice castellana del castillo. Era capaz de ponerse hecha una furia cuando veía polvo sobre los muebles o que se desperdiciaba comida, y al minuto siguiente toda la servidumbre se doblaba de risa con sus bromas obscenas en dialecto. Nos estaban estafando en los cuartos y las casas de huéspedes y nos pagaban mal en nuestros contratos de explotación de madera. Nuestro ganado se vendía por medio de un subastador local, que estaba en connivencia con un grupo de carniceros de Salzburgo e Innsbruck.

"Empecé a dar golpes a izquierda y derecha, sin preocuparme por quién caía... Al final del primer mes casi tuvimos una revuelta de campesinos. Me apodaron **Zickzackblitz**, relámpago zigzagueante, porque nadie sabía dónde caería a continuación. Pero cuando los pintores y carpinteros empezaron a trabajar en las casas de la propiedad, cuando los jardines empezaron a ser cuidados y obtuvimos mejores precios en el mercado, y Hans y yo volvimos a casa con nuestro primer semental árabe y una yegua para apearla con él, la atmósfera cambió. Fräulein Zickzackblitz se convirtió en la **Meisterin**, y por la campiña empezó a difundirse la noticia de nuestras reformas.

"Entonces, Lily sugirió que fundásemos un club local de caza según el modelo inglés, con algunos detalles elegantes que habíamos aprendido en la Lombardía. Ello nos daría un mercado para nuestros caballos. El **Stuberl** que poseíamos en el pueblo sería el punto de reunión. Importaríamos perros de caza ingleses y alemanes y los criaríamos para formar la jauría. A papá la idea le gustó mucho. Le daba toda una nueva dimensión a su vida social más bien desteñida. Después de la primera reunión, comentó alegremente: 'Maravilloso. ¡No sabía que en los bosques todavía se escondían tantas mujeres bonitas!'

"Cuando llegó el momento de marcharme a Viena, el lugar era otra vez una propiedad lucrativa. Podía confiar en Lily y Hemeling. Yo misma regresaría cada dos o tres semanas para vigilar el negocio y disfrutar de mi dominio. La noche antes de mi partida, papá me pidió que me reuniese con él en su estudio para beber coñac. Fue un acontecimiento poco común. A él nunca le gustaban las confidencias cara a cara. Prefería flotar sobre nuestra vida doméstica como un filósofo residente, impartiendo palabras de sabiduría, alguna caricia al pasar a mí o a Lily, y entusiastas palmadas en los traseros de las sirvientas... y solo una ilusión de intimidad. Esta vez, sin embargo, se había tomado la molestia de preparar un discurso especial para mí.

—Los tres hemos tenido una vida familiar divertida, **liebchen**. Tú has resultado mejor de lo que jamás soñé.

Ojalá hubiera una forma de dejarte mi título, pero no la hay. Aunque tuvieses un hijo, nada puedo hacer fuera de peticionar al emperador para que le otorgue a él un título de nobleza. Una de las amigas que tengo en la corte podría meterle la petición debajo de sus narices... Habría una franja en siniestra en el escudo de armas, pero eso no tendría importancia. El hecho es que no puedo hacer la petición hasta que haya un nieto... De modo que esa es la cuestión. ¿Cuáles son tus pensamientos acerca de casarte? Sé que tienes que estar un año en Viena. Hay otro año en Inglaterra, que no me hace muy feliz; pero puedes marcharte si lo deseas. Después de eso, estarás tan madura como cualquiera para un matrimonio decente. Tienes por derecho una propiedad hermosa. Eres endiabladamente hermosa, y aunque sé que no vives como una monja, alguna vez tienes que sentar cabeza... ¿Pero con quién? No quiero que se quede contigo algún vulgar comerciante con montones de dinero y nada de clase. Por otra parte, si hablamos de orígenes, ello significa alguien que entra en el mercado matrimonial por segunda vez... un viudo cuarentón, quizá, con una familia joven o, mejor aún, sin familia. El problema es que toda la sangre joven ya está destinada a las muchachas que actualmente hacen su presentación en la corte... Lo siento, pero es así. Tú eres diez veces más mujer que ellas; pero tu certificado de nacimiento te traiciona. ¡Por lo menos, no te has convertido en una bailarina o una corista! Tienes una profesión, y dinero por derecho propio... Así que, ¿qué vamos a hacer, eh? Podría pedirle a Louisa von Grabitz que explore el mercado, si lo deseas. Ella cobra un precio, por supuesto; pero es la menos chismosa de todas esas matronas casamenteras...

"Mientras más hablábamos, más furiosa me ponía yo. Pensaba: ¡Qué descaro el de este hombre! ¡Yo no pedí nacer! ¡No pedí ser la amante niña de papá! Y si para el mercado matrimonial yo era mercadería averiada, ¿de quién era la culpa? Finalmente, estallé: 'El hecho es, querido papá, que todavía no quiero casarme; y cuando lo haga, yo elegiré a mi marido, ¡aunque tenga que hacer otro viaje a Hong Kong para encontrarlo!'

—¿Y cómo tomó su padre ese anuncio?

—Creo que con alivio. En realidad, él no quería que lo

fastidiasen. Había cumplido con su deber. Si yo quería ir saltando hasta la luna con una pierna de madera, era asunto mío. Pese a todas sus carencias, él me había mantenido fuera de los music halls y lejos de la calle. Según su ética curiosa, elitista, eso era más de lo que la mayoría de los bastardos tenían derecho a esperar de sus progenitores.

—¿De modo que cuando usted se fue a Viena se separaron como amigos?

—Solo apenas. Esa noche, cuando papá y Lily se disponían a acostarse, papá me pidió que me les uniera. '¡Solo unas caricias, liebchen, para evocar buenos tiempos!' Estaba por decirle que los buenos tiempos habían pasado hacía mucho y que no quería que se volviese a hablar de ellos, cuando Lily —¡Dios la bendiga!— nos salvó de otra escena desagradable. Rió, y dijo: '¡Escucha, viejo chivo! No te canses en la obertura. ¡Resérvate para la gran aria!' En seguida se lo llevó al dormitorio, cantando 'Là ci darem la mano...'

"Esa noche soñé con mi madre. Era invierno. Yo estaba esperando en la nieve, fuera de la entrada principal del Schloss Silbersee. Mamá venía en un trineo con campanillas de plata, tirado por caballos blancos. Estaba envuelta en armiño blanco. Yo supe desde lejos que era ella. Me puse en medio del camino y agité la mano para que el conductor se detuviese. Pero él fustigó los caballos y pasó de largo a mi lado, mientras mamá seguía allí sentada, con la sonrisa cruel y fría de la Reina de la Nieve".

Jung piensa un momento en esta información y hojea sus anotaciones. Marca varios pasajes y comenta:

—Aquí hay otra cosa que me parece curiosa. ¿Por qué, en todos esos años, no trató de obtener información sobre su madre, si no de su padre, entonces de Lily? ¿Por qué no fue a Londres, o al lugar de su nacimiento, y averiguó lo que quería saber? Habría sido un trabajo de detective relativamente sencillo. Otra cosa que no entiendo es la reticencia de Lily acerca del asunto, especialmente cuando fue mayor y capaz de comprender.

—Las respuestas, mi querido doctor, son tan simples que son patéticas. ¿Por qué no traté de obtener información? Porque toda mi vida fui condicionada para no hacerlo. ¿Por qué no fui a Inglaterra y desenterré la verdad? Porque temía exactamente lo que sucedió en el sueño: que mi madre no se fijara en mí en la calle. ¿Por qué Lily no me contó la verdad? Porque, como he descubierto recientemente, Lily fue la razón de la ruptura. Lily se acostaba con papá durante el embarazo de mi madre. Lily conspiró en mi seducción a fin de retener a papá. Lily fue una oportunista perfecta. ¡Me amaba, sí! ¡Eso no se puede negar! Pero papá le pagaba su salario y lo que papá pedía, lo tenía. Lo que necesitaba más que nada era silencio. Hasta que se marchó para regresar a Inglaterra, lo que Lily me dijo acerca de mi madre encajó exactamente con lo que me dijo papá. Mi vida, mi felicidad, dependían de ellos dos. ¿Qor qué iba yo a arriesgar su buena voluntad a cambio de la sonrisa fría y desdeñosa de la Reina de la Nieve?... Por eso nunca traté de interferir en la vida de mi hija. Probablemente, ella siente hacia mí lo mismo que yo sentía hacia mi madre.

—¿Nunca le ha escrito a su hija?

—Varias veces, en los primeros días. Nunca recibí respuesta.

—¡Por Dios! ¡Ella era apenas una niña!

—Lo sé. Pero después de un tiempo, no se pueden encontrar palabras. ¿Qué le hubiera podido decir?: ¿'No soy una bruja, soy tu madre y te amo. Quiero abrazarte y besarte y compensarte por todos los años perdidos'? ¡Es hermoso! ¡Pero si uno lo grita o lo escribe o lo canta en una habitación vacía durante cierto tiempo, se vuelve loca! Usted ha hablado de sus propios asuntos sentimentales, doctor. ¿Nunca sintió deseos de decir algo y se encontró con que no había nadie que lo escuchara? ¿Alguna vez quiso decir cosas tiernas sólo para oír el eco de sus palabras que le devolvía una muralla de piedra?

Zurich

Su declaración es demasiado penosa, demasiado simple para no ser verdad. Su daga dirigida a mi yugular —"Sus propios asuntos sentimentales, doctor"— fue apuntada con una mano firme y sin parpadear. El resto —la Sociedad Scotus, la escena de flagelación, la pasión profana por Alma de Angelis, el sagrado amor por la hermana Damiana, la relación platónica con Kostykian, el Judío Errante que deposita piedras preciosas sobre las almohadas de las damas y les deja la virtud intacta— es demasiado. Es una mezcolanza de verdad, material de sueños y típica expresión de deseos.

No me propongo desafiarla en esto. De todos modos, el material es valioso. Sin embargo, no estoy dispuesto a tragármelo como la bola de cáñamo y brea que Daniel le hizo comer al gran dragón. Lo importante es que cuanto más cerca estamos del momento de la revelación, tanto más mi paciente se divide, como una ameba. Hasta ahora tenemos tres personas separadas: el alma condenada, que busca a tientas imágenes de inocencia perdida; Fraülein Zickzackblitz, ama de Silbersee, cuerda y práctica, paseándose con una fusta de montar; la madre desolada que llora a su hija perdida, privada hasta de la capacidad de comunicar su amor y su dolor... ¡Bien, ya veremos, a su debido tiempo, cuál de estos personajes es el más durable!

Está sentada muy erguida en su silla, esperando que yo continúe el interrogatorio. No digo nada. Voy hacia ella, me detengo detrás de su silla y empiezo a masajearle los hombros y el cuello. Sus músculos están duros como tablas, contraídos en un espasmo. Después de un momento, ella da un suspiro de placer y se relaja bajo mi contacto.

Después desabrocha los dos botones superiores de su blusa y echa el cuello de la prenda hacia atrás para que yo pueda trabajar sobre su piel desnuda. Empiezo a instalarla, al ritmo del movimiento:

—Muy bien. Esto es más fácil que hablar. A los dos también nos dice más. Cierre los ojos. ¡Aquí está, libre de pesadillas!

Por un momento, se abandona dichosa a mi contacto; después se yergue, me toma la mano derecha y se la lleva a los labios. Con mucha calma, declara:

—Es suficiente. Gracias, querido mío. Me gustó mucho. Un poco más y los dos estábamos en aguas calientes.

Me causa placer comprobar que he logrado excitarla. Le echo la cabeza hacia atrás y la beso en la frente, después me retiro a mi sillón. Ella abotona su blusa y se sienta frente a mí, medio sombría, medio divertida, sensual como un gato junto al fuego. Me siento eufórico. Se ha establecido el contacto físico. El primer bastión está conquistado. Tiempo y paciencia nos llevarán al corazón mismo del castillo. Entonces, ella me sobresalta con una franca declaración:

—Temo que no estaba escuchándome, mi querido doctor. Estoy diciéndole que yo seduzco con facilidad y después me comporto muy mal. Creo que usted también seduce con facilidad, y luego se pregunta por qué las cosas salen complicadas después. Usted y yo no deberíamos iniciar ningún juego que no estemos dispuestos a jugar hasta el final... Pero gracias por desearme. Eso ayuda más de lo que usted sabe.

Sonrío, me encojo de hombros y le agradezco a mi vez. A mí también me gusta ser deseado en un momento de mi vida en que a menudo me siento como el patito feo. Después, pasado el interludio, estamos nuevamente en la realidad. Le pido que me cuente de su vida como interna en el Hospital General de Viena. Todavía no está preparada para eso.

—Primero me gustaría contarle de Ilse.

—¿Ilse? No recuerdo ese nombre.

—No hemos hablado de ella todavía.

—¿Es ella importante para su historia?

—Más tarde es muy importante.

—Cuénteme de ella.

—Era mi amiga en el colegio de Ginebra. También vivía en el territorio de Salzburgo. Su padre era dueño de minas y un gran financista. Yo tuve un asunto de colegialas con ella. A papá también le hubiera gustado seducirla; pero no lo hizo porque yo no quise invitarla a nuestra casa. Sin embargo, era bonita, rica, y casi conmovedoramente estúpida. Ella y sus dos hermanos estaban entre los primeros socios de nuestro club de caza. Ilse era carne de primera en el mercado de matrimonios. Su madre era una criatura melancólica, anémica. Su padre era rico, rico... y muy ansioso de encontrar un marido con título para la pequeña Ilse. Nuestras reuniones mensuales de caza en Silbersee eran una ocasión ideal para hacer desfilar a los jóvenes potrillos, sobre los cuales ella pedía mi opinión de experta. Era una de esas muchachas que viven en una rosada nube de ilusión. Recordaba incidentes de nuestros días de colegio en Ginebra que nunca ocurrieron, nunca pudieron ocurrir. Nuestra relación de colegialas, que terminó el día que la vi coqueteándole a papá, era para ella un vínculo para toda la vida. Yo tenía que ser doncella de honor en su casamiento, madrina de sus niños, amiga del alma de ella y el marido que aún no había encontrado... Una sesión con Ilse era como atiborrarse de torta Sacher. Una terminaba pegajosa, cremosa y francamente harta de dulzura.

—Un retrato muy claro. Ahora tengo a Ilse grabada en mi corazón. ¿Podemos continuar, por favor?

—Usted quería saber acerca de Viena. Desde el comienzo fue una experiencia extraña. Le dije que papá me había conseguido un nombramiento como interna en el Allgemeines Krankenhaus. Me dio cartas de presentación para el Registrar y tres o cuatro de los médicos jefes con quienes él había trabajado a lo largo de muchos años. Me instaló en un apartamento agradable, entre el Alsengrund y el Josefstadt, a corta distancia del hospital. Me dio una nota para sus banqueros. ¡Y eso fue todo! ¡Nada de contactos sociales, nada de amigas, nada! El había vivido todos esos años una vida privada; ¡no había ninguna razón para dejar que se la complicara una hija marisabidilla con un certificado de nacimiento defectuoso!

"Por supuesto, yo me sentí herida y furiosa; pero para entonces había desarrollado una reacción automática. Si esas eran las reglas del juego, yo las seguiría hasta el límite, ¡sin pedir favores, sin dar cuartel! Hice mis reverencias ante los médicos veteranos, les agradecí profusamente sus buenos oficios a mi favor, y me retiré resueltamente a las filas de los novatos. Me puse en contacto con Gianni di Malvasia, quien se alojaba con un joven amigo en un apartamento medio miserable cerca de la Herrengasse. El amigo era estudiante de piano y composición, y ni su apartamento ni los vecinos podían hacer lugar para un piano de cola. Yo ofrecí mi piso para que lo usara para practicar, y una ocasional comida casera en retribución de que me acompañaran a conciertos y me presentaran a la vida joven de la ciudad.

"Resultó bien. Gianni, a su manera relamida, era muy protector. Yo comprendía sus necesidades y sus ocasionales agonías. Pronto tuvimos un pequeño círculo de amigos con quienes salíamos: asientos baratos en la ópera, vino y baile en Grinzing, reservados en los lugares nocturnos más baratos y peores de la ciudad vieja... Conocí a toda clase de personas interesantes. En Silbersee hay un retrato mío pintado por Klimt. Es un semidesnudo. Estoy envuelta en un chal multicolor que él pintó después. Conocí a Schnitzler y no me gustó. Me impresionó como un esnob insufrible. Lina Loos me adoptó por un tiempo; pero se aburrió de mí porque yo no pintaba ni escribía. Era una época frenética, extraña. La llamaban el Alegre Apocalipsis, pero armonizaba con nuestros estados de ánimo...

"Usted ha trabajado en un hospital público. Sabe cómo es eso. Una es terriblemente joven. Una pasa sus días y muchas de sus noches con los enfermos, los moribundos, todas las víctimas de una gran ciudad. Una se cree dura, pero no lo es. Después de un tiempo, la miseria de la condición humana termina por apabullarla.

Vuelvo atrás en mis notas y le recuerdo que ha hecho antes un comentario similar. Se lo leo:

—"Enterramos nuestros éxitos y nuestros fracasos en la misma tumba."

Le pregunto si puede explicármelo.

—Lo intentaré, pero por favor, sea paciente conmigo.

Tengo que dar un paso por vez. Usted debe saber lo que quiero decir acerca de la futilidad de la condición humana. ¿Nunca se sintió deprimido al mirar todas esas hileras de camas y percatarse de cuánto esperaban de usted los pacientes y qué poco usted podía darles en realidad? A mí eso me hizo un poco de bien: me enseñó a ser más amable. Por la otra parte, me hizo mucho daño.

—¿Qué clase de daño?

Por primera vez, parece embarazada. Después hace un gran esfuerzo, y dice rápidamente:

—Por un tiempo bastante largo, me complicó la vida sexual. Despertaba junto a un cuerpo joven y hermoso y me preguntaba qué cosas terribles estarían pasando en su interior. Gianni decía que lo mismo les sucedía a todos los estudiantes de medicina. Simplemente, había que superarlo. Hasta hacía una broma: "Dicen que la justicia es una deidad ciega. Yo creo que el amor también tiene que ser ciego." Mi problema era que, al final la venda caía de mis ojos, justamente en el momento inapropiado.

Anoto también esa frase. La subrayo varias veces; pero recordando que ella está dispuesta a dar nada más que un paso a la vez, la dejo que continúe.

—Un resultado era, por supuesto, que en nuestro tiempo libre jugábamos fuerte, solo para olvidar la tragedia; pero la tragedia seguía presentándose bajo nuestras narices. Mi introducción al reverso de Viena ocurrió muy pronto. Una noche de invierno, alrededor de las once, estaba acurrucada frente al fuego leyendo cuando Gianni llamó a mi puerta. Tenía un carruaje esperando. Quería que me vistiera inmediatamente, trajera mis instrumentos y fuera con él. ¿Por qué yo?, le pregunté. Pensé que podía ser un aborto de chapuceros. Había muchos de esos casos, y los jóvenes internos eran llamados a menudo para hacer la reparación. No tenían licencia para ejercer en forma privada, de modo que siempre había un elemento de riesgo. Gianni me dijo que la querida de un amigo suyo estaba por parir. Era un parto difícil y necesitaba ayuda. Me llevó a un sombrío edificio de apartamentos cerca de la Burggasse. Todavía está allí el edificio. Los llaman **Bassena-Wohnungen**, apartamentos de palangana, porque hay un grifo de agua por piso y un solo toilet común... El lugar era triste como una cárcel; y el **Hausmeister**, que nos espió desde su cubículo de cristal, parecía un viejo mastín enseñando los dientes. Gianni le dio un billete de banco y el hombre nos dejó pasar.

"La paciente era una muchacha de no más de dieciocho años, flaca, desnutrida, muy avanzada en un parto difícil. El muchacho que vivía con ella era un estudiante del conservatorio, ¡que a duras penas reunía dinero para la comida y las clases tocando el acordeón en un sótano vinería!... El apartamento era poco mejor que una choza; Gianni había llevado las toallas y las sábanas, una cesta y mantas para el bebé. Era un parto de nalgas, difícil y complicado. Tuvimos que usar fórceps y finalmente cortar para sacar al niño con vida. Fue casi un milagro, y nos quedamos hasta el amanecer para persuadir a la madre a que volviera del borde de la muerte. No bien las tiendas abrieron, enviamos al joven padre en busca de provisiones. El muchacho apenas había salido cuando irrumpió el **Hausmeister**, gritando escándalo, amenazando con el desalojo, la actuación especial de esa raza tan especial.

"Yo empezaba a replicar, pero Gianni me contuvo. Realizó la más hermosa actuación que yo jamás había visto. Nosotros éramos, explicó, médicos en una misión de misericordia. Seguramente unas pocas horas de molestias eran mejor que una muerte en la casa. En cuanto al escándalo, bueno, como funcionario encargado de la salud pública, él había notado una cantidad de infracciones bastante escandalosas y peligrosas en ese edificio... ausencia de toilets con las debidas condiciones sanitarias, tinas sucias, acumulación de basura, ratas, que se sabía eran portadoras de enfermedades... Después se interrumpió y con una expresión de gran sorpresa le pidió al **Hausmeister** que sacara la lengua, tosiera, se inclinara y se tocara las puntas de los pies, toda una comedia de tonterías médicas. En seguida, dijo: 'Amigo mío, usted necesita ayuda casi tanto como esta madre y esta criatura. Venga a verme en el hospital. Pregunte por mí en la Guardia entre las tres y las cuatro. No puedo prometerle nada, nunca se puede en casos como el suyo. Pero haré todo lo que pueda por usted, ¡siempre, por supuesto, que pueda contar con que cuidará de mis amigos!'

"El individuo casi gemía de pánico. Rogó que le dijera qué tenía. Gianni sugirió que yo también lo revisara y diera una segunda opinión. Lo hice pasar por la misma rutina. Mi opinión fue que se encontraba muy mal, que era un caso agudo de escatología serpiginosa que si no se la trataba degeneraría en una proctalgia incurable... Para entonces, el miserable no sabía si le habían disparado con un arma de fuego o lo habían envenenado. Gianni le aseguró muy gravemente que haría todo lo posible, siempre que no hubiera más molestias para la madre y el niño... En el hospital, Gianni lo trató exitosamente, con una fuerte purga y una dosis de una semana de placebos. Yo visité a la madre y al niño todos los días hasta que los dos estuvieron fuera de peligro.

Le digo que es una historia encantadora. Si ella la representara sobre el escenario del **Burgtheatre** no habría un ojo seco en toda la sala; ¡pero, por favor, me gustaría saber qué objeto tiene!

—El objeto, mi querido doctor, es decirle que el niño murió un mes después. La pareja se separó poco más tarde. La muchacha volvió a las calles y solía enviarme sus amigas para que les dijese si estaban en condiciones de pasar la inspección de la gente de salubridad municipal. El padre del niño es ahora un conocido director de orquesta. Usted me preguntó sobre sepultar éxitos y fracasos. Ahí tiene su respuesta.

Estoy seguro de que no es toda la respuesta; pero bastará por el momento. Hago una pregunta más simple:

—¿Asuntos del corazón... algo importante durante este período?

—¡No! No era posible. Yo trabajaba como un perro en la Krankenhaus. Pese a todos los prejuicios que infestaban ese lugar... contra las mujeres, contra los judíos, ¡contra la psiquiatría, las reformas en la administración, el socialismo y los húngaros!... yo estaba decidida a probarme a mí misma al máximo y salir airosa. De modo que el tiempo libre era solamente tiempo libre. Y todavía me faltaba tener un lugar y un tiempo que me pertenecieran solamente a mí.

—¿Y cuando estaba sola, qué hacía?

—Leía; tocaba el piano; cocinaba, remendaba mis

ropas; soñaba despierta.

—¿Con qué?

—Con Silbersee, casi siempre. Qué haría cuando fuera la próxima vez a casa, las mejoras que introduciría... Hasta planeé un gran baile después de una cacería y ordené en mi cabeza todos los detalles excepto uno.

—¿Cuál?

—Quién sería mi acompañante. No había ningún hombre especial en mi vida.

—¿Lo había habido alguna vez?

—No. Solo papá... el resto eran amigos, compañeros de cama. Nunca, en realidad, los necesité lo suficiente como para querer conservarlos.

—Así que pese a su educación, sus viajes, su formación como médica, una parte de usted había permanecido anclada en la infancia, y en las experiencias sexuales de la adolescencia. Trató de cerrar una puerta sobre la experiencia incestuosa; pero ningún hombre igualó jamás a su padre como amante. Su relación con Lily tenía toda clase de elementos; ella era madre, hermana, confidente, compañera lesbiana... ¿sí?

—Nunca lo ordené mentalmente en esa forma; pero sí, es verdad.

—Y para cada una de esas personas, acerca de quienes siente usted culpa y vergüenza, o por lo menos embarazo, se ha provisto a sí misma de un **Doppelgänger**, un otro yo, idealizado. Para Lily, usted tiene a la virgen hermosa y devota, la hermana Damiana, a quien Dios llamó prematuramente. Ella la entiende a usted como Lily. Lee su mente; pero la relación no está manchada por el sexo. Por lo tanto usted no puede sentir sus pechos bajo el hábito. En el lugar de su papá tiene al noble viajero, Avram Kostykian, salido directamente de la leyenda del Grial: el gentil caballero, puro y sin tacha, quien le enseña el misterio de la perla y le deja un zafiro casi perfecto, pero no quiere nada de sexo con usted.

Espero que se encolerice. Me sentiría más contento si lo hiciera, pues significaría que estamos acercándonos al corazón de la cuestión. ¡Pero no! Queda callada, desconcertante, hasta un poquito condescendiente.

—¿Está diciéndome, doctor, que yo he inventado a esas personas?

—Nada de eso. Estoy diciendo que, inconscientemente, usted las ha... ¿cómo diré?... reacomodado en su mente, en la forma que un retratista acomoda a su modelo al pintarla en la tela. Es una cuestión de ordenamiento, de énfasis, de luces y sombras. Es un acto de creación artística.

—O dicho más directamente, una mentira.

—¡Al contrario! Es un acto de veracidad. Usted está diciéndome no solo lo que esas personas eran en ellas mismas, sino lo que fueron para usted, en qué se han convertido para usted con el paso del tiempo. Yo podría contarle la historia de Kostykian en tres formas diferentes. Los hechos serían los mismos en los tres casos, pero el significado sería muy diferente. ¿Quiere que lo intente?

—No, gracias. —Ríe. —Entiendo lo que quiere decirme. Lo que me gustaría saber es...

Nos interrumpe una conmoción doméstica. Los niños y la niñera han llegado a casa. Hay muchos gritos de vocecitas agudas y peleas por la atención de mamá. Un momento después, Emma llama a la puerta y hace entrar a la niñera. La muchacha tiene la mano envuelta en un pañuelo ensangrentado. Se ha lastimado con un alambre de púas. El corte es profundo. Va desde la base del meñique hasta la eminencia tenar. Necesitará puntos de sutura. Le pido a Emma que hierva agua y traiga gasa, algodón, desinfectante y una aguja e hilo. Mi paciente se ofrece a ayudar. Acepto. Me ha dicho que solía ser muy hábil en cirugía. Por lo menos, podremos poner a prueba esa historia. Se envuelve la cintura con una toalla, se lava en mi lavamanos y después, sin alharaca y con un mínimo de incomodidad para la víctima, limpia, desinfecta, sutura y venda la herida. Emma está agradecida; sabe que a mí me habría llevado el doble de tiempo, que habría gruñido todo el tiempo y hasta habría hecho llorar a la niñera. Por mi parte, me siento discretamente complacido. Es una pequeña intimidad más. Retengo mi cumplido hasta que quedamos solos:

—Fue una demostración brillante, mi querida colega.

—¿Qué otra cosa esperaba? Un estudiante de primer año con toda probabilidad lo hubiese hecho así. Pero me alegro de que usted apruebe. Tengo la sensación de que usted cree que la mitad de lo que estoy diciéndole es ficción.

Decido ser directo con ella. Ahora estamos demasiado adelantados para quedarnos en verdades a medias. Una vez más, pido su comprensión profesional de lo que estamos haciendo.

—Seamos francos entre nosotros. En todo diagnóstico, hay que ser escéptico. Usted sabe que todo alcohólico con cirrosis hepática le dirá que es un bebedor moderado. El que sufre de úlcera, solo confiesa una indigestión ocasional... En nuestra entrevista, yo le pregunté cómo empezaban sus episodios de sadismo. Usted dijo... ¿dónde está ahora? ¡Ah, aquí!... Usted dijo: "Cada vez que me siento descontenta de mí misma." En otras palabras, su visión de sí misma cambia. Por lo tanto, lo que cuenta de usted misma cambia también. Yo no puedo aceptar simplemente la **persona**, la máscara, en la cual usted se me presenta en un momento. Tengo que descubrir todos los otros elementos constitutivos del yo detrás de la máscara... Nuestros sueños, y hasta lo que soñamos despiertos, representan los elementos dinámicos de nuestras vidas. Los hechos simples como el color de una casa, la dirección de una calle, si bebemos té o café en una comida dada, son los elementos estáticos. ¡Así que por favor, por favor! Hoy ya es demasiado tarde para volvernos vergonzosos. Simplemente, cuénteme la historia tal como usted la recuerda.

—Y usted, amigo mío, recuerde, por favor, que de aquí en adelante necesito mucha ayuda.

—Lo recordaré. Se lo prometo.... usted terminó su internado en Viena. Presumiblemente, le otorgaron una licencia para ejercer medicina y cirugía.

—Me ofrecieron más. Un puesto de enseñanza, si yo quería. Había una vacante para un asistente en cirugía abdominal. Era el primer escalón en una alta escalera. Yo no estaba segura de querer subir. Usé la excusa de que deseaba hacer un año de posgrado en Edimburgo o Londres. Después de eso me sentiría más confiada en mi capacidad. Otra vez besé manos, hice reverencias, di una fiesta muy ruidosa para mis amigos en un restaurante húngaro y después regresé a Silbersee.

"Allí me enteré de que papá estaba en Munich. 'En celo', dijo Lily, 'por la diva de **Fledermaus**.' Le deseé suerte y me dediqué a revisar las cuentas y el libro de genealogías de los caballos, a cabalgar por nuestros dominios y escuchar la versión depurada de Lily de los chismes locales. Apenas llevaba una semana en casa cuando recibí una carta de Ilse Hellman. ¡Sorpresa! ¡Milagro! ¡Las estrellas estallan en el cielo! Se había enamorado del hombre más maravilloso, el Príncipe Encantador en persona. Su nombre era Johann Dietrich. También tenía un título, Ritter von Gamsfeld. El le había propuesto casamiento. Ella había aceptado. Papá había dado su consentimiento. El compromiso sería anunciado en un gran baile y cena, que ahora estaban organizando. Yo recibiría muy pronto una invitación formal. Todos nosotros teníamos que ir, papá, tía Liliane y yo. Y por supuesto, todo lo que habíamos planeado ahora podría suceder: yo sería doncella de honor, madrina, compañera del enamorado matrimonio... ¡sonaba como un purgatorio con cintas rosadas, pero era así!

"Buscamos Von Gamsfeld en el Almanaque Gotha. El título era menor, pero bastante antiguo. Fue otorgado por primera vez a uno de los hermanos de Wolf Dietrich, el arzobispo guerrero de Salzburgo. La propiedad solariega estaba ubicada no lejos de Bad Ischl y nuestros informantes locales la calificaron de "considerable". De modo que parecía que mi pequeña Ilse vería su sueño hecho realidad, y papá Hellman alcanzaría su ambición de financista, un matrimonio de agricultura, minería, y buenas coronas austríacas de oro. La pregunta irritada de Lily no fue del todo irrazonable: 'Si esa pequeña cabeza hueca puede conseguir un marido como ese, ¿por qué no tú? Piénsalo, cariño. Has estado trabajando demasiado, demasiado tiempo... ¡y los juegos nocturnos tampoco benefician tu complexión!' A lo cual, por supuesto, solo pude responder que saldría a caballo para ver a los leñadores. Si ella quería venir, sería bien recibida. ¡Pero por favor, no más sermones sobre el santo estado de matrimonio!

—Pero obviamente usted pensaba en el matrimonio.

—¡Por supuesto! Todas las muchachas piensan en eso; y Lily había tocado un punto sensible. Yo era la más inteligente. Era hermosa, rica y capaz... ¡pero la pequeña cabeza hueca de Ilse sería quién se quedaría con el Príncipe Encantador!

—¿Y usted qué hizo, entonces?

—Lo mismo que Lily. Empecé a pensar en ropas. La fiesta del compromiso sería una ocasión fastuosa, un gran baile en la mansión de Hellman cerca de Bad Ischl. Los invitados serían alojados por esa noche en el Hotel Drei Mören, que fue alquilado desde el sótano hasta el ático para esa oportunidad. Todo sería opulencia y antiguo régimen, pero en un estilo rural, para complacer a los dignatarios locales. Lily y yo decidimos que iríamos en **Landestracht**, es decir, vestidas al estilo local campesino, e hicimos tres viajes a Salzburgo para encargar el diseño y la confección de los vestidos y someternos a las necesarias pruebas. Cuando papá volvió a aparecer, pálido y demacrado por sus largas esperas en el vestidor de la viuda y de cenar con ella tarde, muy tarde, los vestidos estaban terminados. El quedó tan impresionado con ellos que decidió que también luciría un traje local, y que — ¡por primera vez, adviértalo bien!— me permitiría usar las joyas de su madre, piezas hermosas y muy trabajadas hechas al estilo húngaro por orfebres de Viena y Budapest. Abuela debió de ser una mujer bastante grande, porque algunas de las joyas eran demasiado pesadas para mí; pero había otras que armonizaban hermosamente con mi vestido: un pendiente con un collar y un par de brazaletes. Como anillo, usaría el zafiro que me había dado Avram Kostykian y que yo había hecho engarzar en Viena.

Una vez más me sorprende la naturaleza extraordinariamente compleja de esta mujer. Lo que estoy oyendo ahora es todo mujeril, inocente y natural: vestidos, joyas y cotilleos sociales. Espero que emerja la figura sombría, el espíritu oscuro que pone cólera en sus ojos y sus furias orgiásticas en las casas de citas. Trato de evocar al fantasma con una pregunta poco bondadosa.

—¿Por qué su papá no le regaló directamente las joyas de su madre? No me imagino que él las usara. ¿Por qué las tenía guardadas con llave cuando tenía una hija en edad de lucirlas?

—No lo sé. —Su respuesta parece franca y abierta. —A mí

no me interesaba. Eran propiedad de él. Papá podía hacer lo que quería con esas joyas. Lily tenía la teoría de que él las guardaba por si alguna vez llegaba a casarse, a fin de poder dárselas a su esposa. Sé que compraba joyas para sus amigas, pero nunca regaló una joya de abuela. —Levanta los ojos hacia mí y ríe con cierto embarazo. —Usted es un buen suizo sobrio y austero. No sabe cómo pueden ser de locos los húngaros. Son como el mercurio. No se los puede retener el tiempo suficiente para percibir en ellos algún sentido.

— ¿Qué pasó con las joyas, al final?

—El se las dio a Lily.

— ¡Qué cosa extraordinaria!

—Quizá no tan extraordinaria; pero le contaré sobre eso, más tarde... ¿dónde estábamos?

—En los preparativos para el baile de compromiso de Ilse Hellman.

— ¡Oh, sí!... Llegaron las invitaciones, con suficiente pan de oro como para dorar la espira de San Esteban. Llegó el día... ¿no adivina?... un perfecto día otoñal, despejado y apacible; las hojas, que aún no habían caído, tenían todos los tonos de dorado, rojo y ámbar. Para mí habían preparado un alojamiento especial. Papá y Lily se hospedaron en el "Drei Mören." A mí me llevaron a la mansión Hellman y me instalaron en una habitación contigua a la de Ilse a fin de que pudiésemos platicar juntas, vestirnos juntas. ¡Me pregunté si ella querría también que pasáramos la noche juntas en la cama, después que el Príncipe Encantador se hubiera ido castamente a su cuarto!... ¡Perdóneme! Todo esto es en retrospectiva. En aquel entonces, yo no me sentía tan malvada. ¡Pero, oh Dios, era un poco difícil tragarse toda aquella dulzura!

— ¿Y el Príncipe Encantador? ¿Era difícil de tragar?

El cambio en ella es sorprendente. Es como si se hubiera apagado una luz. Hay en su voz una tristeza de invierno tan terrible que hiela el corazón. No me mira: se mira fijamente el dorso de sus manos que descansan, fláccidas e inmóviles, sobre su regazo. Dice, simplemente.

— ¡Oh, no! El no era para nada difícil de tragar. Era el hombre más hermoso que yo había visto jamás. Lo deseaba más que a nadie ni a nada en toda mi vida...

Espero en silencio que continúe. Lentamente, levanta la cabeza y me mira a los ojos. Sus ojos están apagados. Sus mejillas, sin sangre, están blancas como el mármol. Recuerdo las descripciones que me hizo ella misma de su madre, la Reina de la Nieve con un trozo de hielo donde debía estar el corazón. No necesita que la estimule, las palabras surgen en un torrente regular, incontenible.

—Fue el verdadero **coup de foudre**, el flechazo instantáneo. Si usted nunca lo sintió, nadie podrá decirle cómo es. Allí estaba esa hermosa criatura, alto, rubio, de ojos brillantes, rezumando virilidad, enfundado en el uniforme de etiqueta de la Caballería Imperial, inclinándose sobre mi mano y diciéndome lo complacido que estaba de conocerme, cuánto le había hablado Ilse de nuestra amistad, **et patati et patata, und so weiter**, por siempre jamás... Yo sentí que me ruborizaba desde el pubis hasta la frente. ¡Tan luego yo! Rogué para no desmayarme allí mismo a sus pies y quedar como una tonta... Veo que se sonríe. No lo culpo. Tengo cuarenta y cinco años y todavía recuerdo aquel momento como si estuviese sucediendo ahora. Hemos hablado de volver a nacer. Bien, alguien nació en mí aquella noche, alguien tan ardiente y apasionada que nunca pude someterla. Deseaba a Dietrich con todo mi cuerpo y mi alma, ¡y allí estaba él, comprometiéndose con esa tortita de caramelo derretido! Cuando bailé con él fue peor. Comprobé que él también era inteligente. Se había enterado de lo que yo estaba haciendo en Silbersee. Preguntó si podía ir a visitarme un día y mirar nuestros animales de raza. Quizá yo podría aconsejarlo sobre algo similar en Gamsfeld. Hasta podríamos organizar una cacería allí. No sería necesario que entrásemos en competencia, podríamos, quizá, emprender una empresa conjunta... Como hombre de la caballería, él estaba interesado en...

"Entonces se acercó Ilse y se lo llevó; pero yo atesoré cada palabra que me dijo como si fueran diamantes... Todavía no estaba perdido para mí; todavía no se había casado. ¡Por favor, Dios, que no lo pierda ni siquiera entonces!

"Cuando por fin terminó el baile y se sirvió el refrigerio previo al amanecer y los dos enamorados intercambiaron sus últimos besos castos, Ilse fue a mi habitación. Estaba demasiado excitada para dormir. Se metió en la cama conmigo y habló y habló, mientras yo la escuchaba con amoroso interés, tomando nota de todo para futuras referencias. Yo quería saber tanto como sabía ella de este ejemplar de Gamsfeld. Cuando finalmente Ilse se cansó y se acurrucó en la curvatura de mi brazo, empecé a hacerle el amor como habíamos hecho en los tiempos de Ginebra. Después de una noche de valses y amor frustrado, ella estaba demasiado excitada para resistirse. Protestó débilmente y dijo que si bien todavía me amaba, quería reservarse para Johann. Yo no sabía qué había allí digno de reservar, pero le dije las mismas dulces mentiras que me habían dicho Lily y papá: que ella no estaba robándole nada a Johann, solo estaba enriqueciéndolo con un cuerpo dispuesto y experimentado. Se quedó dormida con sus labios rozándome el pecho, una pierna cruzada sobre las mías y su pelo acariciando mi mejilla. Yo estaba despierta cuando salió el sol y los muchachos del campo empezaron a traer las vacas para el ordeñe. Oí el sonido de los cencerros, que tintineaban claros en el valle. Miré a Ilse y pensé qué maravilloso sería si ella desapareciera... arrastrada por el viento como una hoja de otoño...

Cuando miro esa cara pálida, hermosa, y esos ojos brillantes, que miran un paisaje que solo ellos pueden percibir, siento un súbito terror, como si un dedo de hielo estuviera escarbando en mi corazón. Comprendo perfectamente lo que ella me dice. Este es el deseo de muerte que todos tenemos en algún momento de nuestras vidas. Yo lo he tenido acostado junto a Emma, mientras mi mente y mi cuerpo estaban soñando con otra mujer. Lo he tenido en contra de mi padre. Lo he tenido en contra de Freud... y Toni, implacable inquisidora de mi corazón secreto, afirma que estoy decidido a realizarlo en Munich.

Entonces, en los profundos rincones de mi inconsciente se abre una puerta de hierro y un millar de criaturas extrañas salen precipitadamente para acosarme: un enano perverso con la cara de Freud; un pájaro que salta y tiene la cara de una niñita; el esqueleto ruidoso de un monstruo prehistórico; un Sigfrido, sumamente hermoso, con una herida ensangrentada en el pecho, y que grita: "¡Tú me mataste, tú, tú, tú!"... El asedio parece durar una eternidad, pero cuando miro a mi paciente, ella nada ha notado. Todavía está atrapada en el momento encantado del deseo de amor y el deseo de muerte, el momento de corrupción que debe preceder al momento de posesión.

Una vez más advierto la extraña concordancia de nuestras experiencias psíquicas. La disociación que acabo de experimentar, la sensación de hallarme fuera de control y bajo la influencia de fuerzas extrañas, es exactamente lo mismo que ella experimenta en sus momentos orgiásticos... ¡No, un momento! No es exactamente lo mismo. Yo soy constantemente asediado, atormentado. Ella es constantemente la agresora... De pronto advierto que ya no está sentada sino de pie ante mí, con las manos extendidas. A la defensiva, pregunto:

—Sí. ¿Qué sucede?

Me ruega, humildemente, como una niñita:

—¡Por favor! Estoy muy asustada. Tómeme las manos un momento.

La miro a los ojos. No veo cálculo, no veo malicia. No estoy seguro de si ella me percibe. Está mirando dentro del calidoscopio de su propio yo y no dentro de mi confundido cráneo. Le tomo las manos. Me pongo de pie. La atraigo hacia mí y la estrecho contra mi cuerpo. Siento un escozor de deseo por ella. Ella no responde. No se resiste. Acepta mi ternura con una especie de desesperada gratitud. Mi deseo cede rápidamente. Después de un momento, se aparta de mí y me agradece con la pura formalidad de una colegiala.

—Gracias. Lo necesitaba. No está disgustado conmigo, ¿verdad?

—¿Por qué tendría que estar disgustado? Me hace feliz que usted confíe en mí... y siento mucho respeto por su coraje... ¿Está lista para continuar?

MAGDA

Continúo, porque tengo que hacerlo. La tarde se acaba. Mi tiempo se acaba. He prometido completar mi biografía hacia el final de esta sesión. Inmediatamente después de eso, hay que tomar una decisión. ¿Este Carl Jung puede o no puede ayudarme? Más importante todavía, ¿me ayudará cuando conozca la historia completa?

Si no puede o no quiere, partiré inmediatamente de Zurich. Hay un **wagon-lit** nocturno a Milán y Roma. Subiré a ese tren. Si alguna vez bajaré de él es otra cuestión. Hay cierta ironía en la idea de iniciar un viaje entre los puritanos de Zurich y terminarlo, como un peregrinaje a la eternidad, en algún lugar del camino a Roma, la ciudad eterna. Oigo la voz de Jung que me pregunta:

—¿Se trata de algo gracioso? ¿Quiere compartir el chiste?

Es más fácil mentir que explicar el humor de la muerte en el **wagon-lit**. Le digo:

—Sólo estaba recordando nuestro viaje de regreso a Silbersee después del baile. Papá cabeceaba en un rincón del asiento y lanzaba pequeños gruñidos cuando su cabeza golpeaba en cada curva con la ventanilla. Lily estaba totalmente despierta, pero ligeramente desaliñada después de una larga noche y una toilette apresurada. Yo estaba cansada y tenía los ojos enrojecidos, pero mi cabeza estaba llena de pequeños demonios danzarines. Lily señaló a papá y gruñó: "No sé adónde fue anoche. Desapareció después del último vals y no volví a verlo hasta que se apareció con el desayuno diciendo que acababa de visitar al barbero. No sé con quién durmió, pero reconozco que el viejo diablo es rápido como un relámpago... ¿Y tú, pequeña? Te vi bailar con Dietrich.

Será mejor que te saques esas estrellas de los ojos, porque nadie va a romper ese compromiso. Anoche me enteré de toda la historia de labios de la hermana viuda de Frau Hellman. ¡Un personaje extraordinario! ¡Se parece a una de las hermanastras feas de Cenicienta! De todos modos, la madre de Dietrich murió hace cinco años. El padre murió el año pasado. Johann recibe el título, por supuesto; pero la propiedad no pasa a ser suya hasta que se case. Hasta entonces, él solo recibe las rentas. Aparentemente, el viejo no quería que la propiedad fuera hipotecada por deudas de juego o vendida para halagar a damas de cierta notoriedad. Sin embargo, hay otros legados que pagar... a parientes y dependientes, y una cantidad bastante importante a la mujer que papito mantenía cuando murió. Así que el joven Johann necesita muy pronto dinero contante y sonante. ¿Qué forma más rápida de conseguirlo que un casamiento por dinero? Yo diría que él ha conseguido ambas cosas, amor y dinero. Ilse está idiotizada por él y él parece estimarla mucho... Pero entiéndeme bien, si tú hubieras estado cerca, ¡podrías haber estado en el mercado tú también! Me sentí muy tentada de decirle que yo ya estaba en el mercado y que pensaba quedarme hasta que se hicieran las últimas ofertas. Pero me sentía demasiado cansada para una discusión. Le dije simplemente que Johann Dietrich quería hablar con nosotros sobre una operación conjunta de cría de caballos y quizá otro club de caza en Gamsfeld.

"Lily pensó unos minutos y decidió que tenía sentido. Con un capital más grande podríamos apuntar a las mejores líneas de sangre equina. Gamsfeld tenía ciertas ventajas sobre Silbersee para el entrenamiento. Había más tierra llana. Estaba más cerca del empalme ferroviario que comunicaba con Viena, Munich, Carintia e Italia... Podríamos aparear y criar a los animales jóvenes en Silbersee, y después enviarlos a Gamsfeld para el entrenamiento... Hans Hemeling era excelente en su trabajo. Yo podía curar animales tanto como seres humanos. En general, una idea esplendida, siempre que yo mantuviera mis manos en los bolsillos de mi chaqueta de amazona, por lo menos cuando Ilse Hellman estuviera por el lugar... Eso era lo que me hacía sonreír... ¡había que ser muy madrugadora para engañar a Lily Mostyn!

"Papá también tuvo un comentario que hacer, cuando en una curva muy cerrada una sacudida lo despertó. A propósito de nada, anunció: 'El joven Dietrich me ha impresionado mucho. Tiene más cerebro de lo que podría esperarse en un oficial de caballería. Tiene una tía viuda que le atiende la casa en Gamsfeld. Se llama Sibilla. Una mujer bien parecida, de agradable conversación y de pies ligeros. La he invitado a que nos visite en Silbersee...' Yo no hice comentarios, pero pensé: '¿Por qué no antes? ¿Por qué diablos no pudiste dedicar algún pensamiento a las perspectivas matrimoniales de tu hija?'

De pronto siento que Jung me observa con atención. Sus ojos no se apartan de mi cara. No está tomando notas, se limita a golpearse los labios con la punta del lápiz. Sé en qué está pensando. Está aburrido como yo con toda esta cháchara tonta. Abro los brazos, en un gesto de rendición.

—¡Está bien! ¡Lo diré francamente! Yo deseaba a Johann Dietrich. Desde el momento en que lo vi por primera vez, me propuse conseguirlo. No tenía ningún plan. Tenía un gran lugar en el corazón de Ilse y un pequeño asidero en la vida de Johann. Tendría que empezar desde allí... y lo hice no bien estuvimos de regreso en Silbersee.

—Cuénteme qué hizo. —Jung me sonríe con una expresión traviesa y divertida. —Tengo mucho que aprender acerca de mujeres enamoradas.

—Escribí cartas. A papá Hellman y su esposa, muchos efusivos agradecimientos por su hospitalidad, que esperaba que ellos me permitirían retribuir en Silbersee. A Ilse, todo un catálogo de amorosos cumplidos: lo hermosa que estaba; qué hombre espléndido había conseguido; lo feliz que era yo al saber que ella era feliz; cómo Johann había dicho que le gustaría conocer nuestra propiedad de Silbersee y quizá iniciar una empresa conjunta con nosotros; cómo me gustaría que él viniese a visitarnos —con Ilse, por supuesto— con la tía de él y el papá y la mamá de ella ¡y el gato y el perro si querían! ¿Para cuándo sugerían la visita? En la carta a Johann me mostré muy formal y bien educada. Ilse era mi querida, muy querida amiga. Me sentía dichosa por ella y por él. En cuanto a su visita a Silbersee, ¡por favor, cuando lo desee! Estábamos haciendo unos cambios de sangre muy interesantes. Hablé de líneas de sangre de Hannover, Holstein e Inglaterra, y de experimentos, de los que había oído hablar, de cruzas con ponies de Connemara. Le hablé de mi próxima visita a Inglaterra, y sugerí que podríamos invertir juntos en un buen padrillo inglés...

—Como dato interesante —Jung me mira curioso pero amigablemente—, ¿cuánto tiempo tenía usted antes que quedara sellado el matrimonio?

—De otoño a Pascua... Fiel a las formas, la pequeña Ilse tenía que ser una novia de Pascua, y Johann debía completar dos meses más de servicio en su regimiento antes de renunciar a su cargo...

—No mucho tiempo para romper un compromiso tan sólido como ese.

—Lo sé. ¡Hubiera sido más fácil robar el Landesbank! Sin embargo, yo estaba dispuesta a cualquier cosa.

—Pero seguramente, no tenía idea de lo que Johann Dietrich sentía por usted.

—Eso no importaba. Sabía que cualquier cosa que tuviera Ilse, yo tenía más; cualquier cosa que ella hiciera por un hombre, yo podía hacerla veinte veces mejor.

—¡Cuánta confianza!

Jung se rió en mi cara. Yo también solté una carcajada.

—Es una forma de locura. Una está absolutamente convencida de que el mundo exterior funciona según las mismas reglas que el mundo dentro de la cabeza de una... En mi caso, pareció suceder exactamente así. Unas pocas semanas después del compromiso, Johann e Ilse fueron a visitarnos a Silbersee. Los acompañaba la tía de Johann, la misma que tanta impresión le había causado a papá y que parecía estar igualmente interesada en él. Como parte de los cambios introducidos en Silbersee, y para atender a nuestro invitados del club de caza, yo había convertido dos de los cottages más cercanos en alojamientos para huéspedes. Fue allí donde pusimos a Ilse, Johann y tía Sibilla. Cabalgamos juntos por la propiedad con Hans Hemeling como guía. Hemeling le causó una impresión excelente a Johann, quien de ninguna manera era un heredero ocioso. Habló francamente de sus problemas.

"Su padre había dirigido la propiedad con gran eficiencia;

pero nunca había dejado que Johann tomara parte en la administración. En sus últimos años de vida hubo cierto distanciamiento, porque el anciano llevó a su querida a vivir en la mansión. De modo que Johann se quedó en su regimiento. Ahora, había muchas cosas que hacer. Estaba ansioso por enterarse de cómo nosotros nos habíamos reorganizado en Silbersee, y cómo habíamos logrado restablecer la moral entre nuestros servidores. Después, dijo algo que reavivó mis esperanzas como un viento que soplara sobre carbones encendidos: 'Espero que usted pueda transmitirle algo de esto a Ilse. Ella es una joven encantadora y yo la amo mucho, pero nunca tuvo que mirar por sí misma; y cuando estemos casados, yo necesitaré mucha ayuda en Gamsfeld. Usted es diferente. Usted tiene una educación profesional y es tremendamente segura de sí misma. Yo admiro mucho eso. Además, por supuesto, tiene a Lily. ¡Amo a esa mujer, tiene sal en la lengua y al diablo en su corazón! También me gusta su papá. Tiene mucho estilo...'

—Todo eso en cuanto a cumplidos, ¿pero no hubo nada de tomarse las manos, nada de besos, nada de pequeños momentos de revelación?

—Nada. Yo era prudente como una monja.

—¿Y Ilse?

—Estaba embobada. Yo tuve que hacer de madrecita, además de todos los otros roles, y enseñarle los rudimentos de administración de un establecimiento. Tía Sibilla era una mujer muy activa, e Ilse no quería que ocupara el lugar de señora de la casa. Le prometí que Lily y yo haríamos todo lo que pudiésemos para prepararla a fin de que asumiera su lugar, como castellana.

"Al final del día, les servimos una cena estilo campesino en el Schloss, y los despachamos hacia el cottage de huéspedes. Papá intervino en este momento y se ofreció a llevarlos a la aldea para escuchar música gitana y divertirse con un poco de **Schuhplattler**, el típico zapateado bávaro. Yo sabía que él quería atender a tía Sibilla; los novios querían estar solos. Lily y yo optamos por acostarnos temprano.

"Cuando a la mañana siguiente se marchaba, Johann Dietrich me entregó un pagaré por tres mil coronas de oro y la mitad de la propiedad de un semental inglés de pura sangre, si yo podía encontrar uno adecuado. Así, pocas semanas más tarde, partí a Inglaterra con Hans Hemeling para asistir a las ventas de productos anuales en Newmarket. Hans llevaría a su regreso los animales a casa. Yo me quedaría dos meses para hacer estudios de posgrado en el Hospital Saint Mark, de East End, donde se estaban haciendo interesantes trabajos en el estudio de fístulas y tumores malignos.

"Pareció una medida apropiada. Papá había prometido quedarse en casa y cuidar de Lily y de la propiedad. Yo no le veía sentido a esperar que en Johann Dietrich creciera una gran pasión por mí. Mientras más pronto iniciáramos nuestras actividades como socios, más frecuentemente empezaríamos a vernos. La ausencia quizá no haría que su corazón me añorara, pero por lo menos seríamos socios, a razón de tres mil coronas de oro cada uno. Muchos grandes romances habían florecido de semillas más pequeñas que esa. Yo tenía otra idea...

—¡Un momento! —Jung levanta la mano, en ademán perentorio. —Usted iba a Londres. Estaría allí sola, durante dos meses. ¿No se mencionó para nada a su madre? ¿No hubo ninguna discusión con papá o con Lily?

—Hubo discusión, sí.

—¿Y...?

—Como siempre, llevó a un callejón sin salida.

—Por favor, explique cómo fue.

—Papá adoptó la actitud de siempre: nada de información, nada de discusión. Para él, mi madre estaba muerta, sepultada y olvidada. Mi necesidad de información era como un cólico estival; la superaría.

—¿Y Lily?

—Esta vez, con Lily fue diferente. Ella comprendía mis sentimientos, siempre los comprendía. Ella misma era hija adoptiva. Fue la primera vez que admitió eso, y todavía no estoy segura de si era verdad. Sin embargo, dijo que había sentido la misma curiosidad sobre sus padres como yo sentía sobre mamá. Pero, dijo, era como la habitación cerrada con llave en el castillo de Barbazul; una vez que una abría la puerta podía encontrar cosas que no le gustaran y que nunca podría olvidar. También dijo otra cosa, que quedó grabada en mi mente. 'Hay una vena helada en los ingleses, chiquilla, especialmente en la aristocracia. Pueden ser muy crueles y exclusivistas cuando sus intereses están amenazados. Preferiría que no te arriesgaras a eso. Recuerda que fui niñera, un grado más que criada o cocinera; pero nunca llegué a sentarme a la mesa de los señores. Ahora, tú perteneces a la clase de los señores. ¿Por qué permitir que alguna vieja engreída te mire a través de sus impertinentes como si fueras un gusano en una hoja de lechuga?'... ¿Eso lo explica?"

—Será suficiente. ¿Cómo hizo para entrar en el Hospital Saint Mark?

—Como hacía todas las cosas, en aquellos días. Escribí y envié copias de mis calificaciones, y cartas de mis profesores de Padua y de Viena.

—Y así, habiendo dejado que el romance se calentara lentamente en el fuego de Gamsfeld, usted llegó a Londres...

—Con una carta de crédito para el banco Coutts y una presentación para el embajador de Su Majestad Imperial ante la Corte de Saint James. Como yo no tenía título de nobleza, no había peligro de que fuera recibida en sociedad; pero mis credenciales profesionales me convertían en un apellido respetable, aunque exótico, en el libro de huéspedes de la embajada. Fui a Newmarket con Hans y compré nuestro primer semental importante. Lo bautizamos Macedonio, porque esperábamos que engendraría un ganador mundial como Alejandro Magno. Cuando Hans regresó a Austria, yo me inscribí en el Saint Mark, tomé alojamiento en Baker Street, y fui y volví todos los días al hospital en un cab vulgar. Fue el período más miserable de mi vida. Lo único que me sostuvo fue el orgullo. No podía permitir que papá o Johann me viesen regresar a casa como un cachorro castigado.

—¿Cuál fue el problema?

—¡Todo! El tiempo era horrible: niebla espesa y lluvia helada durante semanas enteras. Mi alojamiento era un lugar helado y desolado. Los ingleses que conocí parecían anclados en un Mar de los Sargazos sexual, entre masturbación, masoquismo y amor griego en los baños turcos... E Ilse Hellman se casó con Johann Dietrich, por dispensa especial, una semana antes de Navidad.

—¡Santo Dios! —Hasta Jung se sorprendió por esa parte de la historia. —No me diga que quedó embarazada en Silbersee. ¡Eso sería demasiado!

—No. Su madre enfermó gravemente. Se pensó que podía morir antes de la Navidad. La mujer quería ver casada a su pequeña Ilse antes de dejar esta vida. Johann no puso ninguna objeción. Ello significaba que entraría en posesión de su propiedad antes de lo que esperaba. Papá Hellman se alegró de tener todo prolijamente ordenado. La mamá de Ilse murió la víspera de Año Nuevo... ¡mientras yo estaba mirando al microscopio un corte de sarcoma en el Hospital Saint Mark!

En el instante siguiente, Jung y yo reímos a carcajadas. Realmente, es casi demasiado para creerlo. Y sin embargo, fue exactamente así como sucedió... Excepto que, en Londres, yo no reí cuando llegó el telegrama de Lily. Lloré de ira y de despecho, hasta que se me secaron los ojos.

—En las calles la nieve me llegaba hasta los tobillos, pero lo mismo caminé hasta Piccadilly y, preguntando, pude llegar al Café Royal, donde observé a un individuo de labios gruesos que hacía epigramas para una mesa llena de jóvenes que estaban todos pendientes de sus palabras de segunda mano... ¡No, eso no es verdad! Pensé que estaba haciendo una actuación bastante buena. Recuerdo que fui hasta la mesa con una copa de champaña en la mano para decirle precisamente eso. Cuando me presenté por mi nombre y profesión, ¡y con razonable sobriedad!, él me tomó de la mano y anunció, con una reverencia: '¡Señora, usted es magnífica! ¡Una médica, ciertamente, y cirujana! ¡Caballeros, aún hay esperanzas para nosotros si, Dios no permita, nos ataca la viruela! ¿Usted baila, señora? ¡Espléndido! Acabo de escribir un drama sobre una bailarina que se interesa en la cirugía. Se llama Salomé. Baila para el rey Herodes, quien le regala la cabeza de Juan el Bautista sobre una bandeja. ¿Usted cree que podría representar el papel?'

Jung empieza a impacientarse. Ciertamente, no le interesan mis fugaces reminiscencias de la Londres literaria. Me pide que vuelva al hilo principal de mi historia.

—Usted terminó su curso en el Saint Mark. Regresó a Austria. ¿Y después?

—Fui a Gamsfeld a visitar a Johann e Ilse. Johann, el joven señor de la propiedad, feliz de haber dejado el ejército, tenía la cabeza llena de planes. Ilse, la joven esposa, todavía en flor, trataba desesperadamente de quedar encinta... Yo fui bienvenida por los dos motivos: como socia de negocios para Johann y como médica personal para Ilse. Hasta tía Sibilla se alegró de tenerme de huésped en la casa. Yo era un vínculo, aunque tenue, con papá, cuyas atenciones se habían vuelto bastante esporádicas. Johann y yo decidimos que no bien llegara la primavera, inauguraríamos el club de caza en Gamsfeld y en adelante dirigiríamos las dos caballerizas en tándem, concentrada cada una en el desarrollo de líneas de sangre diferentes.

—Y con toda esa intimidad, ¿todavía no hubo nada? ¿Ningún interés sexual de parte de Johann? ¿Ninguna insinuación de parte suya? ¿Nada de celos de parte de Ilse?

—Nada. Celos, tampoco. ¿Insinuaciones sexuales?... No olvide, mi querido doctor, que yo tenía gran experiencia en esta clase de maniobras. La gente se acostumbra a situaciones que otras personas considerarían escandalosas. Para mí era la cosa más natural del mundo entrar en el dormitorio de Ilse, cabalgar con Johann en Silbersee o Gamsfeld. Era bastante habitual que los cuatro, porque tía Sibilla era en Gamsfeld una aliada como lo era Lily en Silbersee, sentarnos vistiendo nuestras ropas de dormir para tomar juntos una última copa y abrazarnos antes de irnos a la cama. Los abrazos podían significar cualquier cosa que se quiera pensar. Lo último que yo deseaba en el mundo era un escándalo. Yo quería ser exactamente lo que era: señora de Silbersee, la Frau Doktor Kardoss, amada por mis pacientes, amiga del alma de Johann, Ritter von Gamsfeld, y de su rica, adorable y joven esposa.

—Debió de ser una relación bastante compleja.

—En la superficie era muy simple.

—Y usted trabajó duro para sostenerla.

—Muy duro, sí.

—¿Qué esperaba conseguir con eso?

—Exactamente lo que conseguí: casarme con Johann Dietrich, tener un hijo de él y convertirme en la señora de Gamsfeld.

—Presumiblemente, usted explicará cómo sucedió todo eso.

—Creo que usted ya lo sabe, mi querido doctor. Yo maté a Ilse Hellman.

JUNG

Zurich

¿Yo lo sabía? ¿Lo sé ahora? ¿Quiero saber más? Mi yo consciente lucha para poner esta cruda afirmación dentro de un marco de razón. En términos legales, yo no sé si ella ha cometido homicidio. Todavía no lo sé. Yo soy médico de mentes enfermas que distorsionan la realidad. He escuchado una narración de la que cada palabra puede ser una ficción. No tengo tiempo para poner a prueba su veracidad o analizar sus significados ocultos.

Por otra parte, la inquietud en mi propio subconsciente, la súbita liberación de arquetipos de terror y violencia —afirma que lo que estoy oyendo es verdad. Es como si una cuerda golpeada en un piano hubiera producido toda una serie de vibraciones simpáticas. Si la verdad es lo que las palabra dicen... eso es otra cuestión. Cuando Toni me dice que yo tengo intención de matar a Freud en Munich, está hablando de un acto moral con consecuencias morales, no de un delito contemplado en el código penal.

¿Quiero saber más? Debo hacerlo. He visto lo que esta confesión le ha costado a mi paciente. Sé lo que me ha costado a mí. Cada uno de nosotros debe obtener algún beneficio de la experiencia. Hay también otra razón. Estoy tan unido a ella, aunque sea por la breve experiencia de este día, que todo lo que la conmueve a ella me conmueve a mí en un misterio especial de conjunción. No estamos unidos en cuerpo, todavía; pero nuestros yos subconscientes están muy próximos. No obstante, yo tengo que tratar —y tratar muy cuidadosamente— con el consciente. Me levanto de mi sillón y camino lentamente por la habitación, poniendo cuidado de no pasar muy cerca de ella hasta haber terminado lo que tengo que decir.

—Esta mañana hicimos un pacto, para garantizar que lo que sucediera entre nosotros en esta habitación permanecería en secreto. El pacto sigue vigente. Habiendo llegado tan lejos, hemos consumado una especie de sacramento...

Antes que hayan salido mis últimas palabras me doy cuenta de que soy un idiota pomposo que dice trivialidades como hacía mi padre desde el púlpito. Estoy junto a los estantes de libros. Ella viene hacia mí. Tiene algo que decir:

—No estoy preocupada. Esa parte quedó arreglada en mi mente hace tiempo. Usted ve, una vez que se ha unido a los **Vogelfreien**, los proscritos, la parada siguiente es el cielo. Yo puedo hacer ese vuelo en cualquier momento que me decida.

—Eso ya lo sé; pero tengo que estar seguro de algo. Hay muchas metáforas y símbolos en este oficio. ¿Usted mató efectiva y físicamente a Ilse Hellman?

—Efectiva y físicamente, y con premeditación. Pero ningún tribunal en el mundo podría condenarme jamás.

—¿Tuvo cómplices?

—No.

—¿Lo supo Johann?

—Jamás.

—¿Quién, entonces?

—Nadie. Lily sospechó. Papá sospechó. Pero ninguno lo supo jamás, hasta este momento.

—¿Cómo lo hizo?

—¿Eso es importante?

—Desde este momento, todo es importante. Usted es mi paciente. Es usted quien está ahora en peligro.

—¿Tanto se aflige?

—Me aflijo.

—¿Por qué?

—¡No lo sé! Pero es así. ¡Ahora, en nombre de Cristo, oigamos el resto de la historia!

Le vuelvo la espalda para regresar a mi escritorio. Ella me toma de la manga, me da vuelta y me besa de lleno en los labios. El misterio de conjunción está completo; por un largo momento estamos unidos como esos muñequitos copulantes que uno encuentra en las tiendas de curiosidades. El momento pasa. Ella me aparta y vuelve a sentarse en el asiento del paciente. Me dirige una media sonrisa extraña, casi triste, y un comentario irónico:

—Ahora entiendo por qué los católicos usan en el confesionario una rejilla de alambre.

Le recuerdo con una sonrisa que yo soy un analista y no un confesor, de modo que las reglas de juego son diferentes. Entonces ella empieza otra vez; y mientras habla, crece en mí la idea de que acabo de abrazar a una asesina, y que la experiencia me resultó sumamente estimulante.

—Todo fue planeado en torno de aquella primera cacería en Gamsfeld. La habíamos organizado como un festival para todo el día: la cacería de zorro por la mañana, un desfile de nuestros animales de raza después del almuerzo, un baile por la noche, con fuegos de artificio y una **Bierfest** en la aldea para la gente de la localidad. Llevamos parte de nuestro personal de Silbersee para que hicieran de handlers y de palafreneros, a fin de que se viera que las dos empresas estaban trabajando juntas... ¿Puede facilitarme un lápiz y un papel? Hay un poco de geografía involucrada. Es más fácil verlo sobre el papel.

Acerca su silla al escritorio y traza la figura de un ocho con el rizo superior mucho más grande que el inferior. En el rizo inferior hace una cruz.

—Esto es Gamsfeld: el castillo, que es pequeño pero muy antiguo, está encaramado en una colina, rodeado por una muralla, con viviendas en el interior del recinto para el personal de la casa. Abajo, en este primer valle redondeado, están los prados de la casa, poco más de una hectárea. El perímetro es todo montañas, con praderas en las laderas más bajas, después bosques de pinos, después la línea de nieve, despeñaderos y vegetación achaparrada. Es donde todavía pueden hallarse los **gams**, gamuzas... Aquí, donde las dos partes de la figura se tocan, hay un desfiladero de alrededor de cuatrocientos metros de ancho entre dos montañas. Más allá, como usted puede ver, el terreno se abre otra vez en pasturas, praderas y huertos, cada uno separado por murallas bajas de piedra. En la parte superior del ocho está la aldea. Muy antigua, bastante hermosa en primavera y verano, pero triste y deprimente en invierno...

"Sabíamos que tendríamos una gran concurrencia para

el acontecimiento y Johann quería congraciarse con las gentes de la aldea. De modo que dispusimos que los cazadores y los perros se reunieran en la misma plaza de la aldea, con desayuno y copas para el estribo y presentes para los niños. De ese modo el carnicero, el panadero, el posadero, los granjeros y los trabajadores obtenían todos una ganancia. Después de desayunar avanzaríamos hacia el campo abierto donde había mejores posibilidades de levantar un zorro. Los perros serían dejados en libertad y la caza comenzaría. Trataríamos de llevar al zorro a través del desfiladero y a la propiedad del castillo, donde la marcha sería más escabrosa pero menores los riesgos de daños a las tierras de granja.

"Por sugerencia mía, Johann había dispuesto algunas medidas contra accidentes. Habíamos hecho que los muchachos de la granja cazaran con trampa un zorro y lo tuvieran encerrado. Si no levantábamos nuestro zorro antes de llegar al desfiladero, los muchachos soltarían al animal encerrado aproximadamente cuatrocientos metros más adelante a fin de que perros y jinetes tuvieran una presa para perseguir... La segunda medida de seguridad fue invitar al médico local a que participara en la cacería, y a que trajese con él su maletín de emergencias. Eso significaba que seríamos tres los que podríamos atender a cualquier posible accidentado, que sería recogido por una rastra de granja que seguiría al grupo de jinetes.

"Finalmente, nosotros cuatro, Johann Dietrich, Hans Hemeling, Ilse y yo, recorrimos a caballo todo el trayecto, en uno y otro sentido, para reconocer cualquier peligro para jinetes novatos o para aquellos no familiarizados con el lugar. Había varios: una parte de la orilla del arroyo del molino donde las maderas del saetín estaban podridas, un sitio donde vivían conejos y que estaba horadado por innumerables cuevas donde caballo y jinete podrían pasar un mal momento, y una cerca de piedra, más alta que las demás, parte del complejo de un antiguo edificio, con una zanja llena de escombros en el otro lado. Un buen jinete con un buen caballo podía saltarla sin problemas, un jinete mediocre arriesgaría su cuello. Convinimos en marcar todos los peligros y advertir a los cazadores antes de partir.

"Le pregunté a Ilse si era buena para saltar. Johann respondió por ella: 'Es bastante buena. Hemos salido muchas veces a cabalgar juntos; pero no quiero que se arriesgue. Sugiero que ella vaya contigo, Magda. No tiene que probar nada delante de estos tipos de campo en sus pesados caballos, o mis amigos de la caballería que están entrenados para los riesgos. Sin embargo le he advertido que si tiene alguna duda, evite saltar. ¡Cuando la jauría está lanzada, es cuestión de defiéndete como puedas!'

"Por primera vez oí un redoble de celos entre las campanillas de plata. A Ilse no le gustaba que le dieran lecciones delante de mí. Ilse era perfectamente capaz de cuidarse sola. La señora de Gamsfeld tenía un apellido que defender. Quería que Johann estuviese orgulloso de ella... ¡amén! ¡Así sea! Yo quedaba absuelta de la responsabilidad. Que era exactamente como yo lo había planeado.

—Pero seguramente, señora... —Hasta a mí, el suizo austero de Küsnacht, se me impone una pregunta obvia. —Seguramente, es el zorro el que huye, no los cazadores. ¿Cómo podía calcular usted que encontrarían este o aquel obstáculo donde tendría lugar su accidente? Después de todo, su cuello también estaba en peligro... del verdugo, si las cosas salían mal.

Me dedica una fugaz sonrisa condescendiente y menea la cabeza.

—Usted no comprende, querido colega. Los puntos de peligro eran una diversión, una distracción. No había ninguna garantía de que nos acercaríamos a ellos en algún momento; pero en una carrera de obstáculos, en una cacería a campo traviesa, hay peligro a cada instante. Los accidentes pueden ocurrir con mucha facilidad. Ilse Hellman era una amazona mediocre. Montaba a mujeriegas, de costado, como una perfecta dama. Yo soy una buena amazona, muy buena, en realidad, y siempre he montado a horcajadas... De modo que usted ve, las probabilidades estaban todas a mi favor. Johann y sus amigos iban en pos de un zorro. Yo iba tras la zorra. Yo cabalgaría lado a lado con Ilse Hellman hasta la matanza...

No hay duda alguna de que la voz que sale de su boca, el fuego que enciende sus ojos, son expresiones del elemento

287

sombrío, oscuro y primitivo de su yo. Empiezo a entender qué profunda es la escisión de su psiquis, y lo que ella quiere realmente decir cuando afirma, por una parte, que no tiene instintos religiosos o morales y, por la otra, busca a tientas con tanta desesperación un lugar donde asirse a la fe. Recuerdo vívidamente relatos que he leído sobre la llamada posesión diabólica. Estoy seguro de que muchos de esos estados son fenómenos pertenecientes a etapas de demencia precoz. Estoy convencido de que esta mujer, si bien actúa con completa racionalidad, en ciertos momentos está dividida completamente en dos... Le pido que continúe. Debo confesar que estoy irresistiblemente intrigado por este relato de un asesinato hecho por la misma asesina.

—En Gamsfeld, todos nos levantamos temprano a fin de recibir a los invitados a medida que llegaban a la aldea. Era una hermosa mañana primaveral, soleada, refrescante, con escarcha todavía crujiendo bajo los pies y las primeras yemas abriéndose en las ramas desnudas por el invierno. Johann, Ilse y yo partimos juntos. Johann, criado en la caballería, montaba su caballo favorito, el gran Furioso, de Hungría. Yo había llevado a Celsius, un hanoveriano que yo misma había entrenado, buen saltador, y confiable como un reloj suizo. Ilse montaba una pequeña yegua medio árabe de la caballeriza de Radautz que le había regalado Johann. Era un animal joven y fogoso, e Ilse, espléndida en un nuevo traje de montar, armonizaba con ella en líneas y en belleza, aunque no en inteligencia.

"Sé que suena extraño un elogio de la mujer a la que yo me disponía a matar; ¿pero qué hubiera preferido en cambio? ¿Una mentira? Se veía hermosa. Su yegua también era una belleza; aunque yo no sabía cuánto ánimo podía tener bajo presión. Pero por supuesto no habría presiones ese día. Nos preparábamos a una buena, honesta diversión campestre, con la banda de la aldea tocando um-pa-pa um-pa-pa en la plaza, las muchachas con delantales almidonados y cofias domingueras corriendo de un lado a otro con cerveza, pan y salchichas, ¡y todo el señorío de millas a la redonda para intervenir en una cacería de zorro à l'Anglaise en Gamsfeld!

"Cuando partimos, Ilse iba junto a tía Sibilla. Yo me

les puse a la par y le recordé a Ilse las advertencias de Johann. Que los hombres tomaran la delantera. Una vez que se lanzara el grito ritual de comenzar, todos esos grandes caballos cargarían como un regimiento de húsares. Ahora ella estaba nerviosa y contenta de tenerme a su lado. La pequeña yegua también estaba inquieta y era difícil contenerla. Ilse se quejó: 'No la conozco muy bien. No estoy segura de cómo va a responder.' Le dije que la llevara con mano firme. No teníamos prisa. Si la yegua quería dirigirse a las cercas, que la dejara. Si vacilaba, que evitara el salto antes de arriesgarse a que la derribase. Yo iría con ella todo el tiempo pero haría cada salto antes que ella. Mi Celsius tenía un paso largo y firme y le daría confianza a la pequeña yegua... Tía Sibilla añadió su propio consejo. 'Puedes confiar en Magda. No te separes de ella y ella te traerá de regreso sana y salva.' Lo cual fue exactamente lo que yo necesitaba: evidencias claras de que me preocupaba por la seguridad de mi querida amiga Ilse. Entonces, el montero mayor hizo sonar su cuerno, los perros partieron, nosotros empezamos a trotar en pos de ellos, salimos de la plaza, tomamos la calle empedrada, pasamos por el pequeño puente de arco — ¡novecientos años de antigüedad, decía!— y salimos al campo, donde soltaron los perros y los jinetes se abrieron en abanico...

"Siguió nuestra buena suerte. A unos ochocientos metros del puente levantamos a nuestro zorro, un macho grande, delgado, que apareció junto a una cerca de piedra y salió a media carrera hacia el desfiladero, con los perros a dos cercados de él. Al primer grito, Ilse partió a galope tendido, como yo sabía que haría. Se abalanzó en la primera arremetida, casi fue derribada y en seguida se rezagó para reunirse conmigo y con tía Sibilla a la cola de la cabalgata.

"Sibilla la regañó. Yo, la amiga querida y fiel, la alenté. 'Los alcanzaremos. Tomemos con calma las dos próximas cercas, después nos adelantaremos para integrarnos a la jauría...' Ella se calmó; saltamos tres cercas de piedra, con hermoso ritmo. Cuando la pequeña yegua estaba tensa y preparada, yo saltaba y seguía a medio galope hasta que Ilse me alcanzaba. Era un juego de niños, un ejercicio de entrenamiento que yo solía hacer con Rudi

289

en los días de Ginebra. Los dos siguientes saltos los hicimos con facilidad. Ilse estaba entusiasmada. Gritaba: '¡Vamos! ¡Ahora!' Estábamos a tres campos de cultivo del grupo principal. Teníamos que saltar dos cercas de piedra, una cerca de arbustos con una zanja del otro lado y después, alzándose desde un ángulo totalmente diferente, la pared de piedra con la zanja con escombros.

"Este era el momento. Supe que tenía que decidirme... ahora o nunca. La zanja con escombros podía matarnos a las dos. Si yo juzgaba correctamente, el cerco de arbustos sería la última frontera para Ilse. Respondí a su grito '¡Vamos! ¡Ahora!', y salté las dos primeras cercas, volando, con Ilse tres metros detrás de mí. Ilse tropezó levemente después del segundo, pero se recobró y ya estaba pegada a mis talones cuando me dirigía al cerco de arbustos. Johann y yo lo habíamos examinado al hacer nuestra inspección. La zanja del otro lado era ancha y profunda; pero cualquier buen saltador podía superarlo con facilidad... hasta Ilse. Ella estaba solo a un cuerpo detrás de mí cuando yo salté, no rectamente sino torciendo levemente de manera de cruzarme en su camino. Salté limpiamente la zanja; pero la pequeña yegua perdió el paso, vaciló a último momento e Ilse pasó volando sobre la cerca y aterrizó de cabeza en la zanja.

"No hay caídas buenas, solo hay caídas con suerte. Esta fue una caída mala. Ilse estaba viva pero inconsciente, con el cuerpo grotescamente retorcido. Sangraba por la nariz y los oídos, y un costado del cráneo había golpeado contra una roca pequeña y aguda de la pared de la zanja. Los primeros jinetes que llegaron a la escena fueron tía Sibilla y papá. Tía Sibilla —antiguo régimen hasta las puntas de sus guantes de montar— miró hacia abajo, conmovida pero sin lágrimas, y anunció: 'Vi cómo sucedió. ¡Pobre criatura! Su ritmo iba completamente mal. ¡Santo Dios, qué desastre! ¡Conseguiré ayuda!'

"Papá se arrodilló conmigo, hizo un rápido examen y me dijo, en un murmullo: 'Tendremos suerte si está con vida cuando la llevemos a la casa. Si es así, trabajaremos juntos en ella. El médico local puede hacer la anestesia; tú puedes ayudarme.' En seguida llegaron los hombres con

290

la rastra. Subimos a Ilse en el primitivo vehículo y la pusimos lo más cómoda que nos fue posible. Papá y yo la seguimos a caballo hasta el castillo...

"Johann quedó horrorizado pero se comportó dignamente, como un soldado. Envió a su mayordomo y a mi Hans Hemeling a que se ocuparan de los huéspedes; después subió al dormitorio donde Sibilla y Lily estaban desvistiendo a Ilse mientras papá, yo y el médico local nos preparábamos para cualquier operación quirúrgica que fuera posible, lo cual era muy poco. Había una gran fractura deprimida del cráneo, fracturas en la estructura vertebral central y, según el aspecto de las cosas, una profusa hemorragia encefálica. Johann preguntó: '¿Hay alguna esperanza?' El médico de la aldea le dejó la respuesta a papá. Papá fue gentil, pero firme en su opinión. 'No mucha, me temo. Podríamos hacerlo un poco mejor en un hospital, pero ella moriría antes de llegar allí. Necesitamos su autorización para hacer ahora una intervención de emergencia... pero no espere ningún milagro.'

"Johann estaba demudado y pálido. Dijo simplemente: 'Hagan lo que puedan, por favor, caballeros.' Después se inclinó, besó a Ilse en la frente, sacó a Sibilla y Lily de la habitación y nos dejó para que trabajásemos. El médico de la aldea se reveló como un hombre competente y criterioso. En su opinión, la lesión craneal era grave e irreparable. La fractura espinal significaría probablemente parálisis permanente. En resumen, la muerte sería una salida misericordiosa. Papá asintió. Yo, en presencia de dos hombres mayores no tuve opinión que emitir. Papá sugirió que nos ocupásemos primero del hundimiento craneal y viésemos qué clase de lesiones había en el interior. También encontramos un desastre. Después de una hora de trabajo inútil, cosimos simplemente los colgajos de cuero cabelludo, vendamos el cráneo, la dejamos más cómoda en la cama y llamamos a Johann.

"Fue papá quien anunció el veredicto. Ilse no sobreviviría. Lo más misericordioso sería dejarla morir serenamente sin más trabajo de carnicero. Johann se derrumbó completamente. Se arrodilló junto a la cama, con la cara entre las manos, sollozando como un niño golpeado.

El médico preguntó discretamente si no deberíamos llamar al sacerdote para que le administrara los últimos sacramentos. Tía Sibilla ya lo había hecho venir. Yo, que nunca había visto esta ceremonia, permanecí junto a los demás, escuché las palabras de despedida de este mundo y sentí — ¿lo creerá usted? — alegría porque pronto habría acabado todo.

"Pero no terminó todavía. La vigilia fue más larga de lo que ninguno de nosotros esperaba. Alrededor de las ocho de la noche yo estaba sentada en el dormitorio con Johann y tía Sibilla. Ansiaba tomarlo a él en mis brazos; pero no me atrevía a demostrar ni siquiera remotamente lo que sentía. Acompañaba los últimos momentos de Ilse, mi amiga más querida, compañera de mi femenino corazón.

"De pronto ella empezó a mover la cabeza de un lado a otro sobre la almohada y a emitir extraños gritos de animal. Sibilla y Johann me miraron y preguntaron qué sucedía. Expliqué lo mejor que pude que las sinapsis del cerebro estaban todas destruidas y que esto era solamente movimientos reflejos. Entonces Johann gritó: '¡Pero está sufriendo! ¡¿No ves que está sufriendo?! ¡Por favor, ayúdala!' Le dije que haría todo lo posible. Les pedí a los dos que saliesen de la habitación. Vertí un poco de cloroformo en un paño y lo agité debajo de la nariz de Ilse. El olor haría que todos creyeran —todos salvo papá— que yo había administrado más anestesia. Después la maté con una inyección de aire en la arteria femoral, donde el pinchazo no sería notado.

"Diez minutos después llamé a papá y al médico local. Ellos la declararon muerta. Hubo los llantos habituales junto a la cama. El médico de la aldea firmó un certificado de defunción. Mi padre lo firmó también, como testigo. El sacerdote dio su última bendición, ofreció sus condolencias a la familia y se marchó. Johann, paralizado por un terrible dolor, se negó a salir de la habitación hasta que las mujeres entraron para lavar el cuerpo y prepararlo para el enterrador.

"El resto es una secuencia de rituales, escenas irreales pintadas en un vaso antiguo. Tía Sibilla nos rogó que permaneciéramos en Gamsfeld hasta después del funeral. Por primera vez, empecé a preocuparme. No era parte de mi plan que hablaran de mí como posible consorte para el viudo Ritter von Gamsfeld. De modo que di la excusa de que tenía cosas que hacer en Silbersee y que tomaría el mismo tren que Hans, quien acompañaba a los caballos de regreso a casa. Prometí fielmente que regresaría a tiempo para el funeral.

"Lily quedó disgustada. Estaba celosa de las atenciones que tía Sibilla le dedicaba a papá y tuvo que decir algunas palabras amargas acerca de que el señorío era siempre el señorío y que entre ellos arreglaban sus asuntos sin preocuparse para nada de los demás. Sugerí que viniese conmigo y Hans y que dejara que papá elaborara su propio destino. En el viaje en tren me dio una sorpresa. Había decidido tomarse una vacación en Inglaterra, muy pronto, mientras las flores primaverales estuviesen en sus mejores momentos en los jardines. Hacía mucho tiempo que no iba a su tierra. Empezaba a sentir una especie de hambre de ver nuevamente el viejo terruño...

"Yo le dije que era una idea maravillosa, justamente lo que ella necesitaba. Sabía que papá empezaba a ser una molestia, y que siempre estaba tan ocupado... '¡Tan ocupado, querida!', me dijo tristemente Lily. 'Siempre muy ocupado. ¡Y tan astuto que me pregunto dónde tú aprendiste todo!'... Había una espina en ese cebo, también, pero yo la ignoré. Estaba segura de que unas vacaciones en Inglaterra eran justamente lo que Lily necesitaba. Prometí regalarle cincuenta coronas para contribuir a pagar sus gastos de viaje.

"El funeral en Gamsfeld fue una gran ocasión, muy feudal, lleno de extraños protocolos locales que no tuvieron ningún sentido para nosotros Ausländers. A un costado de la tumba se ubicaron Johann con tía Sibilla y otros miembros de su familia. Frente a ellos estuvieron papá Hellman y sus hijos. Yo estuve con los Hellman, muda y doliente, testigo de mi propia lamentable pérdida. Papá Hellman me tomó la mano, me puso un brazo sobre los hombros y me dijo que siempre me consideraría una segunda hija.

"Cuando salíamos del cementerio de la iglesia, Johann me alcanzó. Con una humildad que me conmovió hasta las lágrimas, rogó: 'Por favor, ¿estarás dispuesta a seguir trabajando como habíamos planeado? Necesito desesperadamente mantenerme ocupado, e Ilse estaba tan metida en el proyecto, que estoy seguro de que querría que continuara. Tía Sibilla también lo desea. Ella cree que eres una de las mujeres más valientes y completas que ha conocido, y le gusta tenerte cerca. Yo quiero ir a Silbersee de tanto en tanto, si tú me aceptas. Gamsfeld será ahora un lugar muy solitario.' Si yo hubiese podido instalarme allí en ese mismo momento lo habría hecho sin vacilar; pero esa pequeña colonia de Gamsfeld estaba llena de penetrantes ojos campesinos y de lenguas viperinas. Si algo había aprendido en la vida era a sentarme pacientemente detrás de mis defensas y esperar el momento de golpear...

— ¡Dígame! Durante todo esto, ¿no sintió nada de culpa, ninguna duda, ningún temor?

—No sentí nada, excepto el triunfo logrado.

Es una afirmación extraordinaria; sin embargo, la creo absolutamente. Todos mis propios sueños de deseos de muerte me han preparado para comprenderla. Ella está hablando de un momento en que el elemento sombrío y oscuro de su ser tiene el control total, cuando toda culpa es suprimida y uno se siente como un conquistador entrando en una ciudad vencida, sobre una alfombra de cadáveres, sin siquiera un asomo de remordimiento. Sólo después, largo tiempo después, quizá, el conquistador descubre que ha tomado posesión de una ciudad infestada por la peste, donde los cuerpos de los muertos contaminan las fuentes y las ratas carroñeras son portadoras de la Muerte Negra.

Ahora su sueño tiene sentido. Todos sus elementos están contenidos en la macabra historia que acabo de oír: la cacería, la caída, la zorra muerta, ella misma encerrada en el globo de vidrio, desnuda bajo el ojo acusador del símbolo solar, el Dios primitivo. Es la bola de cristal lo que me interesa ahora. Es a la vez una prisión, un lugar de exhibición, un útero, una cápsula dentro de la cual puede ella mantenerse viva y segura, fuera del alcance de manos hostiles. Menciono brevemente todas estas cosas. Ella no las desmiente. El sueño ha cumplido su propósito. La ha traído a salvo hasta mí, expuesta pero todavía intocable. Le recuerdo que tenemos un límite de tiempo y que debemos continuar. Pregunto:

—¿Después del funeral regresaron a Silbersee?

—Regresamos, sí; pero no fue lo mismo. Nunca volvería a ser lo mismo.

—¿Por qué no?

—Porque mi corazón estaba con Johann en Gamsfeld y una alquimia extraña, oscura, había empezado a actuar entre papá, Lily y yo... Empezó con la complicada química de la edad. Papá, bien parecido, encantador, agradable, completamente egoísta, ahora era un caballero bastante corpulento y casi sesentón, con un ojo bien entrenado para las jovencitas y una creciente dependencia de la compañía y las atenciones de mujeres que hacía rato habían pasado su primera juventud. Necesitaba que lo mimaran. Necesitaba que le diesen seguridades de que todas sus partes viriles estaban en condiciones de funcionar y que su almizcle masculino podía enardecer a todas las hembras de la vecindad. Lo que no necesitaba, de lo que él huía como de la plaga, era el matrimonio. Así, cuando alguien como tía Sibilla, experimentada, persuasiva y persistentemente cortés, empezaba a cercarlo, al principio él solía sentirse halagado pero pronto huía presa de pánico... solo para verse perseguido por otras damas de presa con dinero en sus mentes.

"Lo que él nunca pudo entender fue que la única persona con quien hubiese podido ser feliz en el matrimonio era Lily. Ella le hubiera consentido sus caprichos hasta el límite, lo hubiera perdonado por todas las infidelidades y todavía hubiese tenido amor y calor corporal para compartir cuando él regresara a casa. Yo traté cien veces de persuadirlo, ¡pero no! No podía, no quería entenderlo. Toda su educación se oponía a la idea. Un caballero nunca se casaba debajo de su categoría social. El podía revolcarse con las mujeres del pueblo hasta hartarse, pero jamás las elevaría hasta su propia posición... Yo lo acusaba de alentar esos esnobismos anticuados y él gruñía y decía: '¡Tonterías, tonterías!'; pero lo mismo seguía aferrándose a sus ideas.

"Así, Lily, diez años más joven pero atrapada en los bajíos de los cuarenta de solterona, se volvía cada vez más amargada. Todavía era una mujer bien parecida; seguía haciendo ejercicio todos los días; pero había hebras grises en su cabello y cierta expresión matronil y menos sonrisas en sus ojos... y, después que regresamos de Gamsfeld, un alejamiento extraño, furtivo, de mí. Yo fingí no advertirlo por un tiempo. Estaba siempre muy ocupada con Silbersee, con el proyecto de Gamsfeld y con una clínica que había instalado en la aldea para aligerar un poco la carga de nuestro anciano médico. Sin embargo, un día ella me irritó tanto que la ataqué. Le dije que estaba harta de sus enfurruñamientos infantiles y que si tenía algo en la mente ese era el momento de decirlo.

"Y ella lo dijo. Lo dijo en voz alta, con el más puro acento de Lancashire. Había dado los mejores años de su vida a papá, a mí, a Silbersee. Había terminado en un callejón sin salida. No era más que un ama de llaves de categoría. No merecía respeto ni amor. Papá se hinchaba como un viejo pavo cada vez que esa Sibilla andaba cerca... y después esperaba que Lily le frotara la espalda, le acariciara la frente y le devolviera energías para su próxima aventura amorosa. ¡Era demasiado!... 'Y en cuanto a ti, señorita mía, te he amado como si fueras mi propia carne, mi propia sangre; pero ya no te conozco. Ahora me das miedo... ¡Oh, sé que dices que me amas! Probablemente me amas, a tu propio modo. Pero si desearas algo con intensidad suficiente pasarías sobre mi cadáver para conseguirlo. ¡En ti hay un demonio, muchacha! Yo lo he visto mirándome desde esos ojos hermosos... Sé lo que has hecho. Sé lo que estás haciendo ahora. ¡No quiero estar aquí para ver lo que resulta de ello!' Después se echó a llorar y corrió a encerrarse en su propia habitación.

"Mi primera reacción fue una cólera fría... ¡demasiado fría para expresarla en palabras, gracias a Dios! No dije nada para defenderme, nada para responder a la velada acusación. Mientras me calmaba, comprendí que el silencio era la única armadura que necesitaba. Con la familia de Johann y papá Hellman de mi parte, cualquier acusación que pudiera hacer Lily sería interpretada solamente como los delirios de una dama soltera en la menopausia.

"Más tarde, ese mismo día, ella vino a mí, pálida y arrepentida, y me rogó que la perdonase. No se sentía bien.

El accidente en Gamsfeld la había alterado terriblemente. Por más que ella lo amaba, papá a veces era un monstruo... Yo la abracé, la besé y le dije que era nada más que un mal momento y que lo mejor sería olvidarlo. Mientras más pronto pudiera ella salir de vacaciones, sería mejor.

"Entonces me dio otra sorpresa. Mientras estuviera en Inglaterra podría —sólo podría— buscar un pequeño cottage en el campo, un lugar donde pudiera retirarse y vivir tranquilamente cuando pareciera llegado el momento. Ella tenía cierto capital ahorrado y papá siempre había dicho que recibiría una pensión... Le aseguré que efectivamente la recibiría; ¿pero era necesario pensar con tanta anticipación? Yo siempre había esperado que se quedaría a mi lado y me ayudaría a criar a mis propios hijos.

"Me dirigió una larga, profunda mirada. Sus ojos se llenaron de lágrimas. Meneó la cabeza... 'Yo también lo había pensado, querida; pero no daría resultado. La clase de vida que hemos vivido... tú no querrás transmitírsela a tus hijos. Creo que Johann Dietrich te pedirá que te cases con él, y tú aceptarás, y él querrá un hijo y tú probablemente le darás uno. Si después de eso puedes mantener todo limpio y en orden, serás dichosa. ¡Pero no es fácil, según tengo buenos motivos de saber!'

"Pocos días después se marchó a Londres. Papá estaba operando en Viena. Hans Hemeling la llevó a la estación. Me alegré de librarme por un tiempo de ella. Johann Dietrich iría a Silbersee.

MAGDA

Es muy extraño. He confesado, sin contenerme, todo un catálogo de crímenes y, finalmente, un homicidio premeditado; sin embargo, no tuve dificultad para encontrar las palabras necesarias. A veces, hasta me he dejado llevar por lo vívido de mis recuerdos y la elocuencia sin frenos de una actriz... Ahora, cuando empiezo a hablar de amor y de casamiento, me sorprendo tartamudeando con embarazo.

Jung, que empieza a parecer tan cansado como me siento yo, se mueve nerviosamente en su sillón y pregunta irritado qué demonios es lo que me está bloqueando. Trato de hacer una broma. Le digo que es una historia de amor y que yo no he amado en mucho tiempo. Jung replica con violencia:

—¡Tonterías! ¿Qué tiene que ocultar? ¡Hace rato que ha caído el séptimo velo! Continúe con la historia. Johann iba a visitarla. ¿Para qué? ¿Negocios, placer, para proponerle casamiento? ¿Y bien?

—A mí misma me dije que era por negocios. Todavía no estaba construyendo castillos en el aire. Presumiblemente, él buscaba también el placer de mi compañía. Eso podría tenerlo; pero debería saltar muchas vallas más antes de conseguir algo más. Yo era una muchacha con un certificado de nacimiento defectuoso. De Lily había aprendido que las queridas raramente llegan al lecho matrimonial. Así que por más que yo lo amaba, por más que lo deseaba, Johann tendría que jugar según las reglas.

"Lily había partido a Londres; papá estaba en Viena. Por lo tanto, se exigía discreción. Johann se alojaría en la casa de huéspedes. Hans Hemeling designaría a uno de los jóvenes lacayos para que le sirviera de valet. Si Johann me buscaba por la noche, tanto mejor. Sólo tendría que confesar su amor, ofrecerme un contrato matrimonial, y yo me derretiría en sus brazos... ¡después de la ceremonia!

"Había otro motivo para mi cautela. Yo estaba loca por él; pero en realidad, no lo conocía íntimamente. Ilse había balbuceado puras tonterías, extasiada, acerca de su experiencia en la luna de miel; pero Ilse se había extasiado conmigo mucho, mucho antes de esa luna de miel. Yo había trabajado con él, sí. Me gustaba la presencia del hombre, la impresión que daba de solidez, de fuerza, hasta de rectitud. También lo había visto destrozado y llorando junto al lecho de Ilse. Tenía que saber cuánto espacio ocupaba ella todavía en su corazón y si sería muy difícil desalojarla definitivamente de allí... Había muchas cosas que averiguar, como usted ve. Y él también tenía algo que aprender: que en Silbersee yo era la **Meisterin**, la Frau Doktor, y era yo quien me sentaba a la cabecera de la mesa y tocaba la campanilla para llamar a los sirvientes...

— ¡Bravo! —Jung palmotea en fingidos aplausos. — ¡Es una verdadera historia de amor! ¡Sé que voy a llorar!... ¡Fuerza, solidez, rectitud!... ¡Cúbreme de amor, no de diamantes! ¡Seré esposa, no querida! ¡Cristo! ¿Qué pasa con usted? Cometió un asesinato porque tenía fuego en el vientre y pensó que este era el único hombre en el mundo que podía apagarlo. Pero él tenía que probarlo. ¿Verdad o mentira?

— ¡Verdad!

— ¡Entonces, continuemos, por Dios! ¿Qué pasó cuando llegó Johann Dietrich?

— ¿Por qué tiene que mostrarse tan bastardo, doctor Jung?

—Porque estoy cansado y usted todavía sigue con jueguitos estúpidos.

— ¡Lo siento, pero yo también estoy cansada!... En el instante que vi a Johann, mi corazón sangró. Había perdido peso. Estaba tan tenso, tan controlado, que parecía que si lo tocaba se cortaría y enroscaría como una cuerda de violín. Sin embargo se mostraba muy calmo, muy considerado, agradecido hasta por el más insignificante servicio. Llegó en el tren de la mañana, de modo que el almuerzo fue nuestra primera comida juntos. Fue una especie de encuentro de esgrima: preguntas tentativas, respuestas corteses, algún pasar cuidadoso sobre áreas dolorosas... Después del almuerzo sugerí que saliéramos a caballo por los bosques, hacia la cima del Silberberg, desde donde se gozaba de una vista magnífica de la región: tres lagos y más allá los montes Tauern...

"Fue una cabalgata lenta, serena. Elegimos nuestro camino siguiendo senderos de leñadores hasta que cruzamos la línea de la nieve y entramos en los bordes rocosos y los manchones de vegetación achaparrada. Allá arriba el aire era como vino, vino griego con sabor a savia de pino, y el espacio era como una silenciosa explosión que arrancara todas las puertas de la mente...

"En la cima del Silberberg hay picos gemelos: altas agujas de roca que los locales llaman los cuernos del macho cabrío. Entre ellos hay un pequeño lago de montaña de aguas oscuras que reflejan los cuernos y las nubes, y las estrellas durante la noche. Dejamos los caballos en el borde del lago y nos sentamos uno al lado del otro en una roca que miraba hacia el sur, hacia el sol.

"Johann, que había estado muy callado durante la cabalgata, dijo con súbita vehemencia: '¡Cristo! ¡Había olvidado lo que es estar libre! Estas últimas semanas he vivido como un trasgo en una caverna subterránea.' Yo sentí deseos de estrecharlo en mis brazos, pero me limité a seguir lanzando guijarros al agua y a decir todas las naderías de costumbre: todavía habían pasado pocos días. El tiempo todo lo cura, etcétera, etcétera... El me dirigió una sonrisa torcida y extraña y apoyó en mis labios la punta de un dedo. Yo había entendido mal, me dijo. Lo último que él necesitaba era tiempo. Mientras menos tiempo tuviera para llorar, sería mejor. ¡Y por favor! Nada de compasión. Esa era la peor receta. Si uno era un Dietrich apretaba los labios como un soldado, como el viejo, como tía Sibilla...

"Lo que más lo torturaba acerca de la muerte de Ilse era su propia responsabilidad... ¿Su responsabilidad? ¡Apenas pude creer lo que oía! No, me aseguró él, se sentía culpable, a veces suicidamente culpable, acerca de todo el terrible suceso... Era difícil de explicar, pero tenía que hablar de eso. Había amado mucho a Ilse. Su matrimonio, aunque breve, había sido muy feliz. Sin embargo, profundamente, él sabía que era un error. Ilse era una criatura, una adorable, hermosa criatura con una suculenta dote, una esposa perfecta al estilo antiguo. Ella adoraba a su marido, seguiría adorándolo, crecería como un árbol joven a la sombra del gran roble... El problema era que él no quería una novia niña. El quería una compañera, una amante, una amiga. Si Ilse hubiera vivido... él, probablemente, al final habría salido a buscarse una querida como hizo su padre. Ilse se había salvado de esa desdicha; pero si él no se hubiese casado con ella, todavía estaría viva. Las últimas escenas en aquel dormitorio de Gamsfeld lo torturaban en sueños y cuando estaba despierto... ¡Bueno! Por fin lo había dicho. Sentía mucho aburrirme con sus problemas; pero se sentía mejor después de habérmelos contado.

—¿Y usted? —Jung todavía está irritable y provocador. —Usted también debió de sentirse mucho mejor. ¡Nada de sospechas, ninguna rival en el recinto de la memoria! ¿Qué sucedió entonces?

—En la forma en que usted está ahora, doctor, yo no voy a representarle la escena del balcón de "Romeo y Julieta". Cenamos y seguimos levantados hasta tarde, como acostumbrábamos en Gamsfeld. Yo estaba loca por él. Lo despaché hacia el cottage de huéspedes y pasé una noche solitaria, miserable, en mi propia suite. Al día siguiente trabajamos por la mañana y cabalgamos por la tarde. Cuando estábamos tomando una copa antes de cenar, él me propuso, muy formalmente...

—¿Qué le propuso? —Jung se ríe tontamente, como un escolar travieso. —¿Compañerismo? ¿Amor? ¿Amistad?

—¡Y casamiento! No bien pudieran ser decentemente publicadas las amonestaciones, obtenidas las dispensas.... ¡Oh sí, esta vez no había forma de escapar a la Madre Iglesia!... y arreglado el contrato.

—¿Y usted, por supuesto, aceptó?

—¡Se equivoca, querido colega! Lo rechacé. Le dije que lo amaba mucho, que lo había amado desde nuestro primer encuentro. Me sentía profundamente conmovida, profundamente honrada por su propuesta; pero el recuerdo de

Ilse todavía estaba demasiado fresco para mí y también para él. Yo no podía soportar compartir su corazón con un fantasma. Yo era una mujer de todo o nada... Había otras cosas que él tenía que comprender. Yo no era una novia niña. Era un espíritu liberado, con mi carrera profesional y mis propiedades. No renunciaría a esas cosas en ningún arreglo matrimonial. Tampoco era virgen. Había amado y me habían amado; pero si me casaba con él, sería fiel hasta la muerte. En cuanto a la Iglesia, bueno, en Austria y el Imperio estábamos forzados a eso. Yo no me convertiría. Consentiría que los hijos fueran criados y educados como católicos... No todo fue dicho tan crudamente como estoy diciéndoselo a usted, pero ese fue el meollo. Le pedí que lo pensara muy cuidadosamente y que me escribiera cuando regresara a Gamsfeld.

Jung echa la cabeza atrás y estalla en carcajadas.

—De veras usted estaba jugando un juego recio. '¡Me quieres; ponlo por escrito!' ¡Dios mío, que descaro el suyo! ¿Y cómo reaccionó él?

—Fue mucho más caballero que usted, mi querido doctor. No se rió. Me dijo que sabía cuál sería la respuesta. Me amaba. Me quería por esposa. Quería que yo fuera la madre de sus hijos... Nada podía cambiar eso. Pero respetaría mis deseos y me escribiría desde Gamsfeld... Al día siguiente se marchó. Diez días después llegó su carta. Era tan tierna y apasionada como yo nunca había osado esperar. También había otra noticia buena. El arzobispo había consentido a nuestro casamiento; y en consideración a mi total disposición a que los hijos fueran bautizados y educados como católicos, otorgaba una dispensa especial para una boda pública en la iglesia de Gamsfeld. De acuerdo al contrato matrimonial, yo conservaría Silbersee en mi propio derecho, y de no haber un heredero varón, Gamsfeld pasaría a ser mi propiedad en el caso de la muerte de Johann.

—Así que finalmente usted consiguió todo lo que quería. ¿Cómo lo expresó Lily?

—"Si puedes mantener todo eso limpio y en orden, serás dichosa."

—¿Y fue dichosa?

—¿En aquel momento? ¡Completamente!

—¿Pese a las sospechas de Lily?

—Como ya dije, ¿quién escucharía? ¿Qué podría probar ella? Además, ella volvía a su tierra. Dependería de mí para seguir cobrando su pensión... y pese a todo, todavía me amaba.

—Está muy segura de eso ¿verdad?

—Sí.

—¿Cómo recibió la noticia su padre?

—Bueno... ¡eso, por lo menos, es digno de una nota de pie de página! Estábamos cenando en la primera noche de su regreso de Viena. Siendo el mismo anticuado de siempre, me había enseñado a hablar de negocios solamente entre las peras y el queso. De modo que entonces se lo conté. No pareció sorprendido; pero pareció que se había quedado sin palabras. Por fin, con una especie de renuente admiración, dijo: '¡Bueno, tengo que saludarte, mi muchacha! ¡Ni tu madre era tan dura como tú!' Llenó su copa de vino y la levantó en un brindis. '¡Por tu matrimonio! ¡Te deseo suerte! ¡Espero que no hables en sueños!'

Ahora se hace silencio en la habitación. Jung escribe rápidamente en su cuaderno de anotaciones. Ya no sonríe. Algo ha cambiado abruptamente entre nosotros. Comprendo, quizá demasiado tarde, que él es un interrogador muy hábil, seco en un momento, tierno a continuación, y luego un bufón grotesco. Me ha llevado diestramente a hacerle revelaciones que pocas horas antes hubieran parecido imposibles. Levanta la mirada y apunta hacia mí su lápiz, como si fuera la varita de un adivinador. Me dice, gravemente:

—Ahora hemos terminado con la historia. Ya me ha contado los hechos básicos de su matrimonio, la enfermedad de su marido, la separación de su hija, la muerte de su marido. Pero algo está faltando. Tengo un esbozo, no un retrato. Quiero saber más sobre su matrimonio, no una cronología, tampoco acontecimientos, sino el sabor, la sensación, y cuándo cambió y cómo cambió. Sé que esta parte es dura; pero por su bien, inténtelo, por favor.

—¿El sabor, la sensación? No hubo un sabor o una sensación. Hubo centenares. Cambiaban todos los días. Probablemente usted se sonreirá si le digo que cuando estaba ante el altar con Johann deseé realmente ser una novia virgen. Esa noche, en la cama, me alegré de no serlo. Fue un éxtasis que pareció borrar el pasado para nosotros dos, un volver a nacer en un mundo prístino. Hicimos un pacto acerca de que todos nuestros ayeres quedarían borrados a la salida del sol. Para nosotros solo habría un hoy y un mañana. Johann me contó cuánto había sentido la alienación de su padre y cuánto deseaba un hijo. Yo le dije cuánto yo, que nunca había tenido madre, quería ser madre. Fue un idilio de verano y fuimos felices.

"Trabajábamos bien juntos, además. Johann tenía un don natural para el mando y la organización. Los hombres de la aldea y la gente de la propiedad le tenían mucho respeto. A él le gustaba el trabajo físico y le complacía poder aserrar madera, segar el heno y entrenar un caballo a la par del mejor de los campesinos. En cuanto a mí, era la consorte de mi marido y no una persona doméstica que regañaba a las criadas, tejía y servía el té. A las gentes de Gamsfeld les llevó poco tiempo acostumbrarse a ver a la dama de la propiedad sentada sobre la cerca del picadero o, cuando teníamos nuestra epidemia anual de gastroenteritis entre los niños más pequeños, haciendo visitas con el médico de la aldea. El día que me sentí más orgullosa fue cuando Johann llegó, tarde, de pagar a los recolectores de fruta, y me dijo: 'Debes de haber llegado, amor mío. La esposa del panadero ha bautizado con tu nombre a su primera hija...'

"Al principio, dejé que Lily y Hans Hemeling dirigieran Silbersee. Lily, después de sus vacaciones, parecía más tranquila, menos inquieta sobre sí misma y su futuro. Había comprado su cottage; estaban preparándolo para ella. No bien yo estuviera adecuadamente adaptada al matrimonio, ella se marcharía. Cuando quedé embarazada, cuatro meses después de la boda, le pregunté si no cambiaría de idea y se quedaría como niñera para la criatura. Se negó, muy firmemente. Le dije que me sentía triste con tanta dicha para compartir. Ella me dirigió una mirada extraña, medio hostil, medio compasiva, y dijo: 'Me pregunto, chiquilla, qué hará falta para enseñarte la verdad. Nosotras dos somos prostitutas. Las dos somos afortunadas. Yo estoy terminando como una mujer respetable. Tú te has casado rica, y por la dulce gracia de Dios, estás esperando un bebé. Pero no tientes demasiado al destino; no puedes permitirte perder.' Tampoco pude permitirme la ira. Me encogí de hombros y abandoné el tema.

"Le dije que se sintiera en libertad de marcharse. Hans Hemeling podía encargarse de Silbersee cuando yo no estuviese allí. Yo escribiría inmediatamente al banco Coutts acerca de los arreglos de su pensión. Como siempre, ella tuvo la última palabra: 'Tú eres el ama de Silbersee, querida; pero yo he sido amante de tu papá durante largo tiempo. El es quien debe decirme cuándo es hora de que me marche.'

"Nunca supe cómo y cuándo se lo dijo. Sé que le dio las joyas de su madre, porque él me lo contó, a su manera indiferente, después que todo estaba hecho. Sé que viajó con ella a Londres. También él me dijo eso. Yo estaba en Gamsfeld cuando sucedió todo. Lily no se despidió de mí. Me dejó una nota con papá. La leí y la quemé.

—¿Qué decía la nota?

—Era nada más que una cita de la Biblia. Algo acerca del Señor que puso una marca sobre Caín...

Jung asiente en señal de reconocimiento y me da la cita palabra por palabra:

—"Entonces el Señor puso señal en Caín, para que no lo hiriese cualquiera que le hallara. Y salió Caín de delante del Señor, y habitó en tierra de Nod, al este del Edén".

Obviamente, está más impresionado por la cita de lo que estuve yo. Olvida que no he sido criada en el mismo contexto de pensamiento que él. Le explico que si bien estaba herida por la disolución de mi relación con Lily, me sentía feliz de que ella se hubiese marchado. Fue solo más tarde, mucho más tarde, que sentí la tristeza y entendí cuánto seguíamos significando la una para la otra.

—Tía Sibilla se quedó en Gamsfeld. Eso me convenía. Ella podía dirigir el castillo. Yo quedaba en libertad para trabajar con Johann. Además, la presencia de tía Sibilla era un testimonio constante de mi inocencia. Todas las semanas íbamos juntas a depositar flores frescas sobre la tumba de Ilse. ¡Ella acompañaba a Johann a la iglesia para que yo no tuviera que renegar de mi respetable falta de fe!... Por mi parte, yo la alentaba en su proyecto de atrapar a

papá, quien, ausente Lily, estaba volviéndose bastante desesperado y disipado... En resumen, era una vida familiar; pero
ahora era mi familia y la de Johann y yo sentí que me había
ganado toda la dicha que teníamos.

—¿Ganado? —dice Jung, saliendo asombrado de su silencio—. ¿Por medio de un asesinato?

—¿Por qué está enfadado conmigo? Usted me pidió
que le contara qué sentía yo entonces, no lo que siento
ahora.

—Discúlpeme —dice instantáneamente—. Me distraje
por un momento. Continúe, por favor.

Me irrita su desliz. Después de todo, si él está teniendo
ahora una aventurilla, si las ha tenido en el pasado, debe
saber que el goce depende de una ilusión de inocencia, una
justificación de un código u otro. Se fornica para diversión
del amante. La culpa del adulterio debe ser atribuida al
otro: la esposa que no comprende, el esposo que no puede
dar satisfacción. El ladrón que escala tejados como un gato
es un acróbata fracasado. Hasta los asesinos no necesitan
pretextos muy complicados para justificar sus actos; ¡los
traficantes de armas como Basil Zaharoff no necesitan
ningún pretexto!... Jung quiere saber qué me está molestan-
do. Se lo digo con todas las palabras. Se muestra fastidiado.

—Dejemos la polémica, por favor. Le he pedido disculpas. Sinceramente. Le ruego que continúe.

—Bueno, a continuación viene la criatura, supongo. Ambos quedamos decepcionados cuando resultó una niña; pero
todavía había mucho tiempo y mucho amor y esta era una
criatura hermosa y saludable. Johann quería ponerle mi
nombre, Magda. Le dije que yo prefería Anna Sibilla. Así
le daba parte de mi nombre y todo el de tía Sibilla. Después
añadimos Gunhild, que era el nombre de la hermana casada
de Johann... Nuevamente, ¿qué decir? Con un bebé en la
casa y un padre orgulloso y una madre saludable con leche
en abundancia, tenía que ser una época feliz. Había mucho
que cortar, coser y bordar a fin de que el día del bautismo de
Anna Sibilla fuera como un día de San Nicolás, con regalos
amontonados en el hall de entrada.

"También fue la primera vez que vi a papá incapaz de
manejarse en una situación. Cuando le puse la niña en los

brazos, para que pudiera ser fotografiado con su primera nieta, se sintió sumamente incómodo y huyó, inmediatamente después, a la intimidad del estudio de Johann. Lo encontré allí una hora más tarde, contemplando una copa muy grande de coñac. No estaba lo suficientemente bebido para estar encolerizado, pero sí a muy pocos pasos de la sensiblería llorosa. Cuando me vio, levantó su copa y dijo: 'Por la vida... ¿eh? ¡La vida que sigue pese a todo!' Después me tomó de la mano y me atrajo hacia él. Inmediatamente me puse rígida, temerosa de que estuviese lo bastante ebrio para tratar de golpearme. Dejó caer mi mano como si fuera un carbón encendido.

"En seguida, sin previa advertencia, me dijo: 'Tu madre ha muerto. Sucedió cuando yo estaba en Londres con Lily. No quise decírtelo mientras estabas encinta. ¡De todos modos, eso cierra la cuenta entre nosotros dos!' Todo lo que pude decir, fue: 'Gracias, papá. Gracias por ser tan considerado.' Después me retiré y lo dejé solo, tomé a la niña y la llevé arriba para darle el pecho. Recuerdo que pensé: 'Estás creciendo bastante bien, amor mío. ¡Por lo menos, tienes a tu propia madre que te alimenta!' De inmediato, sin ninguna razón, empecé a llorar, y no pude parar y Johann tuvo que venir a consolarme, mientras tía Sibilla explicaba, con altiva tolerancia: 'Depresión post partum. Muchas mujeres la tienen. Pasa en pocos días. ¡Después, otra vez estarás alegre como un grillo!'

—¿Y fue así? —pregunta secamente Jung.

—Sí. Cuando me cansé de alimentar a la criatura, Johann consiguió una nodriza de la aldea; de modo que muy pronto pude salir nuevamente con él. Hans Hemeling se desempeñaba bien; sólo me necesitaba de tanto en tanto para afirmar su autoridad. Después empezamos a viajar, visitamos grandes caballerizas: Einseideln, Lipizza, Bois-Roussel, Landshut, Janow Podlaski... Era demasiado pronto para que nos integrásemos a tan distinguida compañía, pero empezamos a ser conocidos como compradores juiciosos cuyos registros genealógicos podían resistir una inspección. Sí, fue una época dichosa, y las vueltas a casa siempre eran maravillosas. Anna Sibilla era una criatura feliz, ¿y por qué no? Sus padres la adoraban. Su tía chocheaba por ella. Todo

un ejército de sirvientes admirados existía sólo para servirla.
Yo todavía estaba tratando de tener otro hijo —esta vez un
varón— pero por alguna razón no sucedía.

"No había ningún motivo discernible. Ambos éramos
jóvenes y potentes. Entonces, Johann empezó a quejarse
de que se sentía abúlico y cansado. Perdió apetito y peso.
Una noche, cuando estábamos haciendo el amor, gritó y
se quejó de que yo le había hecho daño. Encendí las luces
y le pedí que se quedara quieto mientras yo lo examinaba.
Había una tumoración dura en el saco escrotal. Los gan-
glios linfáticos de la ingle estaban hinchados. A la mañana
temprano envié un telegrama a papá, en el hospital de
Salzburgo. El vino inmediatamente, examinó a Johann
y confirmó mi diagnóstico: carcinoma testicular, que ya se
había diseminado a través de los nódulos linfáticos. ¡Usted
sabe lo que eso significaba hace veinte años, doctor! ¡Aún
ahora, en 1913! Significaba la ablación de los testículos y
una larga y dolorosa declinación... hasta la muerte.

"Papá y yo juntos le comunicamos la sentencia de
muerte a Johann... Nunca crea que la estirpe no cuenta. ¡En
caballos u hombres, se nota! Nunca me sentí tan orgullosa
de mi hombre como en aquel momento. Johann me estrechó
con fuerza en sus brazos por un largo tiempo. Después me
dijo que saliera de la habitación. Necesitaba estar un rato
solo. Se reuniría con nosotros cuando estuviese preparado.

"Mientras lo aguardábamos, papá y yo salimos a caminar bajo el sol y mantuvimos un consejo de guerra. La operación se haría en Salzburgo. Después llevaríamos a Johann
a Gamsfeld con un par de enfermeras. Le pregunté a papá
cuánto podía durar. Como suposición, dijo papá, seis meses,
ciertamente menos de un año. Después me preguntó:
'¿Cómo está tu ánimo?' Pregunté por qué. El dijo, lisa y
llanamente: 'Porque tendrás que decidir cuánto podrán
soportar tú y él. Si yo estuviese ahora en su lugar, me
dedicaría a cargar mi pistola y a buscar un sitio lindo y
tranquilo para volarme los sesos... Por eso sugiero que lo
trates tú. Yo trabajaré contigo como cirujano especialista
y hasta donde pueda tendré alejado al médico local, que
es un hombre muy religioso. Cualquier tufillo a escándalo
lo haría venir instantáneamente. ¡Recuerda que los

católicos todavía entierran a los suicidas en terreno no consagrado! Tú y yo firmaremos el certificado de defunción.'

—¿Su padre estaba sugiriendo un pacto de muerte con Johann? —pregunta Jung.

—Al contrario. Estaba preguntando si yo tenía el ánimo lo suficientemente fuerte para terminar yo sola con la vida de Johann, cuando llegara el momento. Le dije que sí. El asintió aprobando, y dijo: '¡Bien! Aférrate a eso. ¡Tú no sabes todo lo terrible que será!'

"Inmediatamente después de eso Johann vino a reunirse con nosotros. Estaba pálido pero conservaba la compostura. Dijo que iría caminando a la aldea y hablaría con el padre Lukas, el cura párroco. Me ofrecí a acompañarlo y me dijo que prefería ir solo. Me sentí herida y excluida. Papá dijo, con calma: 'Déjalo. Cada uno de nosotros tiene que llegar a su propio acuerdo con la de la guadaña. La religión ayuda, si se es creyente.' Me eché a llorar. Papá se acercó, me abrazó y me besó en el pelo. Después me hizo caminar lentamente alrededor de los rosales, donde encontramos a la pequeña Anna cortando capullos con tía Sibilla. Papá dijo: 'Tú llévate a la niña. Yo le daré la noticia a Sibilla.' Tomé a la pequeña y la llevé a ver los potrillos en el prado del fondo.

"Esa noche, la cena fue una ocasión sombría. Papá y yo partíamos al día siguiente para llevar a Johann al hospital de Salzburgo. Yo me quedaría en un hotel hasta que él estuviera en condiciones de volver a casa. Tía Sibilla se quedaría en Gamsfeld y cuidaría a la pequeña Anna. Durante el café, Johann dijo: 'Siento hacerles pasar por todo esto; pero hay algo que me gustaría que todos supieran. Nunca he sido especialmente religioso, pero hoy tuve una larga conversación con el padre Lukas. El oyó mi confesión, me ayudó a hacer una especie de paz con lo que va a suceder. Les digo esto porque no quiero que sufran por mí. ¡Sólo tómenme la mano y ayúdenme a superarlo como un hombre!'

"Sé que esto va a sonar muy irracional... pero fue como si él me hubiera cerrado una puerta en la cara. Yo había matado para conseguirlo. Estaba dispuesta a acostarme a su lado y terminar con todo si él lo deseaba. En cambio, con un solo paso, él se había aislado, había entrado en un cuarto secreto que a mí me estaba vedado. Por ese único, terrible momento, lo odié. Odié a su Dios. Odié al padre Lukas, a todo, a todo... Entonces, la voz calma de tía Sibilla cortó mis negras cavilaciones: 'Cuando Johann vuelva a casa y se instalen las enfermeras, necesitaremos más espacio. Hay dos habitaciones desocupadas cerca de la mía. Sugiero que las convirtamos en una enfermería... Si están de acuerdo, haré que lo hagan mientras ustedes estén en Salzburgo.' En un instante, estuve cuerda otra vez; pero —y espero que esto tenga sentido— había visto los demonios negros y sabía que siempre me estaban esperando.

—Tiene sentido. —Ahora Jung está gentil y solícito. —Cuando algo así ocurre en una familia, es un trance muy duro para todos.

—Puedo decirle cómo fue de duro. Para Johann hubo el trauma de la mutilación, el dolor constante, los largos días y noches de tener que aceptar la disolución. Para mí hubo el diario horror de ver lo que le sucedía a ese cuerpo hermoso por cuya posesión yo había matado, de saber lo que estaba ocurriendo en su interior, y de ver que el espíritu que lo habitaba se retiraba cada vez más hacia su propio mundo crepuscular, alejándose de mí.

"Yo iba a consolarlo y lo encontraba con un rosario en las manos, pasando las cuentas, mirando fijamente el crucifijo, como si sacara fuerzas de esa otra figura mutilada. El padre Lukas iba todos los días a darle la comunión y rezar con él. Un día salió de la habitación de Johann y dijo: 'Su marido es un hombre que está muy cerca de Dios. Ha aceptado su sufrimiento y lo ha ofrecido como sacrificio por su bienestar y el de su hijita.' Su intención fue bondadosa, lo sé, pero a mí la idea me pareció grotesca. ¿Qué clase de dios hace un trueque con sufrimientos humanos?

—Cuénteme de sus días —dice Jung suavemente—. ¿Cómo se resignaba? ¿Qué hacía?

—Bueno, teníamos enfermeras día y noche, de modo que pude establecer una rutina tolerable fuera de la habitación del enfermo. Trabajaba con las enfermeras cuando Johann era bañado y cuando se lo cambiaba de ropas. Después atendía asuntos de la granja hasta la hora de almorzar. Habitualmente llevaba conmigo a Anna en el cochecillo arrastrado por un pony, que a la niña le encantaba. A mediodía le daba el almuerzo a Johann y después iba a mi oficina para atender la correspondencia y las cuentas. Tía Sibilla se encargaba entonces de Anna. Le enseñaba a leer, a coser y a dibujar. Continuamente, insistía: 'La niña necesita compañías de su edad. Traeré algunos niños de la aldea para que jueguen con ella.' Lo hizo varias veces; pero nunca pareció dar resultado. La brecha entre los señores y la gente de la aldea era demasiado ancha, hasta el dialecto era una barrera.

"A medida que el padre empeoraba. Anna empezó a tener problemas. No podía soportar el olor del cuarto del enfermo. No podía asociar con su una vez apuesto y vigoroso padre a la figura pálida y sumida que veía sobre la cama. Sufría pesadillas: versiones mezcladas de folklore local que había oído a los sirvientes, duendes y gigantes y fantasmas y vampiros y hombres lobos... Yo también empecé a tener mis pesadillas: Ilse, en sus ropas de difunta, sentada en la cama de Johann y contándole cómo yo la había matado; Johann levantando el crucifijo y maldiciéndome con él; lo más horrible de todo, yo haciendo el amor con Johann y de pronto encontrarme abrazada a un cadáver en putrefacción. Después de una noche de malos sueños, yo solía detestar tener que entrar en el cuarto del enfermo. La figura sobre la cama, con los ojos pacientes y doloridos y la débil sonrisa, estaba demasiado cercana a mis fantasías. El contacto de su mano emaciada en mi mejilla me quemaba como fuego. Fue por esta época que empecé a notar que Anna me temía y que eludía mis abrazos. También el estado de Johann empezó a deteriorarse rápidamente. Ahora el dolor era constante y debíamos mantenerlo fuertemente sedado con morfina. Cuando cada dosis perdía su efecto, él empezaba a gemir, a lanzar un grito de dolor, agudo, ahogado, que se interrumpía con una letanía de plegarias entrecortadas: 'Jesús, María, José, ayúdenme... ayúdenme...' Fue después de una de esas sesiones de alaridos que Anna me vio salir de la habitación con la jeringa y la bandejilla en mis manos, y huyó de mí como un animal aterrorizado.

"Esa noche hablé con tía Sibilla, quien recomendó enviarla lejos a vivir con Gunhild, la hermana de Johann, y su joven familia. Tía Sibilla se ofreció a acompañarla y quedarse allí hasta que la niña se sintiera adaptada a su nuevo ambiente. Acepté instantáneamente. La obvia repulsión que me tenía la niña era otra pesadilla más, cuando ya teníamos demasiadas. El día después que se fueron, papá llegó de Salzburgo para su visita semanal. Cuando vio el estado en que se encontraba Johann, juró por lo bajo y me dijo que ya era suficiente. El no hubiera permitido que un perro sufriese tanto.

"Esta vez fuimos cómplices en el hecho. Lo llenamos de morfina de modo que el corazón apenas latía. Llamamos al cura párroco para que administrara los últimos sacramentos... y además, para que fuera clerical testigo de la condición terminal de Johann. Esa noche, cuando estábamos acostándolo, envié a la enfermera fuera de la habitación con no recuerdo qué pretexto, y papá le administró a Johann morfina suficiente para matarlo. Cuando regresó la enfermera, papá dijo bruscamente, 'Esta noche podríamos perderlo.' La enfermera se persignó y dijo: 'Sería una cosa misericordiosa. El pobre hombre ha sufrido demasiado.' Una hora más tarde, cuando me encontraba dormitando en mi habitación, todo terminó. La enfermera le cruzó las manos sobre el pecho, enroscó el rosario en sus dedos, le cerró los ojos, y me llamó para que fuera a verlo.

"No pude llorar. No sabía rezar. Me incliné y le besé la frente fría. Le cubrí la cara con la sábana y salí. Fui a la habitación de papá. El estaba tendido en la cama en pantalones y en mangas de camisa, leyendo. No dijo una palabra. Me dio una píldora blanca con un vaso de agua y me hizo tragarla. Me llevó a la cama, me tomó la cabeza en sus brazos y me acunó como solía hacer cuando yo era una niña muy pequeña:

Duerme, mi pequeñita, duerme,
Los ángeles cuidarán de ti.

"Mi último pensamiento, mientras caía por un agujero negro y profundo, fue: '¿Angeles? Ahora papá también se está volviendo religioso. Pronto no tendré con quién hablar...' Y esa, mi querido doctor, es la historia de mi vida. ¡Ahora usted lo sabe todo!

—Excepto una cosa.

—¿Qué es?

—La transición. El cambio de esposa de duelo a viuda negra... la araña que devora a su pareja.

—¡Realmente usted es un bastardo!

—¡La transición! ¿Cómo ocurrió?

—¿Eso qué importa?

—Importa porque yo necesito saberlo y usted necesita contarlo. Son las cinco. Le queda media hora. No hay tiempo que perder... La transición: ¿Cómo, cuándo, dónde?

—Déjeme llegar hasta allí por mi propio camino.

—¡Siempre que nos lleve hasta allí!

—Sepultamos a Johann al lado de Ilse en el cementerio de la iglesia de Gamsfeld. Todos se sintieron conmovidos por el gesto. ¡El amor todo lo vence! ¡Dios mío! ¡Si hubieran sabido! Después viajé hasta donde vivía Gunhild, cerca de Semmering, para recoger a la pequeña Anna. Fue otra vez la misma historia. Ella huyó de mí, gritando. Gunhild, una mujer cálida, maternal, se sintió tan apenada por mí como por la niña. Se ofreció a retenerla, a criarla en el feliz desorden de su propia familia, hasta que tuviera edad suficiente para racionalizar sus terrores. Yo acepté de muy buena gana. Mis emociones estaban en carne viva. No me hallaba en condiciones de enfrentarme con una niña perturbada.

"Regresé a Gamsfeld y hablé de la situación con tía Sibilla. Si ella aceptaba quedarse como castellana de Gamsfeld, yo haría una gira por las principales caballerizas de Europa, les presentaría nuestros registros genealógicos y haría los contactos que necesitaríamos para el desarrollo futuro de Gamsfeld y Silbersee. Sibilla quedó conforme con el arreglo. Ella tenía sus buenos dineros personales. Con residencia gratis y una anualidad por sus servicios en Gamsfeld, podría mantenerse con estilo y todavía continuar el interminable coqueteo con papá. Ahora prefería no casarse con él, me dijo secamente; ello le quitaría algo de sabor a la vida.

"Fui a Viena a comprar ropas para el viaje. Papá me esperó allí. Me invitó a cenar y me ofreció algunos consejos simples, vulgares. Yo era una viuda reciente, rica y madura,

un blanco natural para los buscadores de fortuna. Sugirió
— ¡no, me instó con fuerza!— que me sacara por un tiempo
de la cabeza toda idea de volver a casarme y que me divir-
tiera. Puesto que ahora también yo era una mujer de negocios,
no querría hacerme de una mala reputación. Me movería
en una multitud desprejuiciada, pero si quería ganar dinero
de ellos necesitaría una cabeza fría y cierta discreción bási-
ca. De modo que sería útil tener entrada en ciertos establecimientos donde las damas como yo, viudas o simplemente
aburridas, podían encontrar las diversiones y la compañía
que necesitaban sin riesgos personales o estigmas sociales.
Me dio una lista manuscrita: París, Londres, Viena, Berlín,
todas las capitales europeas. También me dio un puñado de
sus tarjetas personales, cada una con la siguiente inscripción:
'Presento a mi querida amiga Magda. Por favor, atiéndanla.'
No tuve el coraje de decir que parecía que él estaba haciendo de rufián con su hija. El no me habría entendido. Hacía
tiempo, en aquella noche en Padua cuando se emborrachó,
yo había aprendido que papá me veía en realidad no como
al fruto de su simiente sino como a la obra de sus manos:
¡la mejor prostituta del oficio!

"Me preguntó cómo empecé a ser la viuda negra. Fue
exactamente así, ¡por medio de papá! Cuando después de
cenar lo dejé, estaba lo bastante bebida y temeraria como
para llamar por teléfono al local de Viena. Respondió una
voz femenina. Me presenté como Magda, amiga del doctor
Kardoss. Me pidieron que esperara en el vestíbulo de mi
hotel. Enviarían un carruaje por mí que, si yo lo deseaba,
también podría traerme de regreso. Se mencionó una suma,
pagadera en coronas de oro. La cantidad cubría todos los
servicios. Era bastante importante. También se me pidió
que llevara traje de noche.

"El carruaje llegó. Me hicieron subir. Las ventanillas
estaban pintadas de negro, de modo que no tuve idea de
adónde íbamos. Media hora más tarde me hicieron entrar
en una lujosa villa rodeada de parques... No hicieron preguntas sobre mi identidad. El dinero y la tarjeta de papá fueron
suficientes. Mi anfitriona, una mujer bien vestida, bien
hablada, cuarentona, preguntó cuáles era mis preferencias.
Le dije que, como esta era mi primera noche en este hermoso

lugar, me gustaría recorrer todo el menú. Y eso, mi querido doctor, fue exactamente lo que hice. Encontré varios platos que me gustaron y los pedí cada vez que fui... El resto, usted ya lo tiene en sus notas. Usted ve, no le hice perder tiempo, ¿verdad? ¡Todavía tenemos veinte minutos!

Mi tono petulante lo fastidia. Me dice, secamente:

—No veo nada de gracioso en lo que acaba de contarme.

—¡Yo tampoco! —Me toca a mí encolerizarme. —¿Pero qué quiere usted? ¿Sangre? Puede tenerla. Estoy sangrando por dentro. El marido que amaba murió horriblemente. Mi propio padre me lanzó a la ruta de los burdeles, porque creyó que era la forma más segura de que yo viajara. El hecho de que tuviera razón no lo hace más fácil. ¿Qué más quiere usted? ¡Una descripción cuarto por cuarto de las orgías en un casino de lujo? ¡Puede encontrarlo todo en Krafft-Ebing... a menos que desee que me desnude y haga una demostración! Pero ponga esto en su cuaderno de anotaciones, querido colega. Por lo menos cuando estoy allí, sé que estoy viva. Podré estar medio enloquecida de lujuria, ¡pero estoy celebrando la vida, no la muerte!

—¡Usted es una mentirosa, señora! —Me rechaza con fría brutalidad. —Para usted, cada historia de amor termina en una cámara de horrores. Sus propios sueños le dicen la verdad. ¡Usted está desposada, no con la vida sino con la muerte!

De pronto, todo es demasiado. No puedo soportar la mirada de sus ojos pétreos, acusadores. Estoy harta de esta larguísima, inútil, miserable inquisición. Me echo a llorar...

Pasa un largo tiempo hasta que me recobro. Cuando levanto la vista, Jung ha desaparecido. Su esposa está delante de mí con una copa de cordial. Sonríe y me la tiende.

—Carl me pidió que le trajera esto. El vendrá en seguida. Está caminando en el jardín, poniendo en orden sus pensamientos. Esta ha sido una larga sesión, agotadora para los dos. Beba, por favor.

Tomo la bebida, me seco los ojos y me pregunto por

qué siento como si una aplanadora me hubiera aplastado contra el pavimento. Emma Jung se sienta sobre el borde del escritorio y me habla en su modo calmo y persuasivo:

—Se lo advertí, ¿recuerda? No sé cuáles son sus problemas, pero está claro que ha llegado al primer punto de crisis. Siempre es penoso. Una se siente desnuda y avergonzada, como si fuera la única que no está a tono con el mundo. Pero no es así. Lo más difícil es aceptarse una misma tal cual es, alegrarse de lo bueno y perdonarse lo malo... ¡Oh, Dios! No fue mi intención interferir. Usted es paciente de Carl, no mía; pero quiero que sepa que él está muy interesado en usted.

—Tiene una forma curiosa de demostrarlo.

Trato de que no suene como una broma, pero no resulta bien. Estoy otra vez al borde del llanto. Emma tiende una mano, toma una de las mías entre sus palmas y la sostiene sobre su regazo. Me siento extrañamente reconfortada, como si hubiese una cuerda salvavidas que me atara a la vida. Su voz serena me calma como una canción de cuna.

—Tengo que explicar algo acerca de Carl; porque en este momento de su vida él no es muy bueno para explicarse a sí mismo. Aunque fue criado en un mundo muy estrecho como el hijo de un párroco rural, sus antepasados por ambas ramas fueron personas extrañas y brillantes. Su abuelo, de quien heredó el nombre, pasó un año en prisión en Berlín, como sospechoso de complicidad en el asesinato de un oficial ruso. Después se convirtió en un médico brillante, rector de la universidad y Gran Maestre de los Francmasones Suizos. Fue comediógrafo y ensayista. ¡También se hizo tiempo para engendrar trece hijos!... Oh, y hay una especie de leyenda de familia que dice que era hijo ilegítimo de Goethe... Sin embargo, nadie está seguro de eso. De la abuela materna de Carl se decía que era vidente; y aparentemente, su madre tenía la habilidad de ver en las personas cosas que a todos los demás se les ocultaban... —Ríe y me palmea la mano. —Es una herencia extraña para convivir con ella; cuando usted añade a eso la propia curiosidad insaciable de Carl y su empecinada negativa a aceptar las cosas ordinarias, bueno... hay problemas para nosotros y ventajas para sus pacientes. Es extraño. Ustedes dos son muy semejantes. Lo sentí desde el momento en que nos conocimos. No sé si eso es bueno o es malo; pero allí está... ¡Oh, casi lo olvidé! Carl quiere un poco más de tiempo con usted antes que se marche. Después le gustaría ir hasta la ciudad con usted en el automóvil. Tiene que llevarle unos papeles a la señorita Wolff.

—Yo puedo hacer que el chofer se los lleve. Le ahorraría un viaje a su marido.

Ella aprieta levemente mi mano.

—Creo que él quiere hacer un poco de trabajo con ella. Me dijo que no preparara la cena para él.

—En ese caso, ¿puedo invitarla a cenar conmigo en el "Baur au Lac"? Si no le importa dejar a los niños por un par de horas con la niñera, esta noche más que nunca no quiero comer sola. Haré que vengan a buscarla aquí y que la traigan de regreso.

Ella vacila un momento y después acepta, con la condición de que yo lo arregle con su marido.

—No quiero que él piense que estoy invadiendo su territorio; pero sé que él regresará tarde y... ¡oh, bueno!... ¡yo tampoco quiero comer sola!

Nos pusimos de acuerdo para las ocho. Pediré que me sirvan la cena en mi suite. Podremos hablar en confianza, quitarnos los zapatos y ponernos cómodas. De pronto, otra vez me siento serena. El suelo es sólido bajo mis pies. Esta pequeña conspiración femenina, y la certeza de que Jung tiene una aventurilla con su asistente, restaura mi vacilante asidero de la realidad. Estas son cosas que yo entiendo. El resto pertenece a la cámara de horrores. Ojalá pudiera olvidar los horrores; pero no puedo. La puerta de la cámara ahora está abierta y los murciélagos negros vuelan delante de la cara de la luna... Emma Jung da a mi mano un último apretón afectuoso y me regaña:

—Arréglese un poco antes que él regrese. Su nariz brilla y él le ha corrido la pintura de labios. Hay un espejo junto al lavabo...

Me siento agradecida a su firme sentido común. En alguna forma me recuerda a Lily. Ojalá mi asidero de la realidad fuera tan fuerte y terco como el de ellas dos.

JUNG

Zurich

Estoy avergonzado por lo que hice. Sigo aquí, jugando torpemente con las piedras de mi aldea inconclusa, y pienso en mi cruel locura. He tomado las palabras de una paciente, palabras que me fueron dichas en confianza, y las he usado cómo látigo para fustigarla y lograr su sumisión. He convertido la verdad que ella me contó en una mentira, y se la he arrojado a la cara como una burla. Después, cuando vi su efecto devastador, hui. Llamé a Emma desde la cocina, di un excusa apresurada sobre un día muy largo y un estallido histérico de mi paciente, y dejé que ella se las entendiera con la crisis.

No sé qué daño he causado, hasta dónde la he lanzado nuevamente en su situación psicótica. No sé qué podré salvar del desastre. Todo lo que sé es que no puedo dejar que se marche así. Tengo que volver y hablar nuevamente con ella. La botellita azul en su bolso no es un artilugio teatral. Es un instrumento de muerte, y estoy convencido de que ella tendrá el valor de usarlo cuando su última esperanza se haya extinguido. Debo volver a ella, pero todavía no. Le he pedido a Emma que le dé cualquier pretexto, hasta que se encuentre otra vez compuesta y yo haya puesto orden en mi cabeza.

¿Por qué hice esa cosa increíble? ¿Por qué? ¿Por qué?... Es inútil enfurecerme conmigo mismo. Esa es otra mentira. Sé muy bien por qué lo hice. ¡Por veinte razones, todas malas! Esta Magda Hirschfeld está tanteando y sondeando mis debilidades, probando las cerraduras de todas las puertas secretas de mi inconsciente. Es como la serpiente negra de Salomé, enroscada dentro de mí, apretando sus anillos a medida que se instala cada vez más profundamente,

319

siseando quedamente para decirme: "¡Estoy aquí! ¡Estoy esperando!"

Sé qué está esperando, me lo ha dicho claramente desde el principio. Leyó la inscripción sobre mi puerta. La interpretó, acertadamente, como una promesa de que el oráculo sordo hablará, que el dios oculto se presentará. Cuando no se presente, ella me culpará a mí, porque yo soy el hombre que talló la inscripción y que solicita la creencia y las ofrendas de los peregrinos. No quiero ser desenmascarado como charlatán. La detesto por la amenaza que representa a mi inestable **persona**.

La detesto, pero también la envidio. Lo que yo sueño en secreto, ella ha osado hacerlo. Ha jugado todos los roles en todos los misterios sexuales. Yo sólo he soñado con fastos priápicos y disfrutado furtivamente, en secreto, mis pequeñas concupiscencias. Ella ha osado asesinar, también, y ha salido bien librada. Yo he soñado con asesinar; pero lo más cerca que jamás llegaré del hecho será un panfleto, un discurso, una insinuación en una conferencia, algún acto mezquino y despreciable antes o después de la cama... ¡Dios me libre de un cobarde y de un impostor!

¡Bueno, eso es lo que quiero decir! ¿A cual Dios invoco? ¿El viejo de barba blanca, encaramado en el empíreo, que aplastó mi catedral con su gran cagarruta? ¿O acaso hay otro al que soy voluntariamente ciego, o al que temo mortalmente, acerca del que tejo telarañas de fantasía para atajar la luz blanca y pura de Su Realidad?

Cuál le mostraré a Magda Hirschfeld cuando ella pregunte: '¿Puede abrirme los ojos y hacer que yo vea lo que veía mi marido, cuando murmuraba sus letanías en las largas, oscuras noches de su agonía?' Sé que ella preguntará eso, ¡y yo he tratado de adelantarme a la pregunta acusándola de una pasión por los muertos!

¡Elías! ¿Dónde estás? Te necesito, ahora. Tengo que volver a la casa y subir a la habitación donde me espera Salomé. Es un largo camino. No puedo soportarlo sin tu compañía... ya ves, amo a Salomé pero también le temo. Su serpiente negra está dentro de mí; ¿pero cómo puedo penetrarla? Eso es lo que estoy tratando de hacer, tú entiendes, derribar la puerta, entrar, salir de la tormenta...

Me domina el pánico. Siento que me deslizo fuera de este mundo hacia esa otra tierra lejana del inconsciente. Agito los brazos, como un hombre que se está ahogando, en busca del objeto tangible más cercano. Es el tronco del manzano cuyas ramas crecen sobre la casa de botes y protegen mi aldea de juguete. Apoyo la mejilla en su áspera corteza. Me estiro hacia arriba y sacudo las ramas. Pequeñas manzanas verdes caen al suelo... una de ellas me golpea en la cabeza. Como Isaac Newton, descubro que la ley de gravedad todavía prevalece. Estoy de regreso en la tierra. Camino de mala gana hacia la casa. Mi paciente está nuevamente calmada. Ha reparado su maquillaje. Está platicando amigablemente con Emma. Demuestra una leve desaprobación.

—Ahora estoy recuperada. Su esposa ha sido muy amable. Me dice que usted cena afuera esta noche. Le he preguntado si consentiría en cenar conmigo en el "Baur au Lac". Yo la haré buscar y traer a casa sana y salva... Espero que usted no se oponga. No quiero pasar esta noche sola.

¿Oponerme? ¡Claro que no! ¿Por qué habría de oponerme? Tendré toda una noche libre con Toni, y sin reproches después. También tendré una queja útil para mantener en reserva: ¡No apruebo que mi esposa intime con mis pacientes!... Después —porque nada en la vida es perfecto como uno desearía— tengo una decepción privada. Ahora no puedo visitar a mi paciente en el hotel, como me había propuesto hacer después de visitar a Toni. Hago salir a Emma de la habitación y trato de hacer las paces con Magda Hirschfeld.

—Usted ha tenido un día difícil; pero lo ha superado muy bien. Sé que mi último comentario sonó duro y brutal. En análisis, se usa a veces esa técnica, para forzar un cambio abrupto de dirección. Usted se mostraba petulante sobre una cuestión muy seria. Eso indicaba una actitud opuesta. Se encontraba bajo gran tensión; podía intentar el ocultamiento o el disimulo de algo importante. Yo tuve que recordarle, enérgicamente, que no estábamos jugando.

Me dirige una larga mirada y una sonrisa llena de duda.

—Usted me llamó mentirosa. Dijo que estaba casada con la muerte, no con la vida. Ambas son acusaciones feas.

Si soy una mentirosa, aquí estoy perdiendo tiempo y dinero. Si estoy casada con la muerte, tengo un billete de primera clase para la luna de miel. En resumen, usted fue gratuitamente cruel. Ese es mi vicio. Lo reconozco inmediatamente. Me debe unas disculpas y una explicación.

Su ataque me toma por sorpresa. No tengo más remedio que disculparme.

—Lo siento. Ha sido un día largo para los dos... Permítame anotar otra cita para usted, mañana...

—Antes que haga eso...

—¿Sí?

—Me gustaría tener la explicación.

—¿De qué?

—De sus acusaciones. ¿De veras piensa que soy una mentirosa?

—No; pero como profesional prudente tengo que considerar la posibilidad. Tengo que comprobar su historia antes de poder aceptarla como base para el diagnóstico. Hasta ahora no he tenido tiempo de hacerlo. No se ofenda. Todo el tiempo me veo ante las más elaboradas invenciones... La gente entra en estaciones de policía y confiesa asesinatos que es imposible que hayan cometido. Mujeres en la menopausia denuncian intentos de violación. Solteronas entradas en años son visitadas por ángeles en sus camas...

Ríe con ligereza y abre los brazos como rindiéndose.

—Nada de violación. Nada de ángeles. Ahora, otra pregunta: ¿soy insana?

—No.

—¿Qué sucede conmigo?

—Exactamente lo que me ha dicho. Cualquiera que sea el nombre que yo le ponga, el hecho no cambiará: usted se entrega obsesivamente y con frecuencia creciente a encuentros sadomasoquistas que alterna con aventuras lesbianas. Esos son los hechos. Los por qué y por lo tanto surgirán durante el análisis. Si trabajamos bien juntos, surgirán rápidamente y será mucho más fácil hacer un reajuste psíquico. Todo lo que hemos hecho hasta ahora es anotar a grandes rasgos una historia clínica y establecer un esbozo de sintomatología.

—¿Y el pronóstico?

—Es demasiado temprano para eso. Hay mucho trabajo que hacer, todavía.

—¿Vale la pena hacer ese trabajo?

—Usted tiene que responder. ¿Cuánto valora su vida, su yo?

—No mucho.

—¿Entonces, qué espera de mí?

—No estoy segura. —Piensa un poco en la cuestión, y después, poco a poco, da su respuesta. —Papá y Lily me criaron en un paraíso privado; pero me convirtieron en un animal exótico no preparado para vivir en ningún otro lugar. No solo no preparado sino, también, peligroso, porque en todo lo que yo pienso es en mí misma y en mi supervivencia. Por eso, ahora supongo que estoy buscando alguien como papá... ¡no, en realidad como Johann!, para que me enseñe a encontrar un lugar en el mundo de todos los días. No puedo regresar al útero y volver a nacer, de modo que necesito un guía, un mentor. Usted no es el único candidato, por supuesto.

Lo dice con una pequeña sonrisa secreta que vuelve a irritarme. Estoy demasiado cansado para bromas. Exijo saber.

—¿Quién es el otro afortunado?

—Basil Zaharoff. Tiene fama de ser el más grande traficante de armas del mundo. Vende todo lo que se necesita para librar una guerra. Muchas de sus ventas las hace por medio del soborno y a través de mujeres. Me ha ofrecido un empleo de madam de todas sus casas de citas y de supervisora de sus agentes femeninas. Su opinión de mí es la misma de papá, y otra vez cito textualmente: 'Si usted se hiciera profesional, mi querida Magda, ¡sería la más grande en el oficio!'

—¿Y usted está seriamente interesada en eso?

—Tengo que estarlo. La paga es grande y la protección está garantizada.

—Pero todavía no ha aceptado.

—No. Gianni di Malvasia me sugirió que primero lo viera a usted.

—¿Por qué a mí?

—El dijo, y otra vez repito textualmente, 'Jung admite la experiencia religiosa; aunque no siempre la define en términos ortodoxos'.

—Tiene razón. La admito en este sentido: yo acepto que existe, y que para muchas personas, para millones en todo el mundo, modifica profundamente la vida. Pero permítame ser muy claro, señora. Yo no puedo **darle** a usted experiencia religiosa. No puedo insuflarle ninguna fe. No discutiré ningún sistema de creencias con usted. Usted viene a mí cristiana; usted se va cristiana. Usted viene atea; usted se va atea. ¡Tampoco comercio con absoluciones, como los católicos!

—Pero tiene una promesa, esculpida sobre su puerta: 'Se lo llame o no se lo llame, el dios estará presente.' ¿Dónde está él? Aún no hemos oído hablar de él.

—Usted no cree en él. Yo no lo he descubierto. De modo que tenemos que continuar sin él.

Nuestra breve discusión parece haberla agotado. Suelta una pequeña carcajada y se encoge de hombros con resignación.

—Si Lily estuviera aquí, diría que era hora de Humpty Dumpty.

—¿Cómo? Nunca oí esa expresión.

Ella explica que Humpty Dumpty es un personaje de una canción infantil inglesa. Recita para mí lentamente, a fin de que yo no me pierda ni una palabra:

Humpty Dumpty sat on a wall,
Humpty Dumpty had a great fall;
All the king's horses,
And all the king's men,
Couldn't put Humpty together again.

Es una rima pueril y divertida: pero para un suizo cabeza dura de Basilea, no significa mucho. Pregunto:

—¿Quién era Humpty Dumpty?

—¡Un huevo!

—¡Oh, entiendo! Y cuando cayó de la pared... ¡Oh, por supuesto! No se puede volver a componer un huevo. ¡Muy gracioso!

Evidentemente, para ella no es gracioso. En un

tono de tristeza mortal, hace la pregunta que yo estaba temiendo.

—He matado un perro y un caballo y una mujer. He arruinado la vida de una niña. ¿Usted puede volver a componerme, doctor? ¿Puede hacerme de nuevo?

Estoy conmovido casi hasta las lágrimas. Yo también desearía que el dios estuviera presente para enseñarme las palabras con poder de curación. Tiendo los brazos, la hago ponerse de pie, y le digo, tan suavemente como me es posible, la única verdad que conozco:

—Yo no puedo cambiar lo que está hecho. No hay cura para el asesinato. No es una enfermedad. Es un acto que trae condignos castigos. Nunca podrán serle aplicados a usted. Usted es como el soldado, ha regresado a salvo del campo de matanza. Usted es afortunada, porque con ayuda, la clase de ayuda que puede ofrecer un analista, todavía podrá cambiarse a sí misma.

—¿En qué?

—En lo que usted quiera. Los hábitos pueden ser alterados. Los síndromes obsesivos pueden ser modificados. Usted es médica; ¡usted lo sabe! En cuanto al resto, siempre puede encontrar un rincón tolerante del mundo para entregarse a sus preferencias sexuales...

—¿Pero no entiende? Lo que yo necesito es la razón, el motivo, el impulso.

—A usted no le gusta lo que es. ¿No es eso una razón suficiente?

—Extrañamente, no es suficiente. No puedo dejar de ser lo que soy, en ningún momento. Una dosis, un disparo de pistola y todo termina. Pero si hubiera algo más, si yo pudiera creer que tengo un alma que puede ser salvada por el arrepentimiento y admitida en algún paraíso eterno, esa sería una muy buena razón para cambiar. Observé a Johann durante su enfermedad. El tenía algo que hacía totalmente prescindibles al resto de nosotros, a todo nuestro amor, a todos nuestros cuidados. El creía absolutamente en una vida posterior. Pero para mí, lamentablemente, una vida posterior es un mito.

—Aun así, ¿por qué malgastar los buenos años? Tiene todavía mucho por vivir.

— ¿Qué clase de vida? —Trata de apartarse de mí. La sujeto hasta que vuelve a relajarse. — ¿No está escuchando? ¡Yo lo he tenido todo! Amor, pasión, parto, dinero... ¡Hasta la primaria emoción de apagar una vida humana como la llama de una vela y saber que estaba a salvo, libre! ¿Qué más me está ofreciendo usted, doctor?

La suelto. Se vuelve y camina hasta la ventana que da al lago, donde están acumulándose las nubes y el agua está de color gris pizarra, amenazadora. Nada servirá ahora excepto una sinceridad total y la sabiduría que yo pueda reunir y lo que me quede para dar de amor que ha sido demasiado malgastado. Me acerco, pero no la toco. Elijo las palabras tan cuidadosamente como si fueran piedras preciosas sobre una bandeja de oro.

— ¡Querida colega, querida mujer! No conozco ninguna forma de responderle que no sea tratando de compartir con usted la experiencia que ahora estoy viviendo. Le ruego que sea paciente conmigo. No es fácil ponerlo en palabras... Yo me encuentro, me he encontrado por mucho tiempo, en un estado muy similar al suyo. Tengo sueños monstruosos. Estoy obsesionado por fantasías de lujuria y de violencia criminal. Yo soy, creo, un caso peor que usted, porque a menudo pierdo la noción de la realidad y me encuentro dialogando con emanaciones de mi propio inconsciente. Pero sé, por experiencia propia y por largo contacto con los enfermos mentales en el Burgholzli, que la barrera entre fantasía y realidad es una pared de papel que puede atravesarse con facilidad. Por eso entiendo su crimen. Entiendo todos sus excesos. Entiendo sus temores. Yo podría ser muy feliz entregándome a los mismos juegos en el mismo circuito que usted. ¡Yo encajaría muy fácilmente en la exhibición de rarezas, créame! Tengo impulsos suicidas como tiene usted... y sueños de asesinatos. A menudo me encierro en esta misma habitación para luchar con mi oscuro Doppelgänger...

"Pero también me está sucediendo otra cosa, algo extraño y bueno y hermoso. Estoy aprendiendo más y más acerca del funcionamiento de la psiquis humana, cómo el pasado se teje en la tapicería de nuestros sueños, cómo el futuro se vuelve realidad creciendo de nuestras imaginaciones más descabelladas. Tengo que luchar para encontrarle algún sentido. A menudo estoy mortalmente asustado; pero a veces, sólo a veces, la visión es casi cegadora, como mirar el sol después de semanas de tormenta... ¿Me pregunta qué vendrá después para usted? Se lo digo: una infinidad de experiencias nuevas, nuevas visiones, nuevas esperanzas, nuevos amores también, quizá... ¡pero nunca los verá desde el dormitorio de un burdel o desde el interior de un ataúd!

No puedo decir más. Ella permanece con la cabeza inclinada, el rostro vuelto hacia otro lado. Espero, vacío e inmóvil como la copa de Omar Khayyam, volcada sobre la hierba. Cuando por fin ella vuelve la cara hacia mí, me siento conmocionado hasta los tuétanos. Su rostro es una máscara de odio, su lengua un látigo de desprecio.

—¡Palabras, mi querido doctor! ¡Todo retórica! ¡Conviértame, si puede! ¡Convierta la caníbal en cristiana, como los misioneros, pero no trate de venderme humo!

Estoy junto a ella de un solo paso. La tomo de las muñecas y la hago girar para que me mire de frente. ¡La atraigo para que pueda recibir mis palabras —cólera en vez de besos— boca a boca!

—¡Cómo se atreve a tratarme así, perra estúpida! ¡Cómo se atreve a traer a este lugar sus tretas de burdel! Viene implorando ayuda. ¡Cuando se la ofrecen, la rechaza! Hay lágrimas en lo que le he contado, lágrimas y sangre y heridas para mí y mi familia. He tratado de convertirlas en moneda que pudiera comprar para usted y otros pacientes un respiro de las pesadillas que los atormentan. ¡Pero no! ¡Usted no quiere eso! Usted quiere la exhibición de monstruos y la danza de la muerte. ¡Disfrútelas, entonces! ¡Pero no las organice en mi casa!

La suelto y me vuelvo, disgustado. Ella queda frotándose sus muñecas magulladas. Todavía estoy furioso, de modo que vuelvo a atacarla.

—¡Usted tiene deudas que pagar, señora! Usted no puede resucitar a los muertos. No puede darle a su hija la infancia que le faltó... Pero todavía puede hacer algunas reparaciones. Está instruida en el arte de curar. Hay lugares y personas que claman por buenos médicos. ¿Cuánto paga por el privilegio de vejar a una persona en una casa de citas? Hay organizaciones de caridad que podrían usar muy bien ese dinero y...

Ella rechaza toda la idea con un gesto de disgusto y un nuevo estallido de veneno.

—¡Oh, Cristo! Aquí viene otra vez... ¡el mismo viejo clisé! Purifícate con buenas obras. Paga, distribuye limosnas para unirte a los buenos. Mi marido hizo eso. Mi propio padre lo castró, y él ofreció sus cojones y su vida y sus sufrimientos para comprar para él, para mí y para mi hija un lugar en el cielo... ¿Y quién estará allí cuando yo abra la puerta? ¡Nadie! ¡Nadie!

Es un grito de cruda desesperación y yo cometo la equivocación de contestarlo. Ahora suavemente, tratando de razonar con ella.

—¡Por favor! Usted ha entendido todo mal. No estoy ofreciendo billetes para entrar al cielo. No sé dónde está el cielo; ¡pero sé dónde está el infierno! ¡Dentro de nuestros cráneos! ¡Y nosotros lo creamos para nosotros!

Por un fugaz momento parece que se inclinará ante mí. Al instante siguiente, se lanza contra mí en un feroz ataque físico, me golpea el pecho con los puños, trata de arañarme la cara con sus uñas, muestra los dientes como una tigresa.

—¡Maldito! ¡Maldito hipócrita suizo! ¡Mal... di... to...!

En esto soy veterano de la clínica, donde, con dos millares de pacientes, hay que tener los brazos fuertes y ojos en la nuca. La tomo de las muñecas y se las retuerzo hasta que grita de dolor. Es terriblemente fuerte; pero lentamente la obligo a ceder, mientras me inunda un violento impulso sexual, y le devuelvo insulto por insulto.

—¡Dos pueden jugar este juego, muchacha! Esto es lo que querías todo el tiempo, ¿verdad? ¡Salvación en el henil con papá o Rudi, o quizá con el semental en el pesebre!

Ella sigue luchando, pero ahora entra en el juego de los insultos.

—¡Ya lo ve! Usted está más metido en esto que yo. Le gusta hacer daño a las personas, también. ¡Usted es un fraude! Su Dios es una treta de confianza. Por lo menos, yo puedo admitir lo que soy...

La obligo a ponerse de rodillas. Ella grita que ya ha

tenido bastante. La suelto. Pasa una mano alrededor de mis muslos y con la otra trata de desabotonar mis pantalones. Antes que pueda apartarla, antes que ella pueda asir mi erección, llego al clímax y quedo allí atrapado como un tonto, eyaculando simiente que mancha mis pantalones mientras ella sigue arrodillada como una adoratriz decepcionada, palpando el santuario del dios ciego que ante sus ojos está convirtiéndose en un gusano...

Cuando el lamentable momento ha pasado, la hago ponerse de pie y le digo secamente que ponga sus ropas en orden. Inspecciono el daño de mis pantalones. No es demasiado grave. La blusa cubrirá la peor parte. Mientras Emma acompañe a mi paciente hasta la puerta, yo podré deslizarme hasta mi dormitorio y cambiarme. Es un incidente embarazoso, pero nada nuevo en la historia de muchos congresos apresurados. Mientras Magda Hirschfeld arregla su ropa, me siento ante el escritorio y tomo las últimas notas. Ella se sienta en el sillón del paciente y dice, recatadamente:

—Bueno, por lo menos ha visto cómo sucede: furia, violencia, y rendición. Llegué al clímax en el mismo momento que usted. Siento que no haya sido divertido. Parece funcionar mejor con profesionales... ¿Adónde vamos, a partir de aquí?

—Me temo que a ninguna parte.

—¿Por qué? ¿Porque lo he avergonzado? ¿Porque he dañado su autoestima, su autoridad?

—Todo eso, sí; pero eso es culpa mía, no de usted. Yo conocía el juego. No tuve que jugarlo... No, hay otra razón. Usted y yo somos peligrosos uno para el otro.

—¿Porque terminaríamos en la cama?

—No, terminaríamos en una locura doble, una **folie à deux**, y la que sobreviviría sería usted, no yo.

—¡Tampoco usted tiene una opinión muy elevada de sí mismo, doctor!

—No, no la tengo; y ese es otro punto de semejanza entre nosotros. Ambos estamos poseídos por demonios...

de furia, de destrucción. Usted es el pájaro enjaulado que se deja en libertad entre las aves de presa; de modo que se convierte en el más fuerte y más cruel de todos ellos. El amor la hace vulnerable, de modo que tiene que matarlo. ¿Recuerda el final de la historia de la Reina de la Nieve? Lo último que fundió su corazón de hielo fue una lágrima.

—¿Y quién, por Dios, derramará lágrimas por mí? ¿Usted, Carl Jung?

—Lo hice... y usted trató de matarme como mató al caballo, y al perro y a la mujer.

—¿Alguna vez podré cambiar?

—Solo si usted lo desea lo suficiente.

Piensa en eso un momento y después menea la cabeza.

—Como médica, en Italia, reconstruí unas cuantas vírgenes a tiempo para la noche de bodas; pero no hay cirugía que pueda convertir a una Mesalina en una hermana de caridad o a una asesina en una madre abadesa. Ni siquiera el gran Carl Jung puede sacar a Dios de la galera de un mago... No me fastidie con las notas. Le ahorraré tiempo y escribiré el resumen para usted. 'El estado de la paciente es irreversible. Pronóstico negativo...' Pero lo mismo me gustaría cenar con su esposa. Espero que le permita venir.

—Ella es libre. ¿Cómo podría yo impedírselo?

—Muy fácilmente. De modo que, gracias.

—¿Puedo pedirle discreción sobre lo sucedido aquí?

—¿Qué sucedió? Se dijeron palabras. Un hombre y una mujer lucharon un poco. Se derramó una simiente que hubiera podido ser vertida con más felicidad. ¿Qué significa eso? ¿Cuánto se puede hablar de ello?... Tengo que irme.

Se pone de pie y me tiende la mano. La tomo y me la llevo a los labios. Me gustaría besarla en la boca, pero ese momento se perdió hace rato. Ella toma mis manos y las vuelve palmas arriba, palmas abajo, como solía hacer mi madre para ver si las uñas estaban limpias y si yo me había cepillado los nudillos. Me dice:

—Usted sería un buen jinete. Tiene las manos para eso, muy fuertes.

—Las necesito. La gente es más dura de manejar que los caballos.

Ella toma su bolso, saca el sobre lleno de francos suizos y me lo entrega.

—Los honorarios, doctor, con mis agradecimientos.

—No hay honorarios.

—¡Tonterías! Por supuesto que hay honorarios. Le he ocupado todo el día. Yo también soy médica, recuerde. Espero que me paguen, así el paciente viva o muera. ¡Acéptelo!

—¡Es demasiado!

—A mí no me sirve. Gástelo en su esposa.

Arroja el sobre sobre mi escritorio. Lo dejo allí. Lo he ganado. Lo necesitamos. Ella me recuerda:

—Su esposa dijo que a usted le gustaría que lo lleven a la casa de la señorita Wolff. Yo hablaré con ella mientras usted se cambia los pantalones... Las amantes son mucho menos tolerantes que las esposas.

—¡Para ser una mujer con poco de que enorgullecerse, usted es muy impertinente, señora!

—No impertinente, solo asustada. Estoy corriendo por una calle oscura, oyendo mis propias pisadas y los latidos de mi propio corazón. No sé adónde voy y qué voy a hacer cuando llegue allí... por eso hago chistes malos. Lo siento.

—Ojalá...

—¡No! ¡No lo diga! Lily tenía un proverbio sobre deseos. ¿Cómo decía? Ah, sí... 'Si los deseos fueran caballos, los mendigos cabalgarían.' Ahora, dése prisa. Iré a charlar con su esposa.

Mientras viajamos a la ciudad, la tormenta que ha estado preparándose todo el día estalla sobre el lago. La lluvia, mezclada con granizo, golpea el parabrisas. Los truenos ruedan de un extremo a otro del valle. Los relámpagos desgarran el cielo cubierto. Magda Liliane Kardoss von Gamsfeld se despide con una ironía:

—Fräulein Zickzackblitz se marcha y las potencias del cielo se conmueven. ¡Bellamente logrado, doctor! Siento un nuevo respeto por los suizos. ¡Disfrute de su velada!

Cuando llego a la puerta de Toni, me parezco a una rata ahogada. Por lo menos, es una buena excusa para quitarme rápidamente la ropa. Compruebo que es más fácil quitarse una camisa mojada que el recuerdo de la locura, el fracaso y la ineptitud profesional.

MAGDA

En el momento que regreso al hotel lamento haber invitado a Emma Jung a cenar. Estoy súbitamente cansada, tan cansada que apenas puedo subir la escalera. Estoy harta de hablar, harta de que me hablen. Mi mayor deseo es ser sorda, muda y ciega, tranquila en el fluido amniótico de algún útero primitivo.

Me preparo un baño y me sumerjo en él una hora; después me pongo una bata y me tiendo en el diván con la última edición de **Die Dame**, una nueva revista ilustrada para mujeres publicada en Berlín, que se está haciendo muy popular. Después de dos minutos he perdido el hilo de lo que estoy leyendo. Me siento demasiado lánguida, demasiado vacía hasta para ponerme melancólica. En cuanto a mis planes de tomar el tren nocturno a Roma, caballos salvajes no podrían arrastrarme fuera de esta habitación, esta noche.

Mañana tomaré decisiones. Mañana o al día siguiente, no tiene importancia. He sobrevivido a las torturas de una inquisición psiquiátrica; ciertamente, puedo sobrevivir a una noche en el "Baur au Lac". Llamo al camarero del piso y pido que sirvan una cena a las ocho y media. También le digo que ponga a helar una botella de champaña para recibir a mi invitada. Quiero impresionarla. Quiero que ella recuerde una noche alegre. Deseo mucho gustarle.

Mi autoestimación nunca ha estado tan baja. Esa miserable escenita en la oficina de Jung — ¡que preparé yo, no él!— me eriza la piel cada vez que pienso en ella. ¡Fräulein Zickzackblitz, ciertamente! En cuanto a salir en un trueno de música wagneriana, yo fui más como la señorita Cara Sucia, ofreciendo su grosero oficio con sus hermanas de un extremo a otro de Limmatquai. Me pregunto cómo

333

reaccionaría Emma Jung si llegara a descubrir lo que sucedió. No es imposible. Tengo la irritante sospecha de que Jung es un hombre que acumula pequeñas malicias que vician su compasión y hasta su mismo entendimiento. Es una razón más para hacer de esta comida una ocasión memorable para Emma Jung.

Cuando ella llega, me causa una impresión completamente nueva. En casa, con su prole agrupada a su alrededor, ella parecía la matrona joven y seria, la Frau Doktor, la señora bien educada de una casa bien ordenada. Yo había calculado su edad aproximadamente en treinta y tres años. Aquí, en el "Baur au Lac", se la ve mucho más joven, muy embarazada y muy, muy vulnerable. Cuando le ofrezco champaña, vacila. Carl tiene buena cabeza para el licor; ella tiende a volverse locuaz y marearse. No quiere dañar al bebé. Le recuerdo que está delante de una muy buena médica y que tiene un chofer que la llevará hasta su casa, de modo que acepta la bebida. Hago que se siente en el diván mientras yo me acomodo en el sillón cerca del cordón de la campanilla. Propongo un brindis: "¡Por una nueva amistad y, por supuesto, por un nuevo niño muy saludable!" Bebemos. Entonces, ella hace la primera y más embarazosa pregunta:

—¿Cuándo es su próxima cita con Carl?

—No he hecho ninguna. El cree que yo debería buscar consejo en otra parte.

—¡Oh, Dios! —Parece muy desdichada.

—¡Por favor, no se aflija! Su intuición, en primer lugar, estuvo acertada. No tengo de qué quejarme. Su esposo trató sinceramente de ayudarme. Yo traté de cooperar. No resultó. Ninguno de los dos tuvimos la culpa.

—Entonces, mañana Carl debe escribirle a su médico de París. Eso es muy importante. No es solamente por cortesía. Es esencial para usted, también. Haré que Toni se lo recuerde por la mañana. —Me dirige una leve sonrisa. —Es el protocolo en nuestra casa. Todos los asuntos profesionales pasan por Toni... supongo que es muy natural. Me casé cuando tenía veintiún años. Carl es siete años mayor. Fue él quien puso las reglas. Yo las seguí sin cuestionarlas. ¡Muy suizo!... Después de un tiempo, se vuelve un hábito. Los niños me llevan tanto tiempo que debo dejar que Carl haga las cosas a su modo. Sé que eso no es bueno para él, especialmente en esta etapa de su vida... pero no puedo seguir peleando con él.

Está ansiosa de hablar. Yo me siento feliz de escuchar. Sirvo más champaña y la aliento con gentileza.

—Dijo usted que su marido se encontraba bajo una gran tensión. ¿Cuál es el problema?

—¡Ojalá lo supiera!... No, eso no es verdad. Sé una parte, una gran parte. Solo que no me gusta admitirlo; y Carl, por supuesto, detesta discutirlo conmigo. El siempre ha preferido creer que una esposa tiene menos cerebro que otras mujeres. —Ríe con cierta vacilación. —En realidad, él tiene razón. De otro modo, ¿por qué nos dejamos condenar al matrimonio y la maternidad? ¿Su matrimonio fue feliz?

—Hasta el último año. El último año fue terrible. Mi esposo murió de cáncer.

—Oh, Dios, cuánto lo siento.

—¡Por favor! Eso ya es pasado.

—¿Tuvieron hijos?

—Una hija. Ahora está casada. No nos tratamos.

—Eso es triste. ¿Y usted nunca deseó volver a casarse?

—Bueno, digamos que no he encontrado a nadie que quisiera pasar una vida conmigo, o con quien yo quisiera pasar más de un mes. Llevo una vida muy activa. Tengo dos granjas de cría de caballos. Vendemos caballos en toda Europa. Viajo mucho.

—Le envidio eso... los viajes, quiero decir. Carl es el viajero de nuestra familia. Ha estado en París, Inglaterra, Estados Unidos, Italia, Alemania. Yo fui con él a un par de conferencias; pero no hay mucha diversión en eso. Carl necesita ser el centro de la atención. Yo no sirvo para ser la esposa modesta que se inclina ante el gran hombre y sus amigos. ¡Tengo algunas ideas propias y a veces me gusta exponerlas.

—Me dijo que su esposo la entrenó como analista.

—Sí, pero yo no estaba pensando en eso. Pensaba en el otro costado de la historia. ¡Esas personas, incluido mi marido, están manejando altos explosivos, y son descuidados, celosos y tercos como niños! Usted no tiene idea de las murmuraciones que circulan en esas conferencias, las intrigas y camarillas que se forman alrededor de cada viejo líder, cada nuevo teórico... Tengo miedo de la reunión que se está preparando en Munich. Mi esposo está preparándose para una gran pelea con Freud. Han sido amigos durante mucho tiempo. Ahora, son enemigos jurados. Freud me gusta. Siempre ha sido amable y comprensivo conmigo. Hasta admite que tengo un cerebro. De modo que estoy atrapada en el medio... ¡Oh, Dios! Le dije que no debería beber. Aquí estoy, charlando como la chismosa de la aldea. ¿Puedo llamarla Magda? Detesto sentirme distante de alguien. Ese es otro problema. Estoy quedando cada vez más distante de Carl...

Yo tengo un oído sensible para la malicia. No percibo ninguna en lo que ella me está diciendo. Más bien, percibo pesar y la tristeza insidiosa de una mujer solitaria demasiado pronto, aprisionada en un cuarto de niños, mientras su marido, el deportivo carcelero, se entrega a su profesión, tranquilo en la seguridad de que los niños la retendrán más eficazmente que cerraduras y barrotes.

Quiero oír más sobre este individuo astuto y la forma en que dirige el resto de su vida, y de lo que me he perdido, si es que lo hay, al no someterme humildemente a su dirección. Porque no deseo ofender a mi Emma —abierta y vulnerable, pero finalmente relajada— hago un gran rodeo para recoger los huevos. Le digo cómo hice mi entrenamiento final en Viena, mientras Freud estaba enseñando allí, y cómo Gianni di Malvasia y yo pasábamos nuestras noches de estudiantes en el resplandor del Alegre Apocalipsis. El relato nos lleva hasta el momento en que es servida la cena y en que terminamos el consomé. Entonces, ella está lista para retomar el hilo de su propia historia.

—Eso es lo que Carl más echaba de menos, creo... los días sin preocupaciones. El estaba siempre en movimiento. La familia tenía poco dinero. El tenía que abrirse camino solo y lo hacía por medio de la inteligencia y del trabajo duro. Entonces vivía, como le gustaría vivir ahora, liberalmente, vigorosamente. Eso fue lo que hizo que me enamorase de él. Todo lo que él hacía y decía —beber, cantar al estilo tirolés, discutir— era dramático, casi con glotonería. Conmigo era diferente. Yo siempre tenía todo lo que quería.

Eramos personas importantes en Basilea. La gente se inclinaba y se descubría delante de mis padres. Yo tomaba eso como algo natural, demasiado natural... A Carl le fastidiaba. Aún le fastidia. Tengo que tener mucho cuidado de no adelantarme nunca, nunca a él en su presencia. Quizá hubiera debido luchar desde el principio, pero ahora es demasiado tarde. Carl no es el rey de la profesión. Freud todavía lleva la corona. Pero Carl es ciertamente el príncipe heredero. Tiene su propia corte y, ¡oh Dios, oh Dios!, sus propias damas de honor que lo adoran y están pendientes de cada una de sus palabras También tiene a su querida, como debe tenerla todo príncipe que se respete. Toni, como probablemente usted ha adivinado, es la última... y creo que durará más tiempo que cualquiera de las otras.

—¿Y usted aprueba eso?

—No se me pide que lo apruebe o lo desapruebe. Es una realidad de la vida. La acepto a causa de los niños. No se puede vivir luchando siempre, o el hogar se convierte en un infierno en la tierra. Carl lo hace difícil, por supuesto, porque insiste en tener a Toni en casa de mañana, de tarde y de noche. Yo desearía que él se instalara en otra parte, lejos de la casa, e hiciera sus trabajos y viviera su vida amorosa fuera de allí. Pero él no quiere. Dice que no podemos permitírnoslo. Yo trato de decirle que los dos estamos malgastando demasiada vida en este enredo. El no quiere escuchar. Estoy segura de que la tensión de todo esto está contribuyendo a su trastorno.

¿Trastorno?... He oído "problemas", "estrés", "tensión"... Pero trastorno es una palabra nueva, y mala para mí. ¿Es posible que haya hecho esta penosa y peligrosa confesión a un hombre que está fuera de sus cabales? Se ha hablado de escándalos, con otras mujeres complicadas. ¿Es posible que Jung, no yo, sea el payaso de este circo absurdo? Se me hiela la sangre. Se erizan los cabellos de mi nuca. ¡Dios Todopoderoso! ¿Quién es el loco? Con gran calma, con singular dulzura, le pregunto a Emma:

—¿Qué forma toma el trastorno? ¿Cómo se manifiesta? Debe de ser muy difícil para usted y los niños...

JUNG

Zurich

— ¡Hola, París! ¡Hola, París! ¡Quiero hablar con el doctor Gianni di Malvasia!... ¡No! ¡Mal-va-sia! Se lo deletrearé...

Estoy acostado desnudo en la cama, mientras Toni trata de comunicarse con el médico de Magda Hirschfeld en París. La razón es sencilla, tan sencilla que yo, en mi estado de excitación, la pasé por alto por una milla romana. Esta mujer es suicida. Lleva veneno en su bolso. La he rechazado como paciente y como compañera sexual. Mi esposa está cenando con ella en el hotel. Yo he dado mi consentimiento. ¡Qué mejor preludio para un suicidio realmente espectacular!

Toni vio la posibilidad no bien escuchó mi edición cuidadosamente expurgada de los acontecimientos del día. Insistió en que llamara a Malvasia en París y le devolviese la responsabilidad como médico. Si él interviene o no, lo mismo servirá de protección ante el escándalo que estallará inevitablemente si la mujer decide matarse esta noche en el "Baur au Lac".

— ¡Hola, París! ¡Hola, París! ¡Sí! ¡Sigo esperando al doctor Malvasia! Comprenda, por favor, es una emergencia médica. ¡Sí, una emergencia!

Es más que una emergencia médica. Para mí, es vital. Me encuentro sin trabajo y vivo del ejercicio privado de mi profesión. He adquirido una reputación de excéntrico. Algunos de mis colegas sospechan que soy inestable. Ya ha habido demasiadas murmuraciones acerca de demasiadas aventuras tontas con mujeres. Sé que existen algunas cartas indiscretas... De modo que todo lo que ahora necesito es un suicidio en el "Baur au Lac" y un encabezado:

RECHAZADA POR ANALISTA LOCAL, UNA MUJER SE QUITA LA VIDA... Por fin parece que Toni ha conseguido comunicarse. La oigo decir:

—Habla Fräulein Wolff, asistente del doctor Carl Jung. Sí, el doctor habla francés e italiano. ¡Un momento, por favor! Lo comunicaré con él.

Me entrega el auricular. Me presento en mi mejor toscano. La línea crepita continuamente. Pero logramos entendernos.

—Habla Carl Jung. ¿Usted puede oírme?

—Habla Malvasia. Le oigo. ¿Cuál es el problema?

—Esa paciente que me envió...

—¿Qué sucede con ella?

—No hay forma en que yo pueda ayudarla. No es un sujeto adecuado para mi tipo de análisis.

—Siento mucho oír eso.

—Hoy he pasado seis horas con ella. Como terapeuta y paciente, somos totalmente incompatibles. Sin embargo, ella se encuentra en un muy mal estado... muy malo.

—¿Puede ser declarada insana?

—¡No! ¡No! ¡No! Está más racional que usted o que yo. Hay ciertas cosas que no se deben decir por teléfono; pero lo intentaré... Obsesión...

—Comprendido.

—Sadomasoquista... frecuencia creciente, violencia creciente.

—Comprendido.

—Gran culpa sobre episodios pasados que no pueden... definitivamente no pueden ser discutidos en este momento. Un fuerte impulso suicida. Por eso lo llamo a usted. ¿Ella tiene parientes que puedan asumir alguna responsabilidad?

—Cercanos, no. El marido ha muerto. La familia de él ayudaría, pero ella no acudiría a ellos. El padre murió poco tiempo después que el marido. Hay una hija; pero parece estar totalmente distanciada. ¿Cómo de grave es el riesgo?

—Muy grave. Ella lleva una botellita de ácido prúsico. Yo la he visto.

—¡Demonios! ¿Dónde está ella ahora?

—En el "Baur au Lac". Mi esposa está cenando con ella. Se conocieron hoy e inmediatamente establecieron una amistad que yo, por supuesto, apruebo. Pero usted tiene que comprender, doctor, que una vez que esa cena termine y mi esposa vuelva a casa, yo no puedo seguir siendo responsable de su paciente. Ella me ha pagado la sesión de hoy. Ya le he dicho que no puedo seguir ayudándola...

—¿Puede recomendarla a otro?

—No. Porque yo no soy el médico. ¡Usted lo es!

—**Dio mio!**... ¿Qué hora es en Zurich?

—Las nueve de la noche.

—Hay un tren que sale de París a las diez o diez y media. Llega a Zurich por la mañana. Trataré de alcanzarlo. ¿Es probable que ella haga alguna tontería esta noche?

—Lo dudo. Creo que ella no querrá avergonzar a mi esposa y, por lo tanto, cometerá el suicidio en alguna otra parte. Sin embargo, sostengo que no se puede estar seguros.

—Comprendo. Querré verlo a usted no bien llegue.

—Venga directamente a mi casa. Usted tiene la dirección. Yo le entregaré todas mis notas y le comunicaré verbalmente otros detalles... Definitivamente, tenemos que hablar antes que usted se encuentre con su paciente.

—Gracias por llamar y por sus esfuerzos, doctor Jung.

—Ha sido un placer, se lo aseguro. Es muy triste no poder hacer algo más. ¡Hasta mañana, entonces!

Toni se arroja sobre la cama, a mi lado, y canta triunfalmente:

—¡Mañana, mañana, mañana! Ya no me preocupa el mañana. Ahora todo ha salido a la luz. Emma lo sabe. Me dijo con todas las palabras que mi trabajo es cuidar de ti. ¡Y a partir de ahora, eso es precisamente lo que haré! Primero, hacemos el amor; después nos levantamos y cenamos; después hacemos otra vez el amor. Y si vuelves a casa antes de la mañana, no será culpa mía. ¡En realidad, si no vuelves más a tu casa, a mí no me importa! —Se pone a horcajadas sobre mí, me inmoviliza sobre la cama y me mira fijamente a los ojos. — ¡Una pregunta, todavía! Nuestra Magda... no jugaste con ella, ¿verdad? Cuando me marché, tenías esa expresión libidinosa en la mirada...

Un so weiter... Y así sigue, la noche dulce y tonta, cuando rendimos homenaje al dios ciego, que ya no es un gusano sino una columna grande y fuerte, cuando no tengo que pensar en Emma, porque ella finalmente ha reconocido mi derecho a vivir libre. En cuanto a Magda Liliane Kardoss von Gamsfeld, bueno, su médico ya está en camino desde París. Estoy seguro de que ella estará en buenas manos. No obstante, lamento lo sucedido. Ella fue una experiencia perdida, un momento que no me encontró preparado.

¡No importa! Aquí estoy, celebrando el misterio de la unión con la que es hermana, amante, protectora, todo en una. ¡Te amo, Toni, amor mío! Tú eres mi Salomé. La serpiente es nuestra amiga. Se enrosca alrededor de nosotros, nos une con fuerza. ¡No... no quiero dormir! Quiero yacer a tu lado hasta que la serpiente vuelva a despertar... ¡Esta noche en todas las noches, que no venga ningún sueño!

MAGDA

Zurich

—¡El trastorno! —Emma quita un trocito de salmón
de la comisura de sus labios, bebe un sorbo de vino y explica.
—¡Es difícil para todos nosotros, sí! El cae en esos accesos
de furia, grita, todo muy infantil, pero aterroriza a los niños.
Ellos todavía son muy pequeños, como usted vio. Sin embargo, desde mi punto de vista y también desde el de él,
creo que los retraimientos son peores que los ataques de
cólera. Se encierra en su estudio y sale a vagar por la orilla
del lago murmurando solo y a veces gritando sobre personas
que solamente puede ver él. Sueña mucho, ¡malos sueños!,
y se agita en la cama. Para decirle la verdad, ahora me alegra cuando él no duerme conmigo. Tengo miedo de que
pueda hacerle daño al bebé que estoy esperando...

La observo cuando toma otro bocado de comida. No
es hermosa, y sin embargo hay en ella un encanto grave y
tierno que me llega al corazón. Ello me hace preguntarme,
por un doloroso instante, cómo será mi hija. Le pregunto:

—¿El es un buen padre?

—Sí... cuando puede. ¡Sé que es una forma tonta de
decirlo, pero él es dos personas, quizá más! Una de ellas es
un hombre bueno y cariñoso; la otra es un soñador sombrío,
una especie de poeta perturbado que se mueve todo el
tiempo entre la esperanza y la negra desesperación. Esta es
la que no me gusta. Soy muy ordinaria, usted lo ve. Cuando
Carl trabajaba en el Burgholzli y dictaba clases en la universidad, estaba mucho mejor que ahora, por lo menos para
nosotros. Tenía rutinas; tenía colegas; tenía una posición
destacada. Ahora no tiene esas cosas... Justamente cuando
más las necesita, no las tiene. Yo no puedo proporcionárselas.
Estoy en la etapa inadecuada de la vida. Tengo niños que

343

todo el día están tironeando de mis faldas... Vivo limpiando narices, tratando toses y arreglando peleas en el cuarto de los niños. No tengo tiempo, aunque tuviese el talento, para sentarme y ayudar a Carl a encarar las cosas. Además, no estoy segura de que sea eso lo que quiere él. Carl se aburre muy rápidamente de las personas. ¡Obsérvelo comer una naranja! Chupa el jugo y arroja la pulpa y la cáscara. Por eso las mujeres al principio se sienten tan atraídas por él y tan furiosas después... —Ríe y se ahoga con el vino. Le seco los labios. Agradecida, me palmea la mano. —El les dedica toda su atención, las hace sentirse muy bien, como complicadas heroínas románticas. Después se va y las deja gritando o llorando. El odia comprometerse, sabe usted. Tiene que dispersarse para sentirse seguro...

No puedo contenerme más. Tengo que preguntar:

—¿Y qué hay de Toni? ¿A ella también le sucederá eso?

Emma bebe un largo sorbo de vino y espera mientras vuelvo a llenarle la copa. Esta vez tiene que elaborar un poco la respuesta.

—De Toni, no lo sé. Ella es joven y atractiva; probablemente retendrá a Carl más que las otras. Pero en ella hay algo más. Tiene una mente de primera clase, muy sutil, muy bien organizada, pero también sumamente imaginativa. Escribe buena poesía. Carl afirma, seriamente, que es una Goethe femenina. Es una exageración, por supuesto. ¡El está embobado con ella! Pero ella es muy buena... Sé que esto suena extraño de labios de una esposa, pero también es muy buena para Carl. Oh, sí, es apasionada y disfruta del sexo, pero no es eso lo que quiero decir. Ahora Carl anda a la deriva, sin rumbo, en un país muy extraño. Toni parece entender la geografía, puede tomarlo de la mano y compartir la experiencia sin perderse ella, como hace a menudo Carl. No sé si eso tiene sentido, pero...

Tiene sentido. También me perturba. Ahora tengo que correr el riesgo y hacer una pregunta que quizá ella no quiera responder.

—Usted me dijo que yo era muy semejante a su marido y que no estaba segura de si eso era bueno o malo...

—Lo recuerdo.

—Su marido fue más allá. Dijo que no podía continuar el análisis, porque él y yo éramos peligrosos uno para el otro.

—Creo que tuvo razón. Me alegro de que haya tenido la sensatez de reconocerlo.

—¿Puede explicarme qué quiso decir?

—Creo que puedo, pero por favor... —Me dirige una sonrisa pequeña y dubitativa y con un gesto protector y familiar me toma la mano. —Por favor, no se enfade ni se enfurezca. Ahora somos amigas. Quiero que sigamos amigas. ¿Lo promete?

—Lo prometo.

—Bueno... volvamos a Carl. Una de las cosas que le están sucediendo, ¡y que él está haciendo que sucedan, también!, es que todos sus recuerdos, esperanzas, cuentos de hadas, mitos y leyendas, todo, todo lo de su pasado, está saliendo a la superficie. El no puede controlar la experiencia. Es como si una gran montaña estuviera surgiendo desde la parte más profunda del océano y criaturas que él nunca ha visto, que nunca ha soñado, estuviesen ahora nadando cerca de la superficie... Hay personas, y usted es una de ellas, que parecen tener el poder de abrir esas fuentes misteriosas y hacer que broten descontroladas. No es algo que usted haga deliberadamente. Simplemente, sucede. En el caso de Carl, sin embargo, es malo y peligroso. El ya no puede cerrar la fuente; ya no puede enfrentarse a las extrañas criaturas. Está tratando, pero creo que está cometiendo un gran error. Lo hace de la manera equivocada. Está tratando de abrir cada vez más cavernas en la profundidad. Esa aldea de juguete que le mostró en el jardín... me resulta siniestra. El está tratando de reconstruir su infancia y también su pasado prístino, piedra por piedra. Yo lo veo como un experimento terriblemente peligroso. El sostiene que su única esperanza es hacer el viaje hacia atrás... Así que usted ve, me alegro de que usted no siga con Carl, pero lamento que no se quede conmigo.

—Yo no hago brotar fuentes en usted, ¿verdad?

—Al contrario. ¿Cree que hablo muy a menudo con alguien como he hablado con usted esta noche? Con usted me siento bien: me siento bien, tierna y cariñosa. ¡Oh, sí!

Usted ha abierto una fuente; pero es un manantial pequeño, dichoso, burbujeante, de agua dulce y clara.

De pronto, sin advertencia, me encuentro llorando quedamente. Al instante siguiente ella está de pie junto a mi sillón sosteniendo mi cara contra su pecho, mi pecho contra su cuerpo hinchado, de modo que siento, o sueño sentir, el movimiento de la nueva vida que ella lleva en sí. Me mece suavemente hacia atrás y adelante y me habla para consolarme.

—Llore. Es bueno para usted. Emma está aquí...

Después llamo al camarero para que retire los platos y nos traiga café y coñac, porque esta noche, dice Emma, ella tiene derecho a ser un poco loca. Durante el coñac, me dice:

—Me gustaría hacer algo por usted, querida.

—¿Qué?

—Me gustaría escribirle a su hija y preguntarle si consideraría la posibilidad de encontrarse con usted o por lo menos iniciar una correspondencia con usted... créame que encontraría las palabras adecuadas. Después de todo, usted quiere comunicarse con ella pero no puede encontrar la forma adecuada de hacerlo. Probablemente ella siente lo mismo; pero aun si nada resulta, usted se sentirá mejor por haberlo intentado... ¿Me dejará que lo haga, por favor?

No puedo decirle que probablemente no estaré aquí para ver el resultado de la correspondencia, de modo que accedo. Es un tierno pensamiento. Me siento conmovida y agradecida. Le doy la dirección de Gunhild, en Semmering. Ella le enviará la carta a Anna Sibilla. Le doy la dirección de los hermanos Ysambard, en París. ¡Ellos sabrán si estoy viva o muerta! Después tengo una pregunta para Emma: ¿cómo se propone ordenar su vida ahora que virtualmente ha aceptado un **menage à trois** con Toni Wolff?

—He pensado mucho en ello. Creo que he llegado a comprenderlo... ¡lo cual, de ningún modo lo hace más fácil! Seguiré viviendo en Küsnacht, como hasta ahora. No voy a pelear. Trataré de disfrutar de lo que todavía queda entre Carl y yo. Es mucho, de cualquier manera. Voy a mantener la familia unida, me aseguraré de que respeten a su padre y que él les siga dando el amor y el afecto que pueda. Seré amable con Toni. Si embargo, se trazará una línea. El

346

estudio es territorio de Carl y de ella. El resto es mío. ¡No quiero invasiones, ni consejos, ni nada! Y hasta allí voy a llegar. El resto tendrá que arreglarse solo, día por día.

—Hay una cosa que no ha mencionado.

—¿Qué es?

—¡Usted! ¿Qué va a hacer usted por Emma?

—Bueno... —Se ruboriza como una muchachita y suelta una carcajada breve y avergonzada. —No iba a mencionarlo; pero ahora que usted lo ha preguntado... Voy a escribir un libro.

—¡Muy bien por usted! ¿Cuándo empieza? ¿De qué trata el libro?

—Todavía no he empezado. Probablemente me llevará años. Es sobre el Santo Grial, el cáliz o la fuente... varía, sabe usted... que Cristo usó en la Ultima Cena. También se dice, porque la leyenda es muy complicada, que José de Arimatea lo usó para recoger la sangre de Cristo en la crucifixión y después lo llevó a Glastonbury, en Inglaterra. Después de eso se perdió, y los Caballeros de la Tabla Redonda se dedicaron a buscarlo... La leyenda está en todas partes de Europa. Hasta hay versiones en el Oriente.

—Suena fascinante, ¿pero por qué usted?

—¡Prometa que no se reirá!

—Lo prometo.

—Según la leyenda, la búsqueda del Grial continúa en cada generación. Es un símbolo muy profundo de nuestra búsqueda de la felicidad, la satisfacción y la paz interior... Bueno, ahora yo sé que mi vida nunca resultará del modo que yo la soñé cuando era muchacha. Carl siempre será un vagabundo. Siempre habrá una Toni en su vida. De modo que yo necesito esperanzas para continuar... necesito mi propia búsqueda del Grial, ¡una real pero simbólica, también! Sé que suena tonto, pero...

La tomo en brazos y la estrecho contra mí, tratando de transmitirle todo el amor que me queda, tratando de recuperar todo el amor malgastado y dárselo también, porque sé que nunca será suficiente para el viaje que tiene que emprender. Finalmente, para romper la tensión que amenaza con paralizarnos, hago una broma tonta:

—En la forma que estamos abrazándonos, usted podría

quedarse a pasar la noche. La cama es lo suficientemente grande.

Para mi sorpresa, lo toma muy en serio.

—No crea que no me gustaría. Usted no tiene la edad suficiente para ser mi madre; pero ciertamente, podría ser hermana mayor y me gustaría acostarme y hablar con usted y quedarme dormida en sus brazos... Pero mi prole me necesita en casa. Voy a tomar un poquito más de coñac y después me marcharé... ¿Qué va a hacer usted consigo misma, no solamente mañana, sino después?

— ¡Solo Dios lo sabe! Pero no voy a pensar en ello esta noche. Voy a acostarme y a recordar qué velada sencilla, encantadora que hemos tenido.

— ¡Oh, casi lo olvidé! —Abre su bolso y saca un sobre con dos tabletas en su interior. —Carl me dio esto cuando salía apresuradamente de la casa. Dijo que usted tenía que tomar las dos, media hora antes de acostarse, y que yo tenía que quedarme a su lado para asegurarme de que las tomaba... así que, por favor, ¿quiere tomarlas ahora para que yo no tenga que decir mentiras por usted?

Hago lo que me pide. Llamo al conserje por teléfono y le pido que se asegure de que el chofer está esperando y que acompañará a mi invitada hasta la puerta de su casa y aguardará hasta que haya entrado. Hecho esto, nos sentamos a beber lo que queda de coñac, sin hablar mucho, sintiendo mucho, sin deseos de abrir más puertas a más cavernas, porque la próxima vez podríamos no ser tan afortunadas. Las últimas palabras que me dirige Emma me suenan extrañas:

—Le escribiré a su hija. Le escribiré a usted. No se lo diré a Carl. Usted y yo nunca más volveremos a vernos. Eso probablemente es bueno, porque nada podrá estropearse. No sé qué ha hecho usted en su vida que la hace tan desdichada. Tampoco me importa. La he conocido solo un día; pero la amo y creo que usted me ama. Eso es un limpio comienzo para nosotras dos...

Nos abrazamos. Nos besamos. Se marcha sin mirar hacia atrás. Bebo lo último que queda de coñac, me arrojo sobre la cama en un acceso de dolor sin lágrimas, y caigo fuera del borde del mundo.

Despierto con la garganta seca y la cabeza llena de

algodón y encuentro a Gianni di Malvasia sentado sobre el borde de la cama, palmeándome las mejillas, ordenándome que abra los ojos y le diga mi nombre, edad y lugar de nacimiento. No lo hago muy bien la primera vez, de modo que él me hace repetir los intentos hasta que queda satisfecho. Pregunto, medio mareada:

—¿Qué haces aquí?

—Jung me llamó anoche por teléfono. Creyó que podrías intentar suicidarte. Cuando te vi, creí que lo habías hecho. ¡Santo Dios! Sabes que no se debe mezclar bromuros y alcohol.

—¿Cómo diablos sabes tú lo que yo mezclé?

—La botella de coñac está en el saloncito, medio vacía. Y Jung me dijo que te envió dos tabletas somníferas para antes de acostarte.

—¿Cuándo te dijo eso?

—Esta mañana. Fui directamente del tren a su casa. Me contó todo lo sucedido ayer y me dio sus anotaciones.

—¡Oh, Cristo! De modo que tú sabes...

—Sí.

—Jung no tenía derecho.

—Tenía todo el derecho del mundo. Yo soy el médico que te lo recomendó. ¡No te preocupes! Quemé esas anotaciones en tu chimenea. Ahora vas a bañarte, a vestirte y a empacar. Te llevaré a almorzar. Después tomaremos el tren de las tres a París.

—¡Yo no voy a París!

—¿Adónde vas, entonces?

—No lo sé. No lo he pensado. Roma, quizá.

—Yo soy tu médico. Lo he pensado. Tú te vienes a París. Vas a quedarte un tiempo conmigo.

—¡Yo no voy a París!

—Entonces, querida muchacha, esto es lo que sucederá. El bueno del doctor Jung y yo firmaremos un papel que te declare enferma de depresión suicida y hará que te internen, ¡presto, presto!, en el Hospital Psiquiátrico Burgholzli hasta que recobres la cordura. Eso es todo lo que hace falta. Dos firmas. ¿Bien?

—Vamos a París.

—Bien. Todavía hay esperanzas para ti.

—¿Y qué tengo que hacer en París? ¿Cómo me las arreglo con Zaharoff?

—A Zaharoff déjamelo a mí. Por el momento, él está sufriendo de una inflamación de próstata; de modo que por un tiempo no andará tras de ti ni de nadie más. En cuanto a lo que harás en París, hablaremos de eso cuando lleguemos allí. Si estás dispuesta a gastar un poco de dinero y de esfuerzo, tengo justamente el proyecto adecuado para ti. Evitará que pienses en todos tus otros problemas.

—¿Incluido el asesinato? —Tengo que estar segura de que él lo sabe; y lo sabe. Lo encara en una forma muy despreocupada.

—El asesinato no es ningún problema. Está hecho; pero no aparece en el balance final. Es historia o mito, como tú quieras ponerlo, pero nada puede probarse. El verdadero problema es lo que el asesinato te ha hecho a ti. Eso es lo que nuestro amigo Jung no pudo manejar. El ha renunciado al Dios de su padre. Ahora no sabe si es deísta, ateo o el Sumo Sacerdote del Ying y el Yang. Yo soy un individuo práctico cuyos antepasados, ¡todos ellos esnobs florentinos...!

—¡Oh, Gianni, calla!

—...cuyos antepasados hacían un arte refinado del asesinato. También manejaban muy prolijamente las consecuencias. El capellán de la familia te daba la absolución. Tu tío el obispo te vendía indulgencias para tenerte fuera del purgatorio y, como parte del negocio, te proporcionaba cierta vigilancia amistosa a cargo de los guardianes de la ciudad, a fin de que el otro bando no te acuchillase en un callejón... Sin embargo, eso es todo agua bajo los puentes. Iremos a París. Levántate y date un baño. Hay dos olores que no puedo soportar en una mujer... ¡perfume rancio y licor rancio!

MAGDA

La reacción me golpeó un día después de llegar a París: oleadas de negra depresión, súbitos accesos de llanto, ataques de cólera durante los cuales quería arrojar cosas y destrozarlas, largas noches en blanco de permanecer despierta y mirando al techo.

Nunca sabré cómo hizo Gianni para soportarme. También es un misterio cómo navegó él entre su trabajo de médico y una mujer medio loca en su apartamento de soltero. Me halagó; me regañó, hizo exigencias que solo dejaba de lado cuando veía que yo no podía cumplirlas. En un minuto era un médico, hermano mayor al instante siguiente, mujeril y atareado también, cuando servía a sus propósitos. Hubo veces en que quise huir, esconderme para siempre. Pero Gianni parecía haber tendido sobre mí una red, sutil como una gasa pero fuerte como el acero, de modo que yo no podía escapar ni de la casa ni de su solicitud.

Me traía libros, que yo hojeaba y dejaba de lado. Por las tardes, tocaba Chopin para mí. Me llevaba a pasear como un enamorado a los parques. Me alentaba a que cocinara para los dos, me obligaba a conferenciar sobre mis asuntos con los hermanos Ysambard, y una noche realmente memorable, me hizo dar una cena con Basil Zaharoff como invitado de honor. Le pregunté a Gianni cuál era la idea de tener a Zaharoff en la mesa. El hombre era un horror, un déspota cruel, un mercader de la muerte.

—Lo mismo que tú, mi amor —me recordó Gianni secamente—. Esto será un ejercicio en tolerancia mutua, en gratitud, también, porque él paga mis cuentas a tiempo, y diplomacia... lo cual te toca íntimamente.

—¿Diplomacia?

—Sexual y social. El hombre te ofreció empleo que tú rechazaste. Le diste una noche en la cama, por lo cual te recompensó generosamente. Te dio ese brazalete que llevas ahora, ¿verdad? Después de esa noche, él se marchó, agradablemente inflamado con la perspectiva de un affaire contigo. ¿Qué sucedió? ¡Huiste a Zurich sin despedirte! El hombre está ofendido. No está acostumbrado a esa clase de tratamiento. Así me lo ha dicho. Yo te he defendido... mala salud, problemas de la menopausia, ¡toda la lista! El solo se calmó a medias. Puede ser un enemigo malo. De modo que en la cena lo pondrás a tu derecha y te mostrarás humilde. Capito?

Capito! Era difícil no entender a Gianni y a su lógica latina. La cena resultó bien. No recuerdo a los otros invitados. Eran nadies ricos, pero buenos pacientes de Gianni. Recuerdo muy vívidamente cómo Basil Zaharoff me interrogó acerca de mi experiencia de análisis con Jung:

— ¿De modo que uno se sienta y habla, y nada más?

—Bueno, una se sienta... se mueve, se pone de pie. Ese es el método de Jung. Tengo entendido que a Freud y a otros les gusta tener al paciente acostado en un diván. Pienso que de ese modo se pueden evitar ciertas reacciones agresivas.

— ¿Y uno habla íntimamente?

—Mientras más íntimamente, mejor.

— ¿El médico... el analista... toma notas?

—Jung lo hizo. Tomó copiosas notas.

— ¿Y presumiblemente quedan en sus archivos?

—En el caso de Magda —Gianni intervino en el diálogo sin pedir permiso —en el caso de Magda, Jung me dio todas sus notas manuscritas. Yo las quemé... Pero en general, sí, el analista anota las conversaciones para un estudio posterior.

—Cualquiera de esas anotaciones podría ser muy perjudicial —Zaharoff estaba decidido a seguir con el tema.

—Perjudicial no sólo para el paciente, sino para cualquier otra persona mencionada en la conversación.

—Es un problema perenne en medicina —dijo Gianni en tono agradable—. La ley impide revelaciones ante los tribunales. Protege la confianza hipocrática entre médico y paciente. Pero estoy de acuerdo: no hay ninguna protección, ninguna protección adecuada contra revelaciones maliciosas o irresponsables. Por eso insistí en que me entregasen las notas sobre Magda, por eso las quemé en la suite del "Baur au Lac".

—¿Entonces eran tan perjudiciales? —Zaharoff lo preguntó como en broma, como si preguntara: ¿cuándo dejó de golpear a su esposa?

Gianni fue rápido al responder.

—No lo sé. No las leí.

—¿Por qué no?

—Yo tengo opiniones propias sobre Magda. No quise contaminarlas con las de otro hombre. ¡Vamos, amigo! ¿Aceptaría Basil Zaharoff la opinión de otro hombre sobre una mujer? Claro que no.

—¿Pero por qué —preguntó inocentemente Zaharoff —usted, Magda, no continuó con Jung?

—Por razones muy serias. Eramos temperamentalmente incompatibles. El paciente y el analista deben tenerse una confianza enorme. Jung y yo estuvimos chocando todo el día.

—Y como médico que la recomendó —Gianni continuaba metiéndose en la conversación—, creí más prudente que ella no continuase.

—¿Pero seguramente las notas de Jung habrían sido valiosas para un tratamiento ulterior?

—También podrían haber sido fuente de confusiones —dijo Gianni—. No es lo mismo que la medicina física. Yo podría describir sus síntomas a cualquier médico bueno y él haría el mismo diagnóstico que yo. En psiquiatría, es diferente, mucho más brumoso.

—¿No sintió curiosidad por las notas de Jung, Magda? No puedo imaginar a ninguna mujer que no desee saber lo que un hombre escribe sobre ella.

Zaharoff se mostraba bromista, benigno. Yo, por el contrario, trataba de ser seria.

—Usted no comprende. Cuando una está allí, como yo, anclada en el sillón, no le importa lo que él está escribiendo. El está haciendo cirugía en su psiquis y eso duele como el demonio. Por lo que yo sé, él hubiera podido estar escribiendo malos versos o haciendo dibujos obscenos. ¡De todos modos, me alegra que Gianni haya quemado esos papeles!

—Fascinante —dijo Basil Zaharoff—. ¡Veo un futuro en ese arte! Tiene muchos problemas y algunos usos interesantes. En este momento, me gustaría mucho tener un relato escrito de la vida amorosa del señor Lloyd George.

Cuando todo terminó, Gianni me hizo un gran cumplido. Me había desempeñado muy bien. Había seducido a los buitres para que bajaran de los árboles y se convirtieran en aves canoras. Le pregunté:

—¿Qué se proponía Basil Zaharoff? ¿Por qué tendría que interesarse en los procedimientos analíticos?

—Eso no le interesa —dijo Gianni con una sonrisa—. Le interesas tú... y cuánto pudiste contar sobre su oferta comercial y su desempeño en la cama.

—¿Y si yo hubiese contado todo?

—¡Entonces, esta semana o la siguiente, o el mes que viene, quizá, estarías muerta! ¡No te rías! Es verdad. El ha amasado una fortuna enorme. Ha alcanzado un poder enorme. Ahora tiene que ser respetable. Ese fue todo el objeto de la cena. Yo te quiero en París. No puedo retenerte aquí si Basil Zaharoff está disgustado contigo.

—¡No lo creo!

—¡Créelo, querida mía! —dijo secamente Gianni—. Vivimos en una jungla, y Basil Zaharoff es el rey de las bestias...

Dos mañanas después Gianni llamó a la puerta de mi dormitorio y ordenó que me vistiese.

—...ropas viejas, zapatos fuertes. Mientras más desaliñada te veas, mejor. Partimos dentro de treinta minutos.

—¿Adónde vamos?

—A la Ruelle des Anges... la Callejuela de los Angeles.

—Es un hermoso nombre.

—Es lo único que tiene de hermoso. Está a un par de manzanas detrás del Boul 'Mich', un barrio recio... de allí las ropas sobrias.

—¿Por qué vamos allá?

—Negocios.

—¿Qué clase de negocios?

—Arma tu alma de paciencia.

—No tengo alma.

—Entonces, arma tu cuerpo de paciencia.

—¿Qué demonios te crees que he estado haciendo? Parece que hace años que no tengo nada de sexo.

—¡Bien! Entonces tendrás la cabeza clara y la mente pura.

—Tampoco tengo una mente, a esta hora de la mañana.

—Entonces tendremos que arreglarnos con lo que tengas, ¿verdad? ¡Date prisa, por favor! Son las ocho y cinco; nos vamos a las ocho y media.

La Ruelle des Anges desmentía su nombre. Era un sombrío callejón empedrado con una zanja abierta en el centro e hileras de edificios viejos y ruinosos a cada lado. En el extremo más alejado había una gran puerta cochera de madera con una puerta más pequeña en uno de los paneles. Gianni me explicó que el nombre Callejuela de los Angeles era una ironía. Los ángeles en cuestión eran las prostitutas que solían vivir allí pero que se habían marchado hacía tiempo en busca de mejores alojamientos. Cuando nos acercamos a la puerta cochera, Gianni señaló un letrero recién pintado: **Hospice des Anges**. Empujó la puerta pequeña y me hizo pasar a lo que había sido una vez el patio de la caballeriza de una mansión imponente. Ahora, los establos se encontraban en un avanzado estado de reconstrucción. El patio estaba lleno de jornaleros. Gianni abrió los brazos en un ademán expansivo.

—¡Bueno, es esto!

—¿Esto es qué?

—El negocio, la inversión de que hemos hablado. Tendríamos que poder inaugurarlo en seis semanas, aproximadamente.

—¿Para qué? ¿Para traer nuevamente a los ángeles?

—En un sentido, sí. Eso es lo que significa el letrero de la puerta. Es un hospicio para mujeres o muchachas que han estado en el oficio y caído víctimas del mismo, de una forma u otra. Es un lugar donde ellas pueden venir cuando salen de la cárcel, o cuando las han golpeado o las han dejado preñadas. Habrá alojamientos, una cocina, un comedor, una enfermería. La comuna de París ha prometido un pequeño subsidio sobre la base de que nosotros ayudaremos a mantener baja la incidencia de enfermedades venéreas...

— ¿Y quién va a dirigir todo esto?

—Hay un pequeño grupo de mujeres de París, viudas en su mayoría, que están experimentando con un antiguo concepto cristiano de vida en común y de servicio. Se llaman ellas mismas **Les Filles du San Graal**, las Hijas del Santo Grial. No llevan hábito religioso. No hacen votos, solo se comprometen a servir por todo el tiempo que puedan ofrecer. Han adoptado esta idea y van a atender el lugar para nosotros. Yo me he encargado de proporcionar servicio médico y de tratar de reunir los fondos que necesitaremos para mantenerlo en funcionamiento. Es una idea sencilla. Un lugar para que vayan las mujeres cuando las cosas se vuelven demasiado difíciles, un lugar para estar cuando se encuentren enfermas y sin amigos. Tenemos un lema. Estamos haciéndolo imprimir en las tarjetas que serán distribuídas por todo el barrrio: **Hospice des Anges**. Aquí no juzgamos a nadie. Solo ofrecemos amistad y servicio. Bueno, ¿qué piensas?

— ¿Qué tengo que pensar?

Me lo dice — ¡tic tac!— en una rápida andanada de palabras.

— ¡Que es una buena idea! ¡Que nos darás mucho dinero y que vendrás aquí a trabajar como médica!

Simplemente, no creo lo que estoy oyendo. Todo es demasiado clisé para expresarlo en palabras. Me vuelvo hacia él:

—Si esto es tu idea de una broma, Gianni...

—No es una broma.

— ¡Estás loco! ¡Soy conocida en el circuito de donde vienen las muchachas! Harás de ti y de este lugar un motivo de risa.

— ¡Cámbiate el nombre, entonces! Hazte llamar la hermana María de los Angeles... ¡me importa un rábano! Pero yo te quiero aquí.

—El dinero, puedes tenerlo, pero...

— ¡Al demonio con el dinero! Te quiero a ti. ¡Y tú, por Dios, lo necesitas!

—Lo necesito como a la plaga.

— ¡Tú eres la plaga! —Se muestra frío y completamente despreciativo. — ¡Tú eres la Peste Negra! Matas todo lo que tocas, porque en tu vida solo pensaste en ti misma... Este lugar es refugio para las víctimas que tú y los de tu clase han creado y seguirán creando... Leí muy atentamente las notas de Jung sobre ti. Yo te comprendo mejor que él. Soy un tipo raro, como tú. También soy un absolutista anticuado... ¡y eso, maldita sea, eres tú! Quieres matarte. Y un día lo harás; porque eres una deudora morosa y no quieres enfrentar el momento de rendir cuentas... Te estoy dando una oportunidad de hacer precisamente eso: pagar vida por vida, niño por niño, amor por odio... Jung escribió algo sobre ti que me golpeó como un martillo. "Ella espera demasiado. Exige un Dios que yo no puedo revelarle, ¡una absolución que no se ha ganado y probablemente nunca se ganará!"... ¡Qué acertado que estuvo! La única vez que estuviste cerca de Dios fue junto al lecho de tu marido moribundo y huiste de El. No pudiste enfrentar lo que El significaba... En el momento que nuestra primera muchacha cruce nuestra puerta, con una nariz rota y una gonorrea, El estará aquí otra vez, y tú otra vez volverás a perdértelo... ¡y así hasta que no puedas soportar más la soledad y te vueles lo que quede de tus sesos!... ¡Oh, demonios! ¡Qué objeto tiene! ¡Vamos, te conseguiré un taxi...!

— ¡Gianni! —Está a mitad de camino a la puerta antes que yo encuentre mi voz, una voz pequeña, vacilante, que apenas reconozco como mía.

— ¿Qué pasa?

—Si yo... si yo dijera que sí.

—Continúa.

— ¿Cómo sería posible que diese resultado? Ahora tú lo sabes todo de mí. Yo no puedo confiarme tanto. Has dicho que soy la Peste Negra. Sé que lo soy. En un lugar como este estoy muy cerca de viejos recuerdos y de relaciones no tan viejas. No sé lo que eso podría hacerme.

—Francamente, yo tampoco lo sé. Estoy arriesgando. Jugándome.

— ¡No a mi favor, te lo ruego! Yo soy un mal riesgo.

—Había algo más en las notas de Jung: "Está muy impresionada por la inscripción sobre mi puerta..."

—Me impresionó, sí. Pero realmente, sentí que algo debió haber ocurrido: una bocanada de humo azul, fuegos de artificio divinos. No lo sé...

—Creo que algo sucedió.

—¿Qué, por Dios?

—Ese día en la casa de Jung, tú moriste un poco.

—¡Un poco! ¡Oh, Gianni, Gianni, tanto murió de mí que el resto apenas cuenta!

—Es por eso que estoy jugando: "**Si le grain ne meurt...**"

—Dilo otra vez.

—"**Si le grain ne meurt... si la semilla no muere, permanece para siempre solitaria y estéril.**" Es una cita de los Evangelios...

—Nunca los leí.

—No importa. En este lugar estarás viviéndolos, con la ciega, la renga, la lisiada, y la espiroqueta, también... ¡Ven! Déjame que te enseñe el lugar. Necesito algunas sugerencias...

—Gianni...

—¿Sí?

—¿Qué me estás haciendo?

—Justamente lo que le pediste a Jung que te hiciera... excepto que él no supo cómo. Esta es una presentación de nalgas, máximo riesgo, parto con fórceps. Estás volviendo a nacer... ¡en la Callejuela de los Angeles!

—¡Eres un bastardo!

—No, querida mía, entendiste mal. Tú eres quien nació fuera del santo matrimonio. ¡Yo soy un esnob florentino de alta cuna, totalmente legítimo!

FRAGMENTOS A MANERA DE EPILOGO

Carta sin fecha de Emma Jung:

Querida mía:

No puedo decirle cuánto siento que Anna Sibilla haya respondido negativamente a mi carta; pero por lo menos ha respondido y creo que ambas comprendemos su respuesta. A veces es mejor dejar las cosas como están, porque el esfuerzo para cambiarlas es demasiado penoso...

Carl está bien. Su fama crece, como crece el número de seguidores. Todavía hay amor entre nosotros, un amor extraño y espinoso. El nunca la ha mencionado desde que usted se marchó. Yo, por supuesto, no he dicho nada. Me contento con disfrutar en secreto de nuestra amistad.

Amor, mucho amor...

Emma

Carta de Magda Liliane Kardoss von Gamsfeld a Emma Jung, escrita probablemente en enero de 1914:

Todavía no sé qué me retiene en el Hospice des Anges. Todo es tan sórdido y fútil. Las muchachas vienen; las muchachas se van. Yo limpio sus infecciones, remiendo sus heridas, distribuyo medicina, dinero y consejos inútiles... después espero que regresen en peores condiciones que antes. Siento su dolor. Me enfurece su estupidez. Libro una batalla constante con los rufianes y los agentes de los burdeles que se pegan a ellas como parásitos. No cambio nada. Soy como un asno ciego atado a la piedra de molino, girando día tras día alrededor del mismo círculo.

¿Por qué lo soporto? Quizá porque me encuentro en el mismo estado que su Carl, quien necesita una arquitectura, una estructura que lo sostenga. Quizá es solamente porque Gianni me halaga y me persuade y me hace sentir que soy importante en el orden de las cosas. El no me desea como mujer; sin embargo, me ama y me protege de mí misma. Cuando estoy profundamente deprimida, él insiste en el punto de honor: estoy pagando una deuda. Cuando le pregunto a quién estoy pagándola, sonríe y me dice: "A ti misma, por supuesto. Te has estafado mucho a ti misma."

A veces, solo a veces, eso tiene algo de sentido. Mientras escribo, hay una criatura dormida en una cuna a mi lado. Hubiera muerto si yo no hubiese estado aquí para ayudarla a nacer. Ojalá tuviera el coraje de adoptarla. Gianni no me lo aconseja. Las Hijas del Santo Grial encontrarán un hogar para ella... ¡Bueno, mi querida Emma, un buen Año Nuevo para las dos! Me pregunto...

Fragmento de un memorándum manuscrito de los archivos del Ministerio del Interior, con la fecha 19 de marzo de 1914 escrita a lápiz:

El ministro se reunió con Zed-Zed. Entre los asuntos que se trataron estuvo la seguridad de las casas de cita de la Lista Seleccionada. Existe el peligro de que esa seguridad pudiese verse dañada por la subversión o por la deserción de las muchachas. Zed-Zed señala que algunas de las muchachas, que se retiran de la vida en París, ahora encuentran su camino hacia el Hospice des Anges, donde la médica principal es una mujer de nacionalidad austríaca pero de padres mixtos (húngaro e inglesa) que tiene ella misma frondosos antecedentes de delitos sexuales. La situación es lo suficientemente anómala para merecer atención, especialmente en vista de posibles hostilidades este año. Se le solicita que investigue y recomiende acción apropiada...

Carta a Frau Magda Liliane Kardoss Von Gamsfeld de la vicaría de Bibury, Inglaterra, fechada el 23 de marzo de 1914:

Estimada señora:

Con gran dolor le informo a usted de la muerte de la señorita Lily Mostyn, ocurrida el día dieciocho de este mes. Ella falleció, muy pacíficamente, mientras dormía. Yo había estado a visitarla el día anterior y la encontré muy conversadora y tranquila.

Como uno de los albaceas de su testamento, estoy encargado de disponer de sus pertenencias. Ella le ha legado directamente a usted un paquete de papeles que resulta ser una traducción de **El jardín perfumado**, escrita a mano por el difunto sir Richard Burton.

Esto es, como usted sabe, un material valioso, si bien bastante exótico. ¿Puedo preguntarle si tiene usted algunas instrucciones especiales sobre lo que se debe hacer con el manuscrito? No quisiera arriesgarme a violar reglamentaciones sobre el envío de material obsceno por el Correo de Su Majestad.

Recordaré a la señorita Mostyn en nuestros servicios del domingo. Quizá usted quiera unirse en sus plegarias a nuestra congregación.

Suyo en la Comunión de los Santos:

(Firma ilegible)
Vicario

Extracto de un cuaderno de anotaciones no publicado de Carl Gustav Jung, sin fecha, con la inscripción Obiter Dicta:

Me ha llevado largo tiempo aceptar mi fracaso con Magda von G. Todavía no puedo discutirlo ni siquiera con Toni; pero por lo menos, puedo contemplarlo en meditación. Un día trataré de encontrarle un sentido desde el punto de vista clínico, aunque nunca podré publicarlo en forma literal. Toca a los vivos; toca a los muertos; es, para mí, un asunto rico en misterio, cargado de terror. Plantea preguntas para las que aún no tengo respuestas adecuadas: la naturaleza del mal, la complicada lógica de la culpa, la absoluta necesidad de perdón del hombre como condición de la salud psíquica, la autoridad— ¿o es simplemente el amor?— que hace al perdón aceptable y potente. ¿Me he perdonado por lo que le hice a Magda von G.? Todavía no, creo. ¿Ella me ha perdonado? Nunca lo sabré. No he tenido el coraje para averiguar si está viva o muerta...

Carta de Gianni di Malvasia a Arnaldo Orsini, fechada el 26 de abril de 1914:

Tengo el corazón destrozado por lo que ha sucedido. He perdido a una amiga muy, muy querida. El hospicio ha perdido a una valiente y querida colaboradora. Al mismo tiempo estoy tan indignado, que podría cometer un asesinato. Todo el asunto es tan calculado, tan brutal.

Eran alrededor de las ocho de la noche. Magda había entregado las llaves del dispensario a la enfermera nocturna y estaba caminando por la Ruelle des Anges para tomar un taxi en la calle principal. Un hombre fue visto saliendo de las sombras y hablando con ella. La apuñaló una vez y en seguida echó a correr. Nadie lo detuvo. Gentes que pasaban recogieron a Magda y la llevaron nuevamente al hospicio. Ya estaba muerta.

La autopsia, que yo mismo realicé, reveló una herida punzante que desde el esternón ascendía hasta el corazón. La herida fue hecha obviamente por un pinche para queso o un estilete muy delgado. La policía cree que pudo ser un trabajo profesional. Yo sé que lo fue.

Siempre tenemos problemas con los rufianes cuyas mujeres huyen de ellos y vienen a nosotros; pero esto fue algo diferente. La mano que dio el golpe fue corsa: ¡pulgar sobre la hoja y golpe hacia arriba! ¿El hombre que pagó por el trabajo? ¡Bah! Nunca podré probarlo. Es demasiado peligroso hasta para ponerlo por escrito. La otra noche entraron violentamente en mi casa. Se llevaron pocas cosas de valor, pero mis papeles estaban en desorden. ¿Qué te dice eso?

Me marcho de aquí y regreso a Italia. He entregado el hospicio y los fondos que Magda dejó para su mantenimiento a las hijas del Santo Grial. Habrá guerra antes que termine el verano. Me lo dice así la persona más autorizada: Basil Zaharoff. ¡El envió flores a la tumba y escribió una nota muy tierna sobre Magda y su trabajo! ¡Espero que se pudra en el infierno!

Las hermanas clarisas fueron muy buenas. Me dejaron sepultar a Magda en el cementerio del convento. Tuve que ser franco y decirle a la madre superiora que ella no era creyente. La vieja estuvo maravillosa. Tiene ochenta años, ni un día menos, pero no ha perdido nada de su lucidez. Me dijo: "Gianni, muchacho mío, no importa lo que nosotros creemos de Dios, sino lo que El sabe de nosotros. Tu Magda será muy bienvenida aquí."

He dejado dinero para la lápida. No se le ocurre un epitafio. ¿Cómo puede uno describir a una mujer así? Ella fue todo lo que somos nosotros, bueno y malo, reunido en un paquete... ¡excepto que tuvo el coraje que nos falta a la mayoría! Todavía no he encontrado las palabras; pero vendrán. Hay tiempo. El montículo de tierra todavía no se ha hundido. Las flores apenas se han marchitado sobre la tumba. "Il pleut dans mon coeur..." Esta noche me siento solo. Nunca pensé que podría echar tanto de menos a una mujer...

Esta edición se terminó de imprimir en la
COMPAÑIA IMPRESORA ARGENTINA S.A.
Alsina 2049 - Buenos Aires - Argentina
en el mes de octubre de 1983